歃盟

【卷四】香巴拉

誠君一諾，歃血為盟，悲慟亦豪情！

墨武——著

目錄

卷四　香巴拉

要去香巴拉，必要擊敗元昊再說。他殫精竭慮地出招，從未想到過，有朝一日，宋、夏會突然議和。接下來，他該怎麼做？

第一章　俠血

狄青越想越是難以理解，他越是難以理解，心中就有了驚怖之意。人不正是因為不知，才會心生恐懼？香巴拉——世外桃源，怎麼會變得如地獄般慘厲？

趙明不停地喊叫，似乎要將久藏在心底的恐怖一口氣地喊出來。

狄青見他額頭汗水滾滾，瞳孔有些放大，心中懍然，一耳光打在趙明的臉上。啪的一聲響，趙明周身一震，倏然止住了叫聲，整個人已如從水中撈出來的一樣溼透，神色茫然。

狄青喝道：「趙明，你莫要講了，我不聽了。」他雖然很想知道香巴拉的祕密，但見趙明如此，還如何忍心追問下去？

趙明顫抖中，額頭汗水滾滾，突然一把抓住了狄青道：「狄將軍，求求你，讓我說下去。你不知道，這些年，我很多晚上，都在做這些噩夢。我若再不說出來，只怕就要瘋了。」

狄青見他還認得自己，沉聲道：「你若想說，我會聽。」他拍拍趙明的肩頭，示意他放輕鬆一些。

趙明眼中滿是感激之意，終於又說了下去，「那時我心中比方才更害怕，我聽著同伴紛紛叫喊，好像被一種極為可怕的怪物抓住，但又無從抵抗。甬道中，尖嘯聲更是淒厲，如同幾千個哨子同時在耳邊吹響。族中兄弟的聲音被尖嘯聲壓住，聽不到了。」趙明渾身顫抖，還是堅持說道，「我那時好像全然不能動彈，可意識特別清醒。那種感覺，有如經歷一場噩夢。」趙明又喘口氣，這才道，「後來嘯聲……也弱了。我突然聽到曆姓商人道：『時機到了。』只見眼前有兩道人影掠過，想必就是那曆姓商人和蒙面人。」

狄青皺眉不解道：「時機到了？這是什麼意思？」

趙明茫然搖頭道：「我不知道。那兩人聽到這般恐怖的聲響，還敢過去，我那時真有些佩服他們的膽量。只見那兩人過了轉角，嘯聲陡然又傳，我聽蒙面人大聲驚叫：『怎麼回事？』然後他一聲慘叫道：『莫要抓我！』」

狄青心頭狂跳，恨不得親臨其境去看看究竟是怎麼回事。

「蒙面人叫聲才起，就戛然而止。只聽到有人冷笑一聲，前方突然光亮大漲。甬道的那頭，好像有烈火焚燒一樣。我聽到曆姓商人狂笑道：『蒼天不負我……』」

狄青驚駭中還帶分期冀，驚駭的是曆姓商人的瘋狂，期冀的是真的有人進入了香巴拉！

「但那曆姓商人笑聲未歇，就聽嘯聲又起。這次呼嘯聲更劇，那曆姓商人驚叫道：『莫要抓我！』可他叫了一聲後，就沒動靜了。隨後只聽到驚天動地的一聲響，整個山腹好像都搖動起來。」

狄青皺了下眉頭，心中只有一個念頭，莫要抓我，到底是什麼意思？

趙明惶惶道：「我見整個山都要塌下來的樣子，不知哪裡來的氣力，從石縫中擠出來。拚命向來路奔去。那時候山石不停地落下，我心中只有一個念頭，就是逃出去，才能見到我的婆娘。不想突然有塊大石落下來，打在我的後背，我當下就昏迷了過去，醒來後，費盡辛苦才爬出山腹，發現那瀑布竟然乾涸了，我的一條腿，也被砸斷了。」

狄青望向趙明的腿，此刻才知道他瘸腿的原因。

趙明將一切述說完，反倒有種釋然。釋然之餘，趙明喃喃道：「狄大人，我真的不知道，去的那地方到底是不是香巴拉。傳說中的香巴拉，不應該是這個樣子。」

狄青也在疑惑這個問題，本想再說什麼，見到趙明滿是疲憊痛楚的臉，終於只是道：「事情過去了就好。」

趙明是可能知道香巴拉地點的唯一人選，但狄青終究沒有繼續追問。趙明有些感激地望了狄青一眼，欲言又止。

狄青只是望著青霄雲影，彷彿望著神祕的香巴拉。

香巴拉到底是什麼所在，他好像知道得更多，但更迷惑。傳說中，香巴拉是人間仙境，怎麼聽趙明所言，香巴拉如同地獄一樣？

馬蹄聲起，遠處奔來一騎，正是戈兵。

戈兵帶來了一個確切的消息，韓琦現在就在鎮戎軍的高平砦。

如果說柔遠砦是環慶路抗擊夏軍的前沿，那高平砦無疑是涇原路對抗夏軍的尖刀。

韓琦就在高平砦，是不是說他的尖刀已準備出鞘？

狄青想著這個問題的時候，已到了高平砦。

高平砦防衛森然，高壘深溝。遠望旗如烽火，近看兵戈凝寒。雖是暖春季節，高平砦卻滿是深秋的愁殺氣息。

韓笑早就在砦外等候，和狄青會合。

狄青通稟了姓名，兵士急急去告，不多時，一人已迎了出來。那人神清氣爽，膚色白皙，正是經略判官尹洙。

塞下風如刀、雨似箭，塵沙吹老，將軍易頹。

但就算這種打磨，似乎也改變不了尹洙的意氣和容顏。

尹洙見到狄青，哈哈大笑道：「狄青，聽說你最近大鬧葉市，很是威風，怎麼會突然來到這裡？」他望了一眼趙明，眼中露出分詫異之意。

狄青知道尹洙性子直，雖和范仲淹爭吵，只屬於政見不同，為人並不壞，拱手道：「最近范公得了份軍文，知道夏軍恐怕要對涇原路出兵，是以派卑職前來知會韓公。」

尹洙臉色微變，轉瞬冷哼道：「他們要出兵嗎？那不是更好？韓公早就等待多時了。」

說話間，尹洙已帶狄青到了中軍帳前。尹洙沒有叫趙明跟隨，趙明知趣地留在了帳外，狄青讓韓笑也留在帳外。

未及中軍帳之時，狄青就聽絲管樂聲悠悠傳來，尹洙笑道：「狄青，韓大人正在宴請眾將，你來得正好。眼下歌舞的白牡丹，聽說是這方圓百里最出色的一個，你可有眼福了。」

狄青微皺下眉頭，心道韓琦畢竟是書生，竟把京城的風氣帶到了塞下。實際上，狄青對這種情況司空見慣，當年的范雍，後來的夏竦，到如今的韓琦。

邊陲文官，除了范仲淹外，基本將歌舞詩詞當做生命的一部分，不可稍離！

簾帳掀開，狄青第一眼看到的不是場中如牡丹綻放的歌舞，而是那高踞而坐的韓琦。

狄青從未見過韓琦，但他第一眼看到高踞而坐的那人，就知道此人必定是韓琦。只有韓琦才會那麼狂，只有韓琦才會那麼傲，只有韓琦才能讓任福等一幫桀驁不馴的將領，畢恭畢敬。

狄青早聽過韓琦，在京城的時候就聽過，從元昊、張元的口中聽過，從尹洙、范仲淹的口中亦是聽過。這本來就是個讓人重視的人物，亦是因為他有值得自豪的本錢。

韓琦弱冠之年中進士、入開封府、遷度支判官、拜右司諫，官場上平步青雲，和范仲淹不可同日而語。但韓琦和范仲淹一樣，都靠諫言聞名。范仲淹因諫言數度沉浮，韓琦卻靠諫言聞名天下。

太后病逝後，趙禎掌權之初，有感朝廷無作為，韓琦當即進諫，痛斥兩府中王隨、陳堯佐、韓億、石中立四人庸碌無能，罕有建明。韓琦慷慨陳詞，朝廷動容。兩府之中，均是宋廷一等人物，韓琦直斥其非，誰都認為韓琦官職不保。但結果是，趙禎將王隨四人悉數罷免，重用韓琦。此事之後，朝野震動，韓琦名動京師。

有些人，只需一件事，就可以讓天下人銘記。

更何況，這件事不過是韓琦生平無數功績中的一筆。那些濃墨重彩，已在韓琦身上畫下了炫目的光環，讓很多人，甚至不敢直視。

韓琦見到了狄青，神色平淡，只是一指遠處的座位道：「狄都監，坐吧！」

韓琦並沒有問狄青趕來做什麼，似乎在他的眼中，什麼事情都比不上這一場歌舞。他是威名天下的韓公，能讓狄青一起欣賞歌舞，對狄青已是抬愛。

狄青緩緩落座，目光從觀看歌舞的眾人身上掃過，他發現這裡很多人都是熟面孔。武英、王珪、朱觀、桑懌等人悉數在場。

這些人，當初都和狄青並肩護駕，已很有交情。邊陲戰起，趙禎將很多禁軍精英都派往邊疆，這些人在邊陲，都已因軍功升職，有的官職甚至超過狄青，但對當年狄青的提攜之恩，都心懷感激。

那些人看著狄青，都在微笑，狄青還以一笑。

狄青坐在末座。

狄青雖是范仲淹手下的第一將，但他不過是個兵馬都監，兵馬都監是個率臣，也算是個臨時任命的官員。

宋廷為防武將造反，一向採用更戍法，不停地調換將領來負責戍衛邊陲、征戰事宜，率臣就是更戍法的產物。率臣有多種，有安撫使、經略使、都部署、部署、都鈐轄、都監、巡檢等名目。

狄青還是個兵馬都監，雖然范仲淹已讓他做了環慶、鄜延兩路部署的事情，但他畢竟還是個都監而已。這中軍帳中，與他官職彷彿的不少，比他高的更多，因此他只能坐在末座。他喝了口酒，喃喃道：「有酒有菜，你還奢望什麼呢？」

韓琦見狄青懂得規矩，嘴角有分哂然的笑，對身旁的一人客氣道：「國舅，還請欣賞歌舞。」

韓琦身邊坐著一人，額頭已有皺紋，鬢角有了白髮，乍一看，那人像是個老人，但仔細瞧瞧，又覺得此人好像很年輕。

總之無論怎麼看，那人都很是怪異！

狄青暗自奇怪，心想：國舅？這人是當朝皇后的兄弟嗎？狄青雖很久沒有回京，但知道趙禎廢后不久後，就立曹氏為后。曹皇后為大宋開國將領曹彬的孫女，可說是配得上趙禎了。

不知為何，狄青突然想起當年在集英門內，趙禎的悵然若失，嘴角有分無奈的笑。他不知道趙禎娶曹皇后是否還是被人所迫，但他已不想知道。

曹國舅突然道：「不知狄都監笑什麼呢？」曹國舅一開口，帳中絲竹聲靜了下來。

白牡丹也不再怒放，知趣地收斂了嬌豔。

其實帳中很多人也在看著狄青，但韓琦故示冷淡，眾人有話也難以出口。

大夥都知道，韓大人和范大人雖都是戍邊大才，但有些矛盾。范大人主張守，韓大人喜歡攻。韓琦刻意對狄青冷漠，眾人雖不知道，韓琦是否在表達著不滿，但大夥都在韓琦手下當差，當然要識趣些。

這裡只有曹國舅不知趣，韓琦雖臉色微凝，但一言不發。

韓琦很是狂傲，也有本事，但他無疑是個知機的人。只有機會出現，他才會出手。因此他不會像范仲淹那樣，忤逆太后、觸怒天子，和當朝第一人呂夷簡對著幹。曹國舅沒什麼實權，但他是皇親，韓琦覺得，不必和這種人一般見識。

韓琦不知曹國舅為何要來到邊陲，他只知道，這種人來了，他虛與委蛇就好。他更不明白曹國舅為什麼在狄青入帳後，就一直盯著狄青，但韓琦不必明白。

人生在世，本來就應該知道該知道的，糊塗該糊塗的，明白太多，也未見得是好事。

營帳中靜下來，狄青見曹國舅直勾勾地望著他，遂道：「下官想起臨走前范大人的吩咐，因此發笑。」

曹國舅好奇道：「范大人，可是范仲淹嗎？他有什麼吩咐好笑呢？」

狄青突然發現，曹國舅的聲音有些尖銳。他幾乎以為曹國舅是個太監，可見到曹國舅頦下有濃密的鬍子，壓下疑惑，沉聲道：「范大人說，軍情緊急，讓我馬不停蹄地趕來。下官覺得，范大人實在多慮了，因此想笑。」

曹國舅好像不明白狄青言語的諷刺之意，眨眨眼睛。韓琦臉沉似水，帳中各將均有擔憂。

任福拍案喝道：「狄青，你懂什麼？韓大人早就運籌帷幄，這次宴請諸將……」話未說完，韓琦已擺手止住任福，淡淡道：「狄青，你有什麼緊急的軍情呢？」

狄青取出范仲淹的書信遞上，韓琦接過，並不拆開，問道：「你不妨撿些扼要的先說說吧！」

狄青反問道：「下官在說軍情之前，請問一事。」

韓琦略有傲慢道：「何事？」

狄青看了一眼軍中的樂師，止舞的白牡丹，一字字道：「難道說韓大人每次商議軍情之前，都要這些舞女樂師在場嗎？」

狄青話音鏗鏘，隱有不滿。這些消息是他率手下拚死奪得，若連個舞女樂師都能知曉，失去了價值，他如何對得起戰死的兵士？

尹洙暗自皺眉，心道這個狄青好不知趣。原來韓琦在京城的時候，就無酒不歡，無妓不歡，這種作風到了邊陲時，雖稍有收斂，可一直沒有禁止。

被派到西北的文官，很多人都將京城的奢靡之風一塊帶了過來。

遠如范雍、近如夏竦，幾乎是終日飲酒作樂，歌舞不歇，不理邊務。

在尹洙看來，韓琦這種作風，只能說風流，算不得誤事，因為韓琦這些日子來，畢竟為作戰積極做著準備。狄青眼下直斥其非，韓琦如何能忍呢？

韓琦心中震怒，他身為陝西安撫副使，就算夏竦對他，都是客客氣氣的，不想一個兵馬都監，竟然要找他的毛病。若是平時，韓琦一聲喝令，早就將狄青推出去斬了，可感覺到曹國舅饒有興趣地望著他，韓琦舒了口氣，故作淡然道：「你若想讓我屏退左右，總要說說是何軍情，值不值得我這麼謹慎呢？」

狄青立即道：「范大人想讓下官轉達夏軍出兵動態。」

一旁有人冷笑道：「狄青呀，韓大人最近一直留意夏人的出兵動向，何須你來提醒？難道說……范大人和你覺得比韓大人要聰明嗎？」

狄青扭頭望過去，見到說話之人也是舊識，竟是常昆。

當年狄青初入班直，常昆還是狄青的頂頭上司。後來狄青沉沉浮浮，常昆按部就班，又因得朝中要員葛懷敏信任，眼下身為鎮戎軍西路巡檢。

常昆出言質問，顯然是討好韓琦。狄青正色道：「想古人有云，『智者千慮必有一失，愚者千慮亦有一得。』韓大人既然和范大人共守邊陲，抗擊夏軍，就應齊心協力，互通消息。彼此提醒，本是應盡之責任，豈含炫耀之心？」

常昆諷刺道：「那不知道狄都監從何得來的消息？」說罷哈哈大笑，很是輕蔑。

狄青冷冷道：「這消息，是洪州太尉慶多克用親口所言。」

眾人微怔，旁邊又有一人問道：「狄都監，此話怎講？慶多克用如何會對狄都監說出軍情呢？」那人面黑長鬚，狄青認得他叫耿傅，是為參軍。

耿傅和郭遵是舊識，當初狄青初到邊陲，還得過耿傅的照顧。

狄青回道：「我前幾日才破金湯城，擒了慶多克用，從他的太尉府搜到了消息。」

一人失聲道：「狄青，你破了金湯城？」說話那人正是武英。

眾人霍然驚動，聽狄青破了金湯城，心情迥異。任福只覺得狄青在炫耀，常昆眼中有了嫉恨，武英更多的是驚佩。

至於王珪、朱觀、桑懌等人，感慨之餘，不由想到當年邵雍所言，「狄青，你當為天下英雄！」

任福當初不知調動了多少兵馬，親自監軍，蓄謀很久，這才摧毀了白豹城。白豹城被毀，可說是天下震動，宋廷大悅，任福也因此軍功再升數級，矜誇在眾人之前。

可狄青竟不聲不響地把和白豹城同等重要的金湯城破了？還抓了洪州太尉？

狄青破了白豹城後，第二日就出來報信，眼下金湯城被破的消息，還沒有傳至韓琦的耳中。

眾人難以置信，但不得不信。

韓琦臉色陰晴不定，尹洙已大笑道：「好個狄青，真英武也。如果是從金湯城得來的消息，想必不假，不如說說吧！」

尹洙想要緩和氣氛，給彼此一個臺階下。暗想韓琦主攻，若知道拉攏狄青，順便把狄青調到涇原路來，和任福並肩作戰，勝算大增。他向韓琦使了個眼色，只希望韓琦能明白他的用意。

韓琦再狂再傲，心中也是極求大勝，建千古威名。

見尹洙望過來，韓琦突然一笑道：「狄青，你果然不負朝廷的厚望。這次能破了金湯城，軍心鼓舞，當浮一大白。來呀，白牡丹，給狄都監斟酒。」

眾人見韓琦要與狄青對飲，都舒了口氣。帳中氣氛已有所緩和，曹國舅一直沉默，見狀笑道：「要得，要得。這樣的快意之事，我聽到，都忍不住要痛快地醉一場。」

狄青也非魯莽之輩，方才見韓琦視軍情為兒戲，忍不住地提醒，這刻見韓琦有和解的意向，拱手道：「謝韓大人。」

白牡丹就是帳中輕舞之人，面容姣好，身段婀娜。端著酒壺緩緩地走過來，神色中卻有些妖冶輕佻之意。她走到狄青面前，為狄青滿了杯酒後，低聲道：「妾身敬斑兒一盞。」

狄青正要端杯，聞言怒極，喝道：「你說什麼？」

白牡丹哎喲一聲，已跌倒在地。眾人又驚，不明白究竟發生了何事。白牡丹說話的時候，聲音極輕，除狄青外，再無第二人聽到她說什麼。

狄青已憤怒，白牡丹竟敢稱他斑兒？

斑兒——就是說狄青臉有刺字，臉有刺字，就連個歌妓都瞧不起？他堂堂一個兵馬都監，只因出身行伍，卑賤得就連歌妓都要諷刺一句？

狄青那一刻，耳邊又響起楊羽裳所言，「你在我心中……本是天下無雙的蓋世英雄，如何能受那些人的輕賤？」他征戰多年，西北聞名，可此刻連個歌妓都能輕賤於他？

武英急道：「狄兄……何事？」他連使眼色，示意狄青別起衝突。

狄青霍然站起，冷望白牡丹道：「你把方才所言，在帳中大聲地說一遍。」

白牡丹很委屈地站起來，大聲道：「妾身……妾身就說敬斑兒一盞酒，難道有錯嗎？」這次她吐字清晰，帳中人均已聽到，表情各異。

武英等人均是和狄青一樣，出身行伍，聽白牡丹一句斑兒，損盡帳中的大半武將，也是心中憤怒。

只有韓琦、任福、尹洙等高級官員，還是神色自若。在他們心中，狄青等人，本是卑賤武人，就是斑兒！

這是大宋祖宗家法！這些文人當然不覺得有錯。

狄青望著韓琦，一字一頓道：「韓大人……你說白牡丹有沒有錯？」

白牡丹不等韓琦回答，已搶著道：「昨晚妾身與韓大人論酒品詩點評天下豪傑時，妾身問及狄將軍時，韓大人就說……不過一斑兒矣。妾身是實話實說了，韓大人，你可不能賴皮喲！」她輕嗔薄怒，滿是嬌笑媚態地望著韓琦，如同撒嬌。

韓琦本也覺得白牡丹當著眾將的面如此說話有些不妥，但一來不滿范仲淹，二來的確輕視狄青，更不滿狄青當眾對他指責。更何況佳人面前，如何肯墜了威風？點頭道：「我說的，當然不會賴皮！」

此言一出，帳內微譁，就算曹國舅都眉頭微皺。

狄青大怒，才待喝斥，突然聽到帳外一陣喧譁……

這是高平砦，宋軍的重地，韓琦尚在，誰敢在此聒噪？

韓琦舉目望過去，喝道：「是誰在喧譁？」

任福急急站起，衝出營帳，喧譁漸平。不多時，任福帶幾兵士入內，押著一人，那人滿臉是血，但難掩猙獰，狄青一見，失聲道：「趙明，怎麼是你？」

被押進來的竟是狄青帶來的手下趙明。

趙明眼角青腫，嘴角破裂，額頭鮮血流淌，赫然就像被人群毆了一頓。他緊咬牙關，眼中已露出怨毒之意。

狄青就要走過去，任福手腕一伸，已摘下背負鐵鐧。本來韓琦設宴，按規矩眾將不得攜帶兵刃，但韓琦迥乎常人，讓眾將不必拘束。任福更是因為功勞顯赫，所負的四刃鐵鐧，從不離身。

鐵鐧直指狄青，泛著寒冷的光芒，任福冷笑道：「想不到狄都監不把韓大人放在眼中，就連手下亦是不把軍營的兄弟放在眼中。」當初白豹城一役，在范仲淹面前，狄青就搶了任福的風頭，這次抓住狄青的痛腳，任福當然要小題大做。

韓琦恚怒，冷然道：「任福，何事？」

任福道：「啟稟韓大人，狄青的手下趙明在軍營外挑釁鬧事。砦中兵士勸他，他竟大打出手，重傷了一人。末將逼不得已，這才將他擒下。」

韓琦怒極反笑道：「狄青呀，狄青，看來你真的自恃軍功，早就不把我們放在眼裡。來人呀……將趙明推出去斬了。」

兵士領令上前，狄青急喝：「且慢……」他上前一步，任福蔑視道：「狄青，你若不知輕重，莫怪我手下無情。」

狄青扭頭望向韓琦道：「韓大人，趙明絕非惹事生非之輩，此中必有誤會。還請韓大人讓他解釋。」趙明望了狄青一眼，眼中已露出感激之意，但仍一言不發。

韓琦肅然道：「有桀驁的將領，就有不服法紀的手下，何須多問？來人呀，將趙明推出去。若有攔阻，格殺勿論！」他知狄青不但是范仲淹的手下猛將，還和天子有關係，倒不想因為狄青阻擋仕途。但狄青數次忤逆，甚至不把他韓琦放在眼中，若不殺雞儆猴，此事傳到京中，他在群臣中豈不丟盡了顏面？

眾將見韓琦雙眉豎起，臉泛殺機，一時間都是面面相覷。

有兵士才待將趙明拖出去，狄青喝道：「等等。」他霍然躥出，已到了任福身前。任福早就蓄力，見狀大喝一聲，鐵鐗當頭砸下。

那鐵鐗極重，蕩得帳中風聲大起；那喝聲極威，几案上的碗筷都被震得簌簌抖動。

眼看那一鐗就要砸在狄青的頭頂……

尹洙大驚，才待喝止，狄青遽然伸手，只是在任福肘部一托。那鐵鐗倏然轉向，砸在了地面之上。轟的大響，竟將地面砸出個大坑來。

橫行刀法，無論馬上步下，均是橫行無忌。狄青這一托，看似隨意，手中若有單刀，早就將任福斬成兩截。

任福手臂震得發麻，不待再攻，狄青手掌輕推，任福腳步踉蹌，已閃到一旁。任福一時間無力抵抗，心中怒急，才待出手，突然想到，方才狄青若是手中有刀，自己早就命喪當場。一念及此，才知道狄青百戰百勝，絕非虛言，額頭汗水已流淌下來。

狄青已到趙明的身前。

押住趙明的兵士見狀，駭然而退。狄青已一把抓住趙明的手腕，沉聲道：「趙明，到底何事，你快快說來。」

趙明不等多言，臉色巨變。只見兵士紛紛湧入帳中，圍住二人，長槍森然，肅殺滿帳。

韓琦已緩緩站起，凝聲道：「狄青，你不聽軍令，可是想要造反嗎？」

狄青急於救趙明一命，誠懇道：「趙明有軍功，本是好男兒！還請韓大人查明一切後，再做決斷。」

韓琦冷冷一笑，神色傲慢道：「只有東華門外以狀元名唱出者，才是好男兒！」

一語既出，帳中沉凝，狄青臉色蒼白，可雙拳緊握，眼中已燃怒火。

只有東華門外以狀元名唱出者，才是好男兒！

這是韓琦所言，亦是宋廷之聲，更是大宋無數文臣的自豪所在。大宋崇文輕武的習氣，在這句話中一覽無遺。

就算你軍功赫赫，就算你千軍橫行，就算你武功蓋世又能如何？只有及第文人，才是真正的好男兒。

這是自恃、自傲，還是自大矜誇？無人品評，但眼下就是如此。你狄青算得了什麼？出身行伍，黥紋之輩，如何有狀元及第、行馬簪花的榮耀？

尹洙臉露贊同之色，王珪、武英等人，心中不知何等滋味。就算是任福，也是難免有了訕訕之意。但這是大宋的事實，無人能駁。

韓琦居高臨下，見狄青還握著趙明的手腕，威脅道：「狄青，我最後給你一個機會。莫要包庇手下，不然……你信不信，我連你一塊斬了！」

帳中殺氣濾起，雖是春暖花開的季節，可冰冷如雪。

趙明奮力掙扎了下，嘶聲道：「狄將軍，我和你狗屁關係沒有，你扯著我幹什麼？我做什麼事，與你何關？」他雖嘶聲怒吼，但染血的臉頰早就流淌下晶瑩的淚。

那是辛酸悲痛的情，那是感激擔憂的淚。

趙明一時意氣衝動，眼看要將狄青也連累進去，再也不甘沉默。他掙脫狄青的手腕，突然拔出身邊兵士的腰刀，就要橫刀自刎。

狄青伸手，霍然抓住了趙明的手腕，舒口氣道：「你不能死。」趙明手臂僵硬，牙關出血，可不再掙扎。

「他不死，你就得死。」韓琦淡淡道，「狄青，你以下犯上，包庇縱容手下作亂，我就算斬了你，也沒什麼過錯。」

狄青扭頭望向韓琦，突然仰天長笑起來。那笑聲轟隆，遠遠傳開去，激盪不休。

韓琦已變色。

狄青雙眸噴火，早忘記了范仲淹的吩咐，怒聲道：「韓琦，你真以為你是天縱奇才，世人敬仰？你真以為我等有如螻蟻，可肆意被人踐踏？不錯，在你的眼裡，東華門唱出的狀元才是好男兒，可在我狄青的眼中，趙明就是好男兒。你官職比我高，讀的書比我多，見識比我廣，那又如何？」

他霍然撕開胸襟，露出傷痕累累的胸膛，喊道：「你不用動刀槍，不屑動刀槍，只需讀讀書，習學問，指揮著我們這些被你看不起的人，就可以騎在我們的頭上。但元昊打過來，你用一張嘴就能將他說退兵嗎？你有能耐，你是好男兒，就不要用我們為你捨生忘死，奮力抵擋！沒有我們，鐵騎踐踏下，你也不過是個階下之囚，還能比別人高貴到哪裡？我狄青就算不是好男兒，可俯仰天地，問心無愧。我憑雙拳單刀打出今日的名聲，保百姓平安，你有什麼資格輕視我？」

眾人均已變色，韓琦臉色鐵青。

狄青積鬱多年的怒火，一朝噴發！

他本不屑爭、不想吵、不願怒，他雖和帝王有過盟約，但來邊陲，更是為了一個諾言——此生不變的諾言。

他狄青本是天下無雙的蓋世英雄！他要讓羽裳看到，羽裳沒有信錯她的英雄！

他雖坎坷、雖浮沉、雖屢經磨難，九死一生，但他無悔無怨。好男兒，豈不就應該無愧天地，無悔無怨？

可他這時，再也壓制不住怒意，他忍無可忍，不想再忍。

狄青咬牙道：「大順城十五日建起，趙明竭盡心力，最少籌畫了十五個月。他是傷殘不假，他長得醜陋不假，但他的一顆心，比你們任何一個人都要高貴。他為了百姓，竭盡全力，毫無怨言。如今真相不明，他可能含冤受辱，你們竟連個機會都不肯給予？韓琦，你就算再狂傲，官職再高，你的命只有一條，誰的命都有一條！誰都沒有資格輕賤旁人！你要趙明的命，好吧，拿命來換！」

言畢，狄青已拔刀。

鏘啷聲響，刀光清越，明耀了那悲憤莫名的臉龐。狄青的意思已明瞭，他要拚命，為了一個手下拚命。無論誰想要趙明的命，都要付出血的代價。

帳中眾人心中駭然，沉默無言。趙明再次落淚，哽咽道：「狄大人……你……」他入帳後，本已有了必死的心，卻沒有想到，狄青竟會為他拚命。

他早就聽過狄青的勇，亦是知道狄青的悲，可他從未想到過，狄青一身俠義，遠在勇悲之上。狄青可以為了義，不要官職，不要升遷，不怕得罪重臣。

一個人如果命都可以不要，他還會顧忌什麼？

任福不能上前，常昆臉帶畏懼，始作俑者的白牡丹臉上也帶分奇異之色。武英、王珪等人熱血上湧，牙關緊咬……

只有韓琦，還是臉色如鐵，一字字道：「好，很好。狄青……你冥頑不靈，我就……」

第二章　危機

狄青怒極，韓琦何嘗不是如此？

韓琦聲名遠揚，無論是汴京或塞下的官員百姓，都要尊稱他一聲韓公。可眼前這個區區行伍出身的狄青，竟敢對他橫加指責，數次違令？

韓琦已要下達必殺令，他認為自己不能讓！

可他話音未落，武英已上前，單膝跪地道：「韓公，狄青是有些衝動，但趙明一事，說不定真有別情。還請韓大人……問個明白。」

王珪亦上前施禮道：「請韓大人問個明白。」

朱觀、桑懌見狀，想起當年狄青提攜之恩、眾人並肩護駕之情，均是熱血沸騰，上前異口同聲道：「請韓大人問個明白。若趙明真的為亂，我等願出手將他拿下……」言下之意卻是，若趙明沒有錯處，還請韓琦放過趙明。

帳中軍將，竟有半數上前為狄青求情，韓琦見狀，臉色微變。他倒不是怕軍將造反，在他狂傲的心中，根本不覺得這些人敢造反。他只是從武英、王珪等人身上想起，狄青和趙禎有瓜葛的。

傳言中，說天子對狄青很是信任，當年宮變，狄青為趙禎奪回皇權立下了大功。而根據朝中消息，狄青這些日子連戰告捷，天子亦總是詢問狄青的戰果……

狄青官職雖不高，但在天子心中的地位並不低！

他韓琦斬趙明、斥狄青算不了什麼，但因和狄青衝突，可能引發天子的不滿，究竟值不值？

尹洙見狀，慌忙道：「狄青，你先放下刀來。有事好商量。」

狄青不語，只能凝視韓琦。韓琦微有為難，面沉似水……

就在此時，一人笑道：「好了，好了。韓大人開個玩笑，狄青你怎麼就當真了呢？先把刀放下，再問問什麼事情，不用劍拔弩張吧？」

坐席上站起一人，正是曹國舅。曹國舅起身向狄青走去，常昆慌忙道：「國舅，小心。」曹國舅不理，逕自走到狄青面前，含笑道：「狄青，給我個面子，放下刀，好好說如何？」

狄青遲疑間，見曹國舅突然向他眨眨眼。狄青不解其意，可一直覺得曹國舅並無惡意，終於還刀入鞘，回首道：「趙明，有國舅爺給你做主，有什麼冤情，大可說出來。」

趙明牙關緊咬，卻突然搖頭道：「狄都監，我……沒有什麼可說的。」

眾人一片譁然，眼看狄青辛辛苦苦為趙明奪來活命的機會，可趙明竟無話可說？武英已恨不得上前打趙明一頓。

狄青見趙明眼中滿是絕望，突然斷喝道：「韓笑何在？」

營砦外有人叫道：「卑職在。」

狄青突然記得一同入高平砦的還有韓笑，趙明被擒，那韓笑呢？此刻為何安然無恙？

「國舅爺，我的手下韓笑應該知曉方才發生的一切……」狄青未待說完，曹國舅已道：「那把他找進來問問好了。」

曹國舅一副事不關己的樣子，可說出來的話，帳中沒人反對，就算韓琦也不置可否。

雖有祖宗家法，「宦官不掌權，外戚不干政。」但知機的人，一般都不會得罪外戚。當年就算是兩府第一人呂夷簡，因得罪了郭皇后，還不是被貶出京城。韓琦當然知道，什麼時候應該說什麼話。

韓笑進來的時候，竟還面帶微笑。

眾人見狀，心中都起了鄙夷之意，暗想韓笑和趙明均為狄青的手下，趙明被毆得如此之慘，可韓笑安然無恙。這是不是說明韓笑很不夠義氣？

狄青上下打量著韓笑，緩緩問道：「方才帳外的一切，你當然看得清楚。」

韓笑微笑道：「卑職看得明白。」

狄青一字字道：「趙明被抓，你就在一旁看熱鬧嗎？」

韓笑含笑道：「不錯，卑職就在看熱鬧。」任福、常昆等人精神一振，武英等人已神色黯然，心道，如果狄青的手下都在看熱鬧，那趙明已沒人能救。

狄青竟不憤怒，又問：「你為何要看熱鬧？」

韓笑道：「雙拳難敵四手，好漢架不住人多。卑職不是好漢，更架不住人多。若和軍營的弟兄們動手，只怕被抓起來，淪為趙明的同黨。其實淪為他的同黨也無所謂，但若不能公正地說出趙明的事情，那豈不有負狄大人的厚望？」

眾人細細琢磨之下，對韓笑忍不住另眼看待。

狄青眼中露出感慨之意，韓笑果然沒有辜負他的希望！

「那你現在……可以把方才的事情，公正地說一遍了吧？」狄青緩緩道。

韓笑點頭道：「其實剛才的事情，很簡單。趙明無非遇到個熟人。這高平砦有個叫富義的人吧？」他隨口問著，無人回話。

半晌，耿傅道：「富義應為高平砦的指揮使。」

韓笑問道：「這位想必是耿傅耿參軍？」

耿傅一怔，不明白韓笑為何會認識他，點頭道：「我是耿傅。那又如何？」耿傅眼下為行營參軍，這次跟隨任福到此，是來稟告備戰情況。

韓笑道：「小人聽聞耿參軍的祖父當年曾為蜀州的司戶參軍。當初賊入城作亂，以官利誘，威脅令祖投降。令祖寧死不屈，被賊人斷了手足，仍破口大罵，不屈而死，真俠義也！耿大人乃英烈之孫，小人也是欽佩的。」

眾人聽韓笑突然提及耿傅的祖父，大感奇怪。但聞韓笑鏗鏘言語，說及耿傅家世，不由對耿傅另眼相看。

耿傅臉上卻閃過分愧疚之意，半晌才道：「方才韓大人行事不妥，我沒有及時阻止，已負先祖之名。」

眾人心中感慨，均佩服耿傅的自責之心。

人誰無懦？方才韓琦雷霆之怒，只要還想保著官職的，就算不趨炎附勢，最少也要保持沉默。耿傅保持沉默，別人也怪不得他，但他這時候寧可得罪韓琦也要說出看法，只為不負先祖的俠義，這種勇氣，已讓人敬佩。

韓琦仍是緘默，可臉色已鐵青。他縱橫朝堂，傲嘯邊陲，一心想著平定西北戰亂，建不世功勳，光耀回京，甚至不把范仲淹的建議放在眼中，何時想到會受到這種指責？

韓笑雖還在笑，可眼中也有敬仰之意，說道：「耿大人行事，真的無愧於心。不過並非所有人都如耿大人一樣，比如說富義。」

耿傅忍不住道：「富義如何了？」

韓笑道：「這個趙明，本來是個蕃人。據我所知，當初因意外斷了腿後，回到家中，老婆卻跟著別人跑了。」

趙明顫抖得如風中落葉，緊咬牙關，滿目均是悲涼之意。

耿傅半晌才道：「難道方才營砦騷亂一事，和趙明以前的事情有關嗎？」

韓笑點頭道：「耿大人明斷。趙明的女人跟著富義跑了，後來某人只怕趙明報復，還特意擺了趙明一道，害他入獄。趙明臉上這刀，就是因那件事被砍。他的一隻眼，卻是自己挖的。」

眾人悚然，耿傅失聲道：「為什麼？」韓笑雖只說某人，但眾人都已懷疑到富義身上。見趙明如此慘狀，心中戚戚。

韓笑道：「趙明恨自己有眼無珠，交錯了朋友。人這一生，朋友萬萬不能交錯，不然害人害己。」

狄青一字字道：「朋友就是朋友。只能說有些人，根本不配朋友二字！」

趙明嘴角抽搐，望著狄青還握著他的手，熱淚盈眶。這一次，他知道……再也不會交錯了朋友。

韓笑看了狄青一眼，又道：「這件事經范大人查明，知道趙明是冤枉的，又將趙明放了出來。不過事情過去得太久了，查證困難，因此幕後主使一直懸了下來。方才趙明跟隨狄青大人前來，偏巧又碰到了富義，結果呢……趙明雖老老實實，富義卻主動出口挑釁，對趙明肆意侮辱。趙明忍無可忍，這才出手，結果被富義反咬一口，煽動軍中之人動手。任大人趕過來了，剩下的事情，想必不要小人說了吧？」

尹洙忍不住道：「這種冤屈，他方才為何不說？」

韓笑的笑容中滿是譏誚，「這算不上光彩的事情，若是被小人攤上了，當然不會說的。若這件事，攤到尹大人身上，不知會不會說呢？」

尹洙微惱，可知道韓笑說的是人之常情。

曹國舅扼腕長歎道：「不想世上還有如此奸詐之人，看來這件事……責不在趙明。」

國舅爺發話，韓琦沉默無語。狄青深施一禮道：「謝國舅爺明斷。下官負責傳信，如今責任已盡，冤情已明。下官已無話可說，若無人反對，下官告退。」

他說完後，就拉著趙明的手，和韓笑並肩出了軍帳。

無人阻攔，無人挽留，也沒有人有理由挽留。

所有人望著那一瘸一拐的背影，心中滿不是滋味。韓琦望著那三個人影出去後，仍是臉色冷青，誰都不知道他在想著什麼。

尹洙突然怒道：「把富義傳來問話。」

常昆衝出營帳，可片刻後就已回來，叫道：「富義跑了。」

眾人愕然，耿傳歎道：「他若不是做賊心虛，如何會逃？」韓琦緩緩坐下來，眼中終於閃過分歉然，但一晃即逝，舉起酒杯道，「喝酒。」

酒已冷，冷得如雪，眾人望著那几案的酒，再無欣賞歌舞的心情……

狄青出了高平砦，一路無言，等過了山腳，終於勒馬。趙明一直望著那悲愴的背影，見狀下馬跪地，顫聲道：「狄將軍，我拖累了你，還請責怪！」

狄青下馬扶起趙明，歉然道：「我若不帶你出來，何至於此？說起來，還是我對不住你了。」

趙明喏喏難言，狄青扭頭望向韓笑道：「其實我們更應該謝謝你，今日要是沒有你，還不知道如何結局。」

韓笑還在笑，但笑容中有著說不出的尊敬之意，「狄將軍，可今日若沒有你，根本不會有結局。我只是在等機會，機會是狄將軍製造的。」

狄青輕輕歎口氣，心道自己又難忍衝動，得罪了韓琦，沒有傳達范大人的用意。不過范大人的書信已送給韓琦，只盼韓琦能以大局為重，仔細看看范大人的書信。可一想到韓琦倨傲的表情，狄青又有些憂心。

正懊惱時，狄青突然想到了什麼，招呼道：「韓笑，你立即去查一件事情。」他在韓笑耳邊低語幾句，韓笑聽了雖有些錯愕，可還是縱馬離去。

狄青對趙明道：「我們先……」話未說完，高平砦的方向，有馬蹄聲響起。只見幾騎奔來，為首那人，卻是曹國舅。

狄青大為奇怪，勒馬不前，等曹國舅過來時，抱拳道：「國舅要外出嗎？為何不多帶幾個人手護送？」他已看出，曹國舅身邊的護衛均是殿前侍衛。

曹國舅笑道：「我不外出，是特意追你來了。」

狄青不解道：「國舅找我何事？」

曹國舅一擺手，那幾個侍衛都散到遠處，顯然曹國舅說的話，不想讓侍衛聽到。趙明見到，早知趣地閃到一旁，呆呆地望著遠處的天空。

曹國舅看了眼趙明，突然道：「狄青，我早就聽說過你的大名，今日一見，果真名不虛傳。」

狄青不解曹國舅的來意，應付道：「國舅爺……抬愛了。在下……」

曹國舅截斷道：「你先猜猜我有多大了？」

狄青望著他蒼老的面容、眼角的皺紋，半晌才道：「國舅爺，你應該四十不到吧？」他認真地觀察曹國舅，才發現這人實在蒼老得厲害，就算鼻翼兩側，都有了些皺紋。說是四十不到，只是客氣。他覺得這人應該是曹皇后的兄長，因為曹皇后年紀不大。

曹國舅哈哈一笑，可笑容中滿是淒涼，笑聲止歇，曹國舅這才哀傷道：「我是皇后的弟弟。如今嘛……未及弱冠呢！」

狄青吃了一驚，難以置信道：「國舅……這……怎麼可能？」

曹國舅眼中已有了悲哀之意，歎口氣道：「我年幼的時候，患了種絕症。比起尋常人，蒼老的速度要快上三倍。因此我未及弱冠，看起來已近六十了。」

狄青大驚，心想美女遲暮已極為悲哀，但美女終究有過絢爛之時，曹國舅這個人，卻連輝煌的機會都沒有。見到曹國舅鬢角的白髮，狄青心中滿是同情。

曹國舅又道：「狄青，我叫曹佾，你若看得起我，叫我聲兄弟就好。我本來就夠老了，你可別再叫什麼國舅了，我聽著心裡不好受。」

狄青沒想到這位國舅如此好說話，見曹國舅神色誠懇，遂微笑道：「那我就托大叫你一聲曹兄弟了。」

曹國舅抹去愁容，微笑道：「好，好。狄大哥……」他喊了一聲，眼淚竟流了下來。轉瞬抹去眼淚，笑道，「你看我，哭哭啼啼的，還像個孩子。」狄青心中暗歎，「你可不就是個孩子？不過曹佾雖尚有稚幼之氣，但遭此怪病，比起很多人卻老練得多了。」

曹佾盯著狄青道：「家姐知道我有這個怪病，對我不再約束，就讓我到處遊山玩水。」

狄青心道：曹皇后當然知道弟弟時日無多，這才讓他放縱心情。不過從方才軍營所見，此人並不因不幸而憤世嫉俗，反倒幫人解難度危，實在難得。

曹佾接著道：「我已知道時日無多，可不甘心就這麼默默死去，這才不去江南，反倒來到塞下。其實我來邊陲，是想見見狄大哥你。不想未等我去找你，你就來到了這裡。」

狄青詫異道：「你找我……有事嗎？」

曹佾遲疑片刻，點點頭道：「有。」

狄青立即道：「什麼事，請講。」方才曹佾為狄青解圍，狄青心中很是感激，暗想若是力所能及，當然能幫就幫。

曹佾盯著狄青的雙眸，開門見山道：「狄大哥，五龍是不是在你身上？」

狄青臉色微變，不知道曹佾為何知道此事，沉默良久才道：「是。」

曹佾舒了口氣，問道：「那……你能把五龍給我看看嗎？」他眼中有著說不出的熱切之意。

狄青微有猶豫，終於從懷中掏出五龍遞過去。這些年來，狄青一直將五龍貼身收藏，但始終解不開五龍的祕密。

曹佾滿是感激地接過五龍，心道，都說狄青俠義過人，今日見他為手下出頭，果然是熱血漢子。他就算推說沒有五龍，我也無可奈何。可他不但承認五龍一事，還能讓我看看，這種對人的胸懷，實在少見。

曹佾拿著五龍，尋個石頭坐下來，翻來覆去地看著，眉頭緊鎖。

狄青看著曹佾，反倒希望他能尋出五龍的奧祕。可直到夕陽西落，曹佾還是一言不發，這時韓笑已趕回，低聲在狄青的耳邊說了什麼。狄青微微冷笑，喃喃道：「好。你去盯著，一有事情，立即通知我。」

韓笑再次離去，曹佾終於回過神來，遞還了五龍，歎口氣道：「狄大哥，你當然聽過香巴拉的傳說了？」見狄青點頭，曹佾又問，「但你知道這五龍的來歷嗎？」

狄青猶豫片刻，說道：「我聽說五龍是先帝之物……」心中微動，已猜到了什麼，「曹兄弟，你也想找香巴拉嗎？」

曹佾身患絕症，大內都無法治好，曹佾來找香巴拉自然是情理之中。

曹佾微有驚奇，隨即坦誠道：「不錯，我在找香巴拉。我知道你也在找香巴拉，因此來找你！」

狄青皺眉不語，心道曹佾如何得知自己在找香巴拉呢？

曹佾似看出狄青的疑惑，微笑道：「狄大哥，你或許不知道，眼下宮中、汴京盡是你的傳說。我姐姐都聽過你的事情，和聖上詢問，又詢問過八王爺，才知道……」他臉上露出同情之意，低聲道，「你的事情，我姐姐也很……惋惜，我們都祝你能找到香巴拉的。」

狄青望見曹佾滿是誠懇的雙眸，喉間如同被什麼塞住，半晌才道：「多謝。」他奔波這麼多年，驀地回首，才發現，有太多的人默默地支持著他。

他無悔！

曹佾嘻嘻一笑，表情多少顯得有些滑稽，「當然了，我是最希望你能找到香巴拉的人了。我也去找香巴拉，若找到了，肯定通知你。狄大哥，你找到了香巴拉，一定也會告訴我的，對不對？」他神色中滿是懇求，狄青見了，心中升起同情，緩緩道：「你是好人，應該有好報的！我若能尋到香巴拉，肯定會盡力告訴你。」

狄青因為趙明述說往事，感覺到香巴拉不但神祕，甚至可能極其危險，是以有此一說。曹佾並沒有聽出狄青的言下之意，振奮道：「好，一言為定！」伸出手來，微笑道，「你我擊掌為盟。」

狄青見曹佾雖滄桑，但還不脫孩童本色，心中想：曹佾畢竟年幼，不知道很多盟誓，只要一顆心就好，根本不用什麼形式！我和羽裳的約定，又哪裡有過什麼擊掌？但我今生，如何能忘？

但他還是和曹佾輕擊了下手掌，以安撫曹佾之心。

曹佾收回手，喜形於色，似乎已找到了香巴拉般。他眼珠轉轉，說道：「既然狄大哥和我已是一條路上的人，你我以後就要互通消息才好。其實方才狄大哥說錯了一句話。」

狄青有些奇怪，「我哪裡說錯了？」

曹佾仰望蒼穹，悠悠道：「五龍並非先帝之物，據我所知，五龍本來是被一孩童擁有。」

狄青詫異道：「哪個孩童會有五龍？」

曹佾思索道：「那孩子本姓古，和你一樣，也是個農家少年，是靈石人。當年先帝信道，從五臺山迎神回轉時，路過靈石時暫歇，晚上做了個怪夢。等清晨起來的時候，就叫著，說天賜五龍，就在今日。他當下命群臣四下尋訪五龍的下落。」

狄青皺眉道：「你如何得知此事呢？」

曹佾笑道：「家父當時就在先帝的身邊，家父曹玘。」

狄青這才想起來，曹佾本是大宋開國之將曹彬的孫子，而曹佾的叔伯輩，就有個大宋赫赫有名的將領，名叫曹瑋。

曹瑋，就是那個坐鎮邊陲數十年，壓得元昊之父李德明終生不敢異動之人！

怪不得韓琦雖是狂傲，對曹佾也不敢怠慢。這個曹佾不僅仗著姐姐是皇后，實在也因為是出身將門世家，身世顯赫。

曹佾繼續道：「當時群臣有些懷疑先帝作假……但先帝既然吩咐，眾人只能去找。結果有兵士稟告，昨夜真的天有異象，有個火球從天而降。」

狄青臉色微有異樣，彷彿想到了什麼。曹佾沒有留意，接著道：「群臣就順著火球出現的方向找過去，到了古家前，聽到哭聲傳來。有兵士去問，結果才知道，昨天火球過處，古家的孩子正在樹上玩耍，因驚嚇掉下樹來，被鐵耙刺傷了腦袋，昏迷不醒。那孩子的身邊，就有個黑球，也就是你現在拿著的五龍了。官府索要，那莊家農戶自然不敢對抗，將五龍交上。不過官家也並非冷酷無情，將那孩子交給京中名醫王惟一醫治，也救活了那孩子。不過後來那孩子，不知所蹤了……」

狄青皺了下眉頭，突然想到，當年他在飛龍坳一役身受重傷蘇醒後，曾聽郭遵、王惟一說過靈石有個孩子被鐵耙扎傷腦袋，和他的情形彷彿。難道那孩子，就是曹佾說的那個？

冥冥中……五龍似乎將一些人連繫起來，不可分割。

但那孩子現在何處呢？

曹佾見狄青沉吟不語，繼續道：「先帝得了五龍後，變得更是癡迷神道，後來整日捧著五龍不放手，說要研究出其中的玄奧。家父……在一次非常偶然的時候聽到先帝說……這五龍……」曹佾吸口氣後才道：「這五龍本是香巴拉之物！」

狄青對這個事情早已知道，並不驚奇。曹佾隨後道：「郭遵……郭大人，以前就是負責護衛五龍的！」

狄青腦海中雷擊電閃，在那一刻，想到了太多太多，良久後才道：「你想說什麼？」

曹佾眼中隱藏機鋒，「傳說中，擁有五龍的人，有些人會擁有一種神奇的力量。」

狄青嘴角露出苦澀的笑，心中只是在想，難道說……郭大哥也被五龍影響過？他從未有過這種念頭，但一旦想及，就難以遏制。

郭遵極勇，武功高明，飛龍坳力抗四大天王，永定陵擊斃天夜叉第一高手夜月飛天。三川口一戰，橫杵五龍川，斬萬人敵、殺龍野王，威震西夏……

郭遵做到這些，好像並不吃力，以往狄青從未多想，只覺得自然而然。

可現在……狄青已明白曹佾暗示什麼。但等他懂了……已經晚了。

曹佾留意著狄青的臉色，小心道：「不過知道這個傳說的人並不多。當年先帝曾喃喃念過，所以家父才知曉。據我推測，先帝整日拿著五龍，就是想獲得五龍神奇的力量。但很可惜，他應該沒有得到五龍的能力。並非所有人都能得到五龍之能的！」

狄青心中苦澀，暗想為何五龍的能力時隱時現，為何自己從羽裳不幸後，就開始有種神力輔助，這些緣由，誰能知道？

曹佾眼中突然有分古怪，低聲道：「狄大哥，可五龍還有更怪異的一點，只怕你還不知道。」

狄青心頭一顫，沉聲道：「有什麼怪異的地方？」

曹佾一字字道：「五龍的怪異之處在於它的讖語。當年因為五龍，先帝更少理會劉太后，後來我猜測……也是因為五龍，先帝才能有了天子。」

狄青忍不住又想起當年李順容、八王爺所言，知道曹佾說的不假。

曹佾見狄青眉頭鎖得更緊，只以為他不信，歎口氣道：「其實這些事情本來就是匪夷所思，宮中就算有知曉的人也不敢說，這些年過去，知曉真相的更是少之又少。劉太后已去，按理說，我本不該在這裡議論劉太后的……」

狄青澀然道：「你但說無妨。今日你說的，我不會再對旁人提及。」

曹佾苦笑道：「劉太后因五龍一事，被先帝冷漠，憤憤不平。後來太后特意找隱士邵雍來看五龍，邵雍做了十六字的讖語。」

「可是『彌勒下生，新佛渡劫。五龍重出，淚滴不絕』十六個字嗎？」狄青問道。這件事他也聽郭遵說過。

曹佾點頭道，「不錯，原來狄大哥早就知道。但狄大哥知道邵雍後來又說了旁的話嗎？」

狄青心驚道：「他還說了什麼？」

曹佾目露不安，緩緩道：「太后覺得邵雍所言太過籠統，因此讓邵雍詳細解釋。邵雍後來才說五龍乃不祥之物，擁有之人，必定痛苦終生！而且，五龍只能給擁有的人帶來不幸。」

狄青退後兩步，臉色變得雪一樣蒼白，已想起郭遵曾對他說過，「狄青，我只知道，這五龍是不祥之物。你……丟了它，好嗎？」

狄青還記得郭遵當初勸他丟掉五龍的時候，眼神中還有說不出的悲哀之意。當初狄青拒不丟掉五龍，郭遵甚至還勃然大怒。

郭遵當初還說，「你若沒有它……說不定……」郭遵當初沒有說下去，狄青也就沒有問下去，現在想想已很明瞭，郭遵想說，五龍並不能救命，狄青若是沒有五龍，說不定根本沒有禍事。

擁有五龍是福是禍？原來郭遵也知道邵雍所說讖語的含義，他是怕讖語得中，這才勸狄青放棄五龍？

狄青心亂如麻，回憶往昔的情形，突然想到，沒有五龍，自己還會成為趙禎的侍衛，還會被趙允升留意，羽裳還會不幸嗎？

一想到這裡，狄青就覺得胸口針扎一樣地痛，又如被千斤巨錘擊中，腳步踉蹌，眼前發黑。

一股憂傷之意衝擊頭頂，他腦海中竟像又有巨龍湧動。可巨龍猙獰，開口笑道：「是你……是你狄青害了楊羽裳！」

狄青厲喝一聲，已伸手拔刀，一刀斬去。

橫刀風行，淒厲呼嘯。眾人大驚，從未想到這世上有如此犀利的一刀。曹佾甚至躲避的念頭都沒有，渾身僵冷。

那一刀並非斬向曹佾，而是斬在空中。狄青一刀斬出，渾身已是大汗淋漓。可那條巨龍，也隨之消失不見。

曹佾冒出一身冷汗，見身後侍衛要上前，擺手止住了他們。見到狄青臉上雖沒有流淚，卻比流淚還要哀傷百倍，忍不住安慰道：「狄大哥……讖語不見得作準。再說楊羽裳的事情……和你無關的。」

狄青聽到「楊羽裳」三字的時候，全身一震，眼角不停地跳動，卻已恢復如常。

那一刀，灌注了太多的悲傷。

他喃喃道：「五龍重出，淚滴不絕……原來是這個意思。哈……我真蠢，到現在才明白這兩句話的意思。」他雖在笑，可比哭還要難受。

曹佾見狄青神色痛楚，小心翼翼道：「這個五龍……我不想勸狄大哥放棄，但你拿著它，總要小心些……」

狄青木然道：「難道到了如今，還有比眼下更悲哀的事情嗎？」他艱難地站起來，挺直了腰板道，「曹兄弟，謝謝你告訴我這些事情。」

曹佾苦笑道：「我知道的，無非是些往事，可對尋找香巴拉並沒有用處。」

狄青又望了趙明一眼，良久後才舒了口氣，對曹佾道：「我想請你幫個忙。」

曹佾立即道：「你說。只要我能做到的，就會盡力去做。」

狄青緩緩道：「這件事說難不難，說易不易。你來做……是最好不過了。」

夜已深，天空繁星點點，有如情人的眼眸；春風吹拂，帶著溫暖的氣息，有如情人的安撫……

高平砦東方有個高家集。百十來戶的人家，如斯深夜，早就關門閉戶。

這些在邊陲的百姓，有著比汴京官員更明銳的感覺，他們已嗅到兵戈的氣息。這裡動亂不停，烽煙難停，但這裡，是他們的家，他們不捨離去。

高家集中如墳墓般冷清，只有其中的一個大院，還亮著燈光，裡面聚集著戲班的人員。這裡的人，是從高平砦出來，暫居在這裡。

韓琦雖可讓戲班歌姬在高平砦歌舞，但夜晚的時候，並不讓這些人留在高平砦。或許當年金明砦一事，也給他不少觸動。

韓琦就算狂、就算傲，還是自有分寸。當年金明砦被破，就是因為內賊的緣故，前車之鑒，韓琦當然要防。

那院中喧譁了一陣，也慢慢地沉寂下來。夜深人靜的時候，卻有一人悄悄地出了房，四下望去，見無人留意，推開了小門，悄然出了庭院。

那人皂色衣衫，融入夜中。出門後在臉上繫了條黑巾，直奔高家集東方。高家集東有個墳場，這附近的死人，多數埋在了那裡。

墳場內的墳頭重重疊疊，暗夜中螢火流動，有如孤魂的眼眸。

這種地方，這般深夜，正常人都不會前來。那皂色衣著的人來了，卻是輕車熟路。

墳堆中，墓碑稀缺，很多人死了就埋了，無名無姓。有一黑影墓碑般立在了墳前，聽到腳步聲響，回頭望去，問道：「高平砦現在如何了？」那黑影高高瘦瘦，眼中帶分急切，還有些貪婪。

皂色衣著那人冰冷道：「你為何要逃？」

二人原來是認識的，皂色衣著那人口氣雖然冷漠，可有種嬌柔的腔調，竟是個女子。這樣的一個女子來到了墳場，居然能淡靜自若？

這女子什麼來頭？

高瘦那人低聲道：「我怎能不逃？他們要知道是我搞鬼，我就死路一條了。」

皂衣之人冷笑道：「韓琦自大，和狄青矛盾已深，你若是不逃，只要肯辯，狄青不能奈何你。狄青早就知道這點，因此根本沒有追究。你做賊心虛，反倒露了馬腳。」

高瘦那人微滯，強笑道：「高平砦不是還有你嗎？今日你一杯酒，就讓狄青、韓琦反目成仇，我讓趙明發怒，成功地離間了狄青和韓琦，也算有些許的功勞。你們答應我享之不盡的好處呢，什麼時候兌現？」

皂衣那人冷哼一聲，良久才道：「你放心好了，自有你的好處。你過來……」皂衣之人伸出手，竟露出一截玉臂。

高瘦那人呆住，見皓腕如雪，指若春蔥，喉結忍不住地滾動。只是那一截手臂，已讓高瘦那人難以移目。

皂衣那人咯咯一笑道：「呆子，好處來了，你難道不要？」她聲音本是冰冷，這麼一笑，已有說不出的嫵媚入骨。

高瘦那人吞了下口水，終於上前幾步，一把抱住了皂衣人。他已意亂情迷，做夢也沒有想到竟有如此的好處。可他只顧得上下其手，卻沒有留意到皂衣人纖手從髮髻上掠過，取下了髮上的金簪，一下子從他背心捅了進去。

高瘦那人背心劇痛，怒喝聲中，已推開了皂衣人，嘎聲道：「你……」他話音才出，臉色已鐵青。那金簪極是鋒銳，已穿衣入肉。金簪雖短，但簪尖有毒。那毒發作得極快，高瘦那人驀地扼住了喉嚨，嘶聲道：「你……」他想要上前，頹然倒地，四肢一陣抽搐後，再也不動。

皂衣之人望著高瘦那人死魚一眼的眼，淡淡道：「你現在的好處，不就享之不盡了？」

只有死人，才有享之不盡的好處！

皂衣之人殺了人，如吃飯一樣輕鬆。她轉身要走，突然全身繃緊。因為在她身後，不知何時，已站著一人。

那人有著明亮如矢鋒的眼，俊朗又滄桑的臉。他鬢角已有霜花，可人如歷霜寶刀，清冷犀利。

那人卻是狄青！狄青眼中有殺機！

皂衣人眼裡終於現出絲慌亂，高瘦那人沒想到會死，她也沒有想到，狄青竟然還沒有回去，而且就在墳場等著她。

狄青冷望皂衣人道：「你莫要想逃了，你若能逃走，我佩服你。」他若是厲聲呼喝，皂衣人說不定還有主意，可見狄青平靜如水，皂衣人反倒不敢輕舉妄動。

狄青望著那皂衣人良久，這才道：「白牡丹，你在席間的那句話，果然大有問題。」

皂衣人身軀微顫，輕輕一笑，伸手摘下了紗巾，露出嬌豔的一張臉。

那人赫然就是高平砦中，給狄青敬酒的白牡丹！

白牡丹盯著狄青道：「你什麼時候開始懷疑我的？」

狄青緩緩道：「我一直很奇怪，想歌姬中人素來圓滑，就算輕視我，一般也是不肯輕易得罪人的。你有意激怒我，事後卻看戲一般鎮靜，你很反常。」

白牡丹笑了起來，「狄青果真聰明，比韓琦韓大人可聰明多了。」

狄青問道：「你為何要激怒我？」

白牡丹道：「你猜？」她眼珠轉動，故作天真。她不知道狄青為何能跟來，但知道和狄青不能比誰的刀快。她能勝過狄青的地方，並不在於武功。

狄青道：「因為你是元昊八部中，乾達婆部的人。」

白牡丹怔住，她沒想到狄青一下就能猜出她的出處。

狄青盯著白牡丹的眼睛，又道：「有時兩軍交戰，不一定用男人才能刺探消息，女人也一樣。乾達婆部的人，均是能歌善舞。你們知道韓琦喜好歌舞，因此投其所好。韓琦就算不在你們面前說軍機，你們也可從他身邊調動的人手中，看出些端倪。更何況……韓琦根本不把你們看在眼裡。你知道我要和韓琦議論軍情，因此特意抓住機會激怒我，你知道，韓琦肯定不會聽我的解釋。」

白牡丹嬌笑道：「狄青，我早聽說過你的大名，可聞名不如見面。」

狄青又問：「你方才殺的人是誰？」

白牡丹笑容已有些勉強，還不肯認輸道：「你猜？」

狄青緩聲道：「方才聽你們言語，那人當然就是富義，也就是陷害趙明的人。他已被你們收買，有機會，當然要挑撥宋軍的關係。你們已用不著他，索性殺了了事，以防洩露你們的祕密。」

白牡丹強笑道：「你什麼都知道，方才為何不出手攔我？」

狄青道：「富義死了，有你也一樣。」

白牡丹掩嘴笑道：「你和我說了這麼多，無非想要擒住我，然後送到韓琦的帳下。但你這麼聰明的人，覺得韓琦會信你呢，還是信我？」

狄青目光中有分悲哀，立即道：「他會信你。」

白牡丹咯咯笑了起來，似重新掌握了主動，「他既然不信你，那你今晚所做的一切，不是徒勞無功了嗎？」她若有意若無意的扭著細腰，紅唇半開半合，媚眼如絲地望著狄青道，「你我各為其主罷了，我雖算計了你，但你當然知道，活著的我，更加有用，對不對？」

狄青冷冷道：「你並沒有自己想的那麼聰明。」

白牡丹的嬌笑已有些僵硬，還能問道：「你說什麼？」

狄青淡淡道：「我來這裡，是要告訴你幾件事。第一件就是，我早已答應過一個人，從今往後，沒有人再能輕賤我狄青！你敢輕視我，你就一定要付出代價！」

「那第二件呢？」白牡丹的笑已比哭還難看，眼中更露出慌張之意。

「我來這裡，不是要抓你，而是要殺你！」狄青譏誚道。

白牡丹又是咯咯笑了起來，但笑聲中有著惶恐之意，她嘶聲道：「你說謊！你若想殺我，何必說那麼多廢話？」

狄青嘲諷道：「這就是我想告訴你的第三件事。我的那些話，本來就不是說給你聽的。」他扭頭望向一旁道：「曹國舅，尹大人，你們都聽清楚了？」

曹佾站了出來，身邊竟還跟隨著尹洙，二人均是臉色慎重，點頭道：「聽得再清楚不過。」尹洙更是暗自心驚，暗想白牡丹在高平砦多日，韓琦素來寵她，這軍情可沒少洩露給白牡丹。回去後，他一定要向韓琦點明此事。

白牡丹的臉色已和牡丹一樣地白，她從未料到，狄青想得更多。狄青吃了一次虧，立即就想到了補救的辦法。

由曹國舅、尹洙說明真相，豈不比抓她白牡丹回去更有利？

狄青望也不望白牡丹，對曹、尹二人深施一禮道：「國舅、尹大人，狄青已把一切說明，剩下的事情，就要仰仗兩位大人了。」

曹國舅歎口氣道：「你放心好了，我定會和韓琦說明原委。」原來狄青白日時，已請曹佾帶出尹洙做個旁聽。

狄青終於沒辜負范仲淹的囑託，他還是以大局為重，揭開這個圈套，希望韓琦能夠暫放個人恩怨。

尹洙、曹國舅才離開。白牡丹已嘶聲道：「狄青，你若是英雄，就不應該殺我。你是天下聞名的英雄，我不過是個弱女子。」

狄青沒有半分憐憫之意，冷笑道：「任何人做事，都要為自己的行為負責。你我各為其主，路是你選的，你就要承擔後果！」

他轉身離去，沒入黑暗中。白牡丹一怔，就見到墳場周圍已出現了四人，手中長劍在春夜中，帶著秋的蕭瑟……

狄青已上馬，和趙明並轡向大順城的方向馳去。事情雖告一段落，但狄青明白，鏖戰不過剛剛開始。戈兵隨後趕到，向狄青做個手勢，然後沒入了黑暗之中。

趙明一直跟隨著狄青，見狀忍不住問道：「狄大人……白牡丹死了嗎？」方才他跟著狄青，親眼見到富義的死，不知為何，並沒有什麼舒暢。

狄青蕭索道：「人誰不死呢？」方才他雖然沒有下手殺白牡丹，但戈兵絕不會留情。

趙明望著那悵然的臉龐，突然道：「狄大人……我……旁人問我香巴拉的事情，我都不說。你知道我為何對你說起這件事呢？」

狄青想了半天，搖搖頭道：「我不知道，但我要謝謝你，讓我知道更多的事情。」

趙明眼中滿是敬仰感激之情，「你是兵馬都監，稱雄西北，只要命令一下，我就不能不說。但你……根本沒有逼我，我知道，你是好心人，你懂得尊重別人！其實當初我不知道韓笑是為你詢問香巴拉一事，以為他諷刺我，這才和他爭吵……後來我明白是你在問，就憑你出生入死地作戰，保西北百姓安寧，我也得對你說這件事。」

「都過去的事情了，不必多想了。」狄青安慰道，「我知道，你不願意回憶往事，我讓你說出來，很有些不安。」

趙明眼簾濕潤，「但我本來想說過就算……我根本不想再去那個鬼地方。」他說的鬼地方，當然就是指香巴拉。他說話的時候，身軀又忍不住地顫抖，可眼中再沒有畏懼之意。

「可我知道，你肯定想去香巴拉，你有為難的事情。但你寧可自己為難，也不逼我帶你前去。」趙明越說越激動，從懷中拿出個鐲子道，「這鐲子……是我以前的女人留給我的……」

狄青不知趙明的用意，一時無語。

趙明又道：「當初她嫁給我的時候，給我這鐲子，勸過我，說我們不必那麼有錢，不必大富大貴，只求彼此廝守在一起、平安喜樂就好。可我不聽！我想發財，想要太多太多！我現在……就算全世界的財富堆在我面前，我也不會離開她。但是……人生沒有回頭路的。」

狄青望著趙明悲愴的面容，心中只是想：是的，沒有回頭路了。但我這一生，本來只想著和羽裳在一起，那就是天下最大的幸福了。可蒼天何其吝嗇……竟不肯賜予。

趙明拿著那鐲子，淚流滿面，嘶聲道：「其實是我對不起她。她死了，富義死了，我沒死，也和死了差不多。人這一生，很多時候，都不知道自己要什麼，一定要等失去後才明白！但我現在知道要做什麼，我要還你這個情。只要我還不死，只要狄將軍你需要，你什麼時候讓我去香巴拉，我都會跟隨！」

狄青凝望著趙明，暗夜中，見那淚花如光，良久才點頭說道：「謝謝。」他只說了兩個字，但表達了心中最大的感激。

趙明咬牙點點頭，再不言語。可他知道，就算什麼都不說，狄青也明白他的決心。

有些事情，本來就不必多說，甚至不用說！

晨光淨霧，雲天初開時，狄青快馬奔回大順城。

狄青一路風塵僕僕，人未下馬，馬未卸鞍之時，就有兵士稟告，「范大人讓狄將軍一回來，立即前去中軍帳。」

狄青直奔中軍帳，范仲淹聽說狄青回來，披衣快步迎出道：「狄青，那面如何了？」狄青塵霜滿面，范仲淹雙眸滿是血絲，不知幾夜未眠。

狄青歉然道：「范大人，我辜負了你的厚望，竟和韓琦大吵了一架。」

范仲淹心頭一沉，趙明已大聲道：「范大人，你莫要埋怨狄都監，都是我的緣故！」

狄青截道：「我自行事，與你何干？」

范仲淹看看趙明，又看看狄青，已明白此行不順，但沒有責怪，只是道：「進來再說吧！趙明，你辛苦了，先回去休息吧！」

狄青入帳後，不待范仲淹詢問，刪繁就簡，將高平砦發生的一切說了遍。他問心無愧，只是如實說來。

范仲淹聽完後，輕歎了口氣。狄青有些不安道：「范大人，我……的確有些衝動。」

范仲淹凝望狄青，苦笑道：「唉……我只是歎你竟能忍下來！若是我，說不定吵得更厲害。」他開個玩笑，難掩眼中的擔憂，暗想韓琦這般意氣，若真的用兵，只怕不妙。

狄青見范仲淹沒有任何責怪之意，說道：「爭辯無妨事，如何保邊陲安寧才是至關重要。我總覺得，韓大人如此孤傲，不能知己知彼，此戰危險。」

范仲淹點頭道：「你說的不錯。白牡丹不過是元昊刺探軍機的一個手段，富義也不過是元昊收買的一個人……如今的涇原路，只怕危機四伏。」話未說完，有兵士急匆匆地趕來，稟告道：「范大人，元昊再次出兵橫山，入寇涇原路！」

第三章 布局

夏人聚兵賀蘭原！夏軍興兵寇境，再出橫山！元昊過三川砦，要攻懷遠城！

涇原路烽煙四起……

一連幾天，軍情如火般燒到了大順城。

范仲淹片刻不得清閒，很快找狄青前來商議。狄青入帳之時，見中軍帳內除了范仲淹外，還坐著兩人。

其中一人臉色愁苦，眉間皺紋有如刀刻，總像別人欠錢不還的樣子。可那人見到狄青時，眼中卻有分笑意。

狄青見了，大喜上前道：「龐大人，狄青拜見。」他才要施禮，卻被那人一把拉住。那人上下打量著狄青，愁容中帶著欣慰的笑，「狄青，我聽了你近年來的所為，你很好。」

那人卻是龐籍。

當年狄青蒙冤，若非龐籍力辯，狄青說不定已被刺配。龐籍在那時只不過是開封府的推官。但就是這個推官，如范仲淹般，頂住了朝廷的壓力，還了狄青一個公正。

這些年來，龐籍早升為殿中侍御史，因為人正直，屢次不懼權貴，規勸趙禎，朝野譽稱為「天子御史」！

三川口一戰後，宋廷震驚，趙禎雖將邊陲換血，但除范仲淹、韓琦外，少有人肯主動赴邊。夏竦並非主動前來，而是被趙禎逼到邊陲。

龐籍是除范仲淹、韓琦外，少見自請戍邊的文官。龐籍眼下身為陝西轉運使，邊陲多戰，龐籍運籌軍備，甚至建議趙禎節衣縮食，減少宮中的花費來犒勞將士，趙禎竟然許了。

邊陲有了龐籍，范仲淹、韓琦等人才能順利地興兵備戰。狄青早知道龐籍到了邊陲，但二人均是繁忙，今日才得相見。

回憶往昔，狄青、龐籍眼中均有了唏噓之意。眾人落座，狄青留意到范仲淹身旁還有個將領，那人是都指揮使的裝束，身材魁梧，臉上滿是風吹霜侵的痕跡，下頜的鬍子根根有如鋼針，很是精神。

狄青心中一動，說道：「這位可是周美周大人嗎？」狄青知道鄜延路有個都指揮使周美，作戰靈活多變。金明砦被破後，延州全靠周美、种世衡二人在苦苦支撐。

聽狄青詢問，那人哈哈一笑道：「我就是周美。狄青，早就聽說你的大名，都傳說你是凶神惡煞，鬼一般的模樣，今天一見，才知道都他娘的胡扯。」

周美滿是粗獷的氣息，是說狄青長得俊朗。范仲淹、龐籍見狀相視一笑，不以為忤。

狄青笑道：「傳言豈可盡信？在下聽高大哥說過，周美周大人玉樹臨風，哪裡想到過……」他欲言又止，周美果然追問道：「結果怎麼樣？」

狄青笑道：「結果和玉樹中風差不多。」

范仲淹又笑，周美佯怒道：「你說的高大哥，可是高繼隆嗎？」見狄青點頭，周美故作不屑道：「他除了鬍子比我密些，別無長處。不過嘛……」話鋒一轉，周美摸著鬍子道，「我除了鬍子比別人硬些，也沒啥值得炫耀的地方了。」說罷連連搖頭，滿是沮喪道，「以後這邊陲，是你們的天下了。廢話少說，范大人，怎麼打，吩咐吧！」

范仲淹靜靜等周美說完，這才道：「周將軍，我唯一的長處，就是你們打仗的時候，我不多嘴。這裡龐大人的優點看來最多，還請龐大人說說看法。」說罷也忍不住地笑，龐籍板著臉道：「我唯一的長處，就是能要錢。范大人，你不要以為討好我，我就會多分給你點軍備。打仗的事情，還是問問狄青吧！」

狄青忍俊不禁，少有地開心。

軍情緊急，但這幾人均是知道鎮定放鬆的好處，因此彼此開開玩笑。范仲淹終於正色道：「好了，不說閒話。眼下軍情緊急，元昊進攻涇原路，我等在環慶，當仁不讓地要為韓大人分擔壓力。狄青，你來說，如何來做？」心中卻想，我本意出兵援助韓琦，但韓琦認為手下的兵將進攻雖不足，但對付元昊的入侵已足夠，竟然拒絕了我的提議。我畢竟管不了韓琦，只盼韓琦穩中求勝，我竭力給他減壓了。

狄青聽范仲淹詢問，並不推託，直接道：「涇原路遇敵，我建議范大人兵分五路！」

狄青一言既出，石破天驚。

龐籍聞言卻微有失落，「兵分五路？那得多少糧草和軍備呢？」他聽范仲淹說狄青有領軍天賦，為人沉穩，本有很大期望，但聽狄青一下子就要出兵五路，和韓琦彷彿，忍不住地失望。

周美卻眨眨眼睛，若有所思道：「都要出哪五路兵呢？說來聽聽！」

狄青冷靜道：「其實兵分五路，說穿了，目的只有一個。那就是重創夏軍，逼元昊退軍，減輕涇原路的壓力，伺機奪取失地。」

周美驚笑道：「好傢伙，這還是一個目的嗎？」龐籍一聽這種主張，也來了興趣，忙問：「狄青，如何達到這個目的呢？」

狄青道：「環慶路可先出一路兵去支援涇原路。但我想這段日子來，韓大人已不停地招兵買馬，聚兵極眾，多半不需要我們出兵。」

眾人表情均有些異樣，知道狄青所言不錯。韓琦還在惱怒范仲淹不大力支持他，因此涇原路一戰，韓琦根本不考慮讓范仲淹等人參與進來！眾人對這種情況，均是憂心。

狄青又道：「涇原路兵力厚重，韓大人若謹慎些，按理說應該無事。因此向涇原路派出的兵力，只是虛張聲勢。」

周美一旁道：「虛張聲勢可嚇不退元昊的。」

狄青點頭道：「那當然不行了……但我等既然出了兵，總算對朝廷有個交代。」

范仲淹歎口氣，喃喃道：「你小子現在也變了。」狄青說得不錯，無論如何，涇原、環慶路接壤，涇原路被攻的時候，環慶路總要有所表示，不然宋廷就會認為范仲淹無作為。狄青磨礪多年，考慮得更加細緻周到。

狄青道：「至於其餘的四路兵，一路就由我帶領，兵出大順城，過葉市、穿橫山去攻宥州，佯逼靈州。夏軍若知腹地靈州有難，難免在涇原路無心作戰！」

周美瞪著狄青良久，突然一豎大拇指道：「你這招圍魏救趙很好，不過更好的卻是你的膽子。自曹瑋之後，這些年來，就沒有哪個宋將敢過橫山了，你小子不但前段時間去了，還要再去，夠膽色！」

狄青笑道：「但我過橫山，也不會帶太多的人馬。」

周美瞠目道：「你留著兵幹什麼？」

狄青笑道：「前兩路一是虛張聲勢，一是要精兵強將，都無須太多的兵力。因為環慶路還要出第三路兵馬去取金明砦。」

周美、龐籍互望一眼，都看出彼此的驚詫之色。

范仲淹倒還安之若素，只是問：「取金明砦？我們能打得下來嗎？」

金明砦眼下是宋人心口的痛。那號稱銅牆鐵壁的金明砦，目前在夏人的手上，反倒成為夏人進攻延州的屏障。

奪回金明砦，這無疑是件振奮人心的事情，但難度極大！

狄青道：「范大人已把周將軍、龐大人召集到這裡，當然不是只想著援助涇原路那麼簡單。周將軍以前一直都在延州，這次被范大人叫到這裡，想必是詢問攻打金明砦是否可行吧？」

周美一怔，隨即連連搖頭道：「好傢伙，了不得。你再過幾年，不又是個曹瑋了？」他雖沒有直認，但無疑已說狄青猜得不錯。

龐籍眼中很是驚詫，但更多的卻是興奮之意，他發現狄青比他想像的更加睿智。狄青早非當年那個打架鬥狠、不計後果的狄青。塞下的風刀砂磨，不但沒有磨去狄青的熱血，反倒磨出了他的銳利。

「那依你之見，金明砦是否可打？」范仲淹沉聲道。

狄青搖頭道：「不能打！」

眾人又是一怔，均問：「不能打為何要出兵？」

狄青回道：「元昊絕非庸才，他對范大人很是防範。他既然出兵涇原路，多半考慮了我們會反攻。金明砦守備完善，兵力充足，我們就算傾鄜延路的兵力，也不見得能取下金明砦。若是一戰不勝，多年的積蓄就會被揮霍一空。」

「那怎麼辦呢？」范仲淹微笑道。

狄青思索道：「我攻宥州，逼他們兵力回縮，環慶路再出一隊人馬虛張聲勢地攻打金明砦。這聲勢一定要做足，如果橫山守軍將防禦全部放在宥州和金明砦的上面，那我們的機會就來了。」

周美目光閃爍，故作淡漠道：「什麼機會？」

狄青一字字道：「攻打綏州承平砦的機會！承平砦已在綏州，我們要克下承平砦的話，意義就和大順城一樣地重要！我們佯攻金明砦之時，可請周大人帶第四路人馬扼住金明砦的援兵，另從青澗城殺出第五路奇兵，攻克承平砦，對金明砦形成合圍之勢。」

范仲淹、龐籍和周美三人齊聲大笑，均道：「好，好！」

這三人笑得極為歡暢開心，范仲淹望著龐籍、周美道：「你們輸了。」

龐籍冷哼一聲，卻難掩眼中的喜意，「輸就輸，我還怕輸不成？」

狄青見狀一頭霧水道：「范公，怎麼回事？難道我說錯了什麼嗎？」

范仲淹眼角的皺紋似乎都在笑，「你沒有說錯。」見狄青還是不解，范仲淹解釋道，「龐大人和周將軍早就到了，我和他們賭，你的主意會和他們的彷彿，他們總是不信。結果……他們輸了。」

他們輸了。

范仲淹說出這幾個字的時候，眼中滿是喜悅的光芒。他和韓琦不同，韓琦總覺得才比天高，根本不信武將能有什麼本事；范仲淹總是自謙不如，但他總能讓手下人盡其才。

龐籍、周美雖輸了，但臉上亦是欣喜。狄青已然明白，原來自己和龐籍等人的意見不謀而合，心中喜悅。

綏州在延州之北，本是夏人橫山東的地域。如果攻下承平砦的話，就和建立大順城意義彷彿，自此後，承平砦和大順城如兩把尖刀插入了夏人的地盤。

承平砦若被攻克，金明砦已成孤砦，不用宋軍如何攻打，夏軍後繼無力，自然撤退！

從大順城可過橫山，攻夏境的宥州；從綏州斜插過橫山，可直攻夏境的銀州。

范仲淹雖在堅守，但從未放棄過進攻的念頭！

狄青既然提出搶佔承平砦的說法，其餘的想法已不用多言。

龐籍愁苦的臉上笑得歡暢，說道：「狄青，范公說你肯定也是如此想法，我和周美都不信，就和他一賭。不想我輸了聖上賜給的龍團茶……」龐籍雙眉一挑，欣然道，「但這茶葉，輸得讓人高興！」說罷哈哈笑了起來。

眾人均笑，只有范仲淹有些皺眉，心中在想：眼下環慶、鄜延路已齊心協力，是件好事。只要繼續下去，終有一日會盡數收復橫山東的地域，向夏境深入。聽聞聖上已不滿朝中腐敗，要銳意進取，這節節高的形勢，會給猶豫寡斷的聖上很多信心。可是……韓琦不改孤傲的本性，只盼他……莫要輸了這一仗，不然的話……

轉瞬振奮了精神，范仲淹已道：「狄青接令……我命你帶人馬出擊賀蘭原，搗亂夏境，儘管放手施為，定要給夏人致命的打擊！」

狄青當下領命，點兵出戰，帶輕騎千刀，匯聚萬千殺意，挺進橫山。

橫山當然還在夏人的掌控中，但橫山蜿蜒千里，也有夏人照顧不到的地方。种世衡早在多年的行商途中，記下了橫山的各處地勢，再加上狄青手下待命部的詳查，狄青已對橫山地勢極為瞭解。狄青率部下走小徑，穿橫山，已近賀蘭原。

賀蘭原在橫山西北，和葉市有山脈之隔，遙望長城嶺，近夏國的洪州、宥州兩地。夏軍糾集兵力入寇宋境，多在賀蘭原聚集，再穿橫山，決定或南下攻涇原路，或東進打環慶，抑或北上戰延州。

白豹城遭毀、金湯城被破、葉市大亂、大順城的興起，已改變了環慶路的局面。

當初環慶路多是被動防守，到如今，宋軍搶回些地勢，已可主動出擊。

狄青身負重任，他雖沒有負責攻打綏州承平砦的任務，但他的責任，比親自領軍攻打承平砦更為艱巨。

賀蘭原地勢開闊，可匯聚千軍，是夏軍出兵的要道，因此有重兵把守，誰都不會認為宋軍有對賀蘭原動手的膽子。

狄青有這個膽子。他開戰，就因為旁人想不到！

萬裡關山舊，中原荊棘生，羌笛訴別情，明月下長城。

明月的照耀下，長城嶺的長城，更顯得破爛不堪。這長城本來是中原防範外族入侵的遮罩，如今已被党項人佔據。元昊當然不屑再修復長城，他只需鐵騎就可以踏出偌大的疆土，暫時無須考慮防守一事。

狄青坐在高石上，望著天上的明月，從他的角度來看，正可以看到山嶺上，破損長城的餘唱。

遠遠處，韓笑奔來，嘴角雖還帶著笑，眼中滿是詫異。

狄青望見韓笑的眼神，心頭一沉。他知道韓笑很穩，能讓韓笑都詫異的事情，並不簡單。

韓笑也不施禮，直接道：「狄將軍，我們觀察了兩夜，發現賀蘭原的守軍並不多，應在兩千左右。」

狄青皺了下眉頭，不解道：「奇怪，這裡為何只有兩千夏軍？」他相信韓笑的判斷，觀軍駐紮規模、夜間燈火、塵煙炊煙，都可得出對手兵力多少。

韓笑不戰，但一雙眼睛，毒辣非常。

韓笑道：「這有幾種解釋。第一種解釋就是，他們不信我們會攻過橫山，因此沒有必要在這裡多駐兵力。第二種解釋就比較麻煩，因為方才有待命刺探詢問後回稟，這十來日的工夫，最少有十萬大軍過賀蘭原，向南而去。夏軍多數南下了，因此這裡就空虛了。」

狄青遽驚，失聲道：「最少十萬大軍南下？」他忍不住想到三川口一戰，那一戰，元昊就一口氣糾集了十五萬夏軍對宋境掃蕩！

原來元昊進攻涇原路、選擇韓琦為突破口的決心，絲毫沒有因狄青破了金湯城而動搖，只有更盛！元昊糾集那麼多的兵力，就是要和韓琦決戰！但韓琦知道這些消息嗎？

狄青心急，但還鎮靜道：「據种大人推算，夏軍眼下共有五十萬的兵力。除了分出兵力防備契丹、吐蕃外，他們在洪州布置兵力五萬、宥州五萬、靈州也有五萬，尚有兩萬精兵布置橫山各處，叫做山訛。」

狄青突然說起夏軍的兵力分佈，韓笑並不奇怪，只是應道：「是！」

「騎中鐵鷂，嶺內山訛！若論在山區的單兵作戰能力，山訛軍絕不遜於鐵鷂子！」狄青又道。

韓笑點頭道：「這就是我的第三種解釋，賀蘭原的守軍很可能就是山訛。」

「自從野利遇乞被調到沙州去後，一直都由般若王沒藏悟道鎮守橫山，這人極具智慧。根據种世衡的消息，涇原路被攻的時候，沒藏悟道已移塞門、平遠兩地的兵力東進，和金明砦的守軍呼應，作出大軍進攻延州的跡象。」狄青喃喃自語道，「兵力絕非憑空就能變出來的。洪州、宥州、靈州三地加起來的兵力只有十五萬。元昊要出兵，一向都是從這三州抽調兵力，如果說南下進入涇原路的兵力就有十多萬之多，很顯然，沒藏悟道已無多少兵力可用了，他是在虛張聲勢？」

韓笑眼中很有贊同之意，點頭道：「屬下也是這麼認為。」

「沒藏悟道虛張聲勢，其實就是為了讓我等戒備，遏制住我們的兵力。」狄青舒了口氣道，「他兵力已不多，要守的地方並不少，靈、洪、宥三州不能無兵，塞門、平遠也要防備，金明砦更是他的重中之重。因此賀蘭原的守軍應該是他能調動的全部兵力了。」

韓笑提醒道：「賀蘭原雖只有兩千山訛，但比萬餘擒生軍還要可怕。」

狄青點頭道：「因此沒藏悟道虛虛實實，看似沒有重視賀蘭原，但在這裡卻安排了極為犀利的軍隊。」

他抬頭望向明月道，「可我們好在帶來了披堅，我們又多了披堅。」

韓笑也笑了起來，「不錯，他們有山訛，我們有披堅。」

二人說起「披堅」的時候，眼中都有振奮之意。

披堅之士，狄青手下十士的第六士！這些人均是重甲厚兵，是种世衡訓練出來，專門對付山訛軍的兵士！

狄青手握披堅，已決意一戰，岔開話題道：「韓笑，你現在要幫我做兩件事情。」

韓笑立即道：「請狄將軍吩咐。」

「第一件事，還請你派人回去向范大人通稟賀蘭原的軍情，說元昊已重兵攻擊涇原路，請他定奪！」

韓笑點頭，問道：「那第二件事呢？」

「立即傳令，今夜讓勇力、寇兵兩部佯攻鐵門關，誘賀蘭原的山訛出擊。只要山訛出援，就令披堅扼住山訛的歸路，我親帶陷陣、死憤兩部為尖刀破敵防守，其餘騎兵做後援，多備火箭，全力去攻賀蘭原。」狄青吩咐道。

鐵門關是夏軍在橫山險惡處設置的一道關卡，守軍數百，因扼地要，夏軍稱作鐵門，視為賀蘭原前的遮罩。鐵門關若有警情，賀蘭原的守軍當最先知道。

韓笑應令離去，狄青又坐在大石之上，輕撫匣中單刀，望著天上明月。

明月也在望著狄青，似乎變成那盈盈的笑臉。狄青久久望著那明月，似乎癡了，也不知在想著什麼。

明月照幽情，清風開長襟。

范仲淹身披長衫立在大順城的山腰處，望的是賀蘭原的方向。他目光當然過不了蜿蜒橫山，但他的一顆心，一直追隨著出戰的兵士。

龐籍站在一旁，輕歎道：「范公，你這些日子睡得少。該做的都做了，眼下只能等消息，不如早些休息吧？」

范仲淹雙眉微蹙，目光遠望道：「我還有很多日子休息，可很多人有可能都見不到明天的太陽，我難以安睡。」突然轉頭望向龐籍道，「龐大人，你經常回京城，眼下京城如何了？」

龐籍緩緩道：「聖上自從立曹氏為后，曹皇后對聖上多加鼓勵，聖上有感大宋積弱多年，勵精圖治，始理萬機。據我所知，聖上已準備變革，只要我等能在西北大敗元昊，再推行變革，除大宋之弊端，可望國興！」

范仲淹感喟道：「當初太后仙逝，聖上不理朝政，沉迷美色，隨後又廢郭皇后。我只以為他驀失束縛，也無壓力，在美色中不能自拔，難親國事，是以執意反對他廢后，不想會有今日的局面。看來……我錯了。」

龐籍搖頭道：「范公，你沒錯，若沒有你當初的執意反對，群臣也不會請他立曹氏為后。聖上本來想立尚美人的，此女狐媚多蠱……幸好有范公堅持，估計聖上也怕群臣非議，這才會立曹氏為后。」

「往事莫提了。」范仲淹長長舒了口氣，欣慰道，「西北有狄青，遲早會如曹將軍般大放光芒。狄青出戰，我並不憂心……」

「范公憂心的是韓公的涇原路？」龐籍緩緩道，「其實韓大人用意也是好的……」

范仲淹搖頭道：「用意好的人，不見得能做好事，害人說不定更多……」話未說完，有兵士趕來，遞過軍文。

范仲淹接過軍文，借火光展開一看，臉色微變。

龐籍一旁問道：「范公，怎麼了……可是涇原路有變？」

范仲淹皺眉道：「元昊大軍過三川砦逼近懷遠城，大肆擄掠，韓琦命任福兵出六盤山，給元昊迎頭一擊。」

龐籍接過軍文看了半晌，突然蹲下來在地上畫道：「懷遠城東北有三川砦，西有得勝砦，西北就是羊牧隆城。懷遠城的東南，尚有籠竿城、張義堡兩地依據六盤山建立。這五地均是我軍控制，元昊攻懷遠城不克，命夏軍南下，已四面為戰！」

范仲淹只是哦了聲，眉頭鎖緊，似在想著什麼。

龐籍抬頭望過去，不解道：「韓公見這形勢，命任福依據地勢，出兵六盤山，靠這五地為後盾，對入圍的夏軍展開追殺，看起來並無不妥呀！」

范仲淹憂心忡忡地蹲下來，望著龐籍畫的地圖，良久才道：「這段日子來，韓琦招兵買馬，在涇原路的鎮戎軍囤積了不下五萬的兵力，再加上五地的守軍，最少有八萬之眾。」

龐籍點點頭道：「范公說的不錯，據韓琦的消息，入寇涇原路的夏軍，不過兩萬。」

范仲淹沉默許久才道：「這一仗元昊已準備很久了。」

「那又如何？」龐籍安慰道：「范公，韓大人雖狂傲些，但畢竟很有才華，這仗以多戰少，又在我宋境內，應該不會有大事。」

范仲淹反問道：「三川口一戰，何嘗不是在我宋境開仗？韓大人兵雖不少，但很多是臨時招募，能有多少作戰能力，實在堪憂！龐大人，元昊孤軍南下，兵家大忌，元昊身經百戰，用兵狡詐，這麼做……難道你從未想過，其中有問題！」

「或許……元昊也有些大意吧！」龐籍的口氣中明顯有了不自信。他知道，元昊絕非是個大意的人。

范仲淹歎息道：「元昊若真的大意倒還罷了，但這人怎麼會如此大意？據我所知，他甚少驕傲，驕傲的素來都是沒有本錢驕傲的宋軍。元昊既然敢讓鐵騎進入我軍的包圍中，不用問，他是有自信再衝出去。只盼……」他話未說完，有兵士奔來道：「范大人，狄將軍加急軍情稟告。」

范仲淹心頭一沉，接信一觀，臉色劇變。

龐籍也是懍然，急問：「范公，狄青出兵不利嗎？」

范仲淹有些失神的將信交給龐籍，眼中已有深切的哀傷之意，「狄青已有了確切消息，賀蘭原這些日子出兵十數萬直奔涇原路而去。韓琦信中說夏軍只有萬餘的兵力，那其餘的兵力，在哪裡？」

龐籍聞言，拿信的手也忍不住地劇烈震顫……

涇原路上，古道烽煙起，兵戈錚錚鳴。晚霞如血，如烽火般燃著清空。

元昊正立在瓦亭川的東山上，望著孤雲遠山、暮霞千里。

瓦亭川不在夏境，就在羊牧隆城南。元昊不是趙禎，在趙禎企盼西北安寧之際，元昊已兵行險峰，馬踏橫山，疾馳入了宋境。

兵鋒洶湧，半天的工夫，羊牧隆城外，殺氣橫空。

元昊悠閒地立在山巔，見那最後一絲夕陽沉入了天際，還是屹立不動。

元昊無疑也是個孤單的人。

陪伴他的，只有孤單的軒轅弓、五彩的定鼎箭。

天地雖失色，五彩的穿雲箭在暗夜中，仍舊泛著淡淡的光輝。

那五支箭本來神鬼莫測，就算在軒轅弓前，也不失犀利的本色。

但長弓羽箭終究遮掩不了立在山巔上的那個人。

元昊依舊黑冠白衣，依舊容顏不改，眼眸仍舊燃著熾熱的大志，但他無疑也是個落寞的人。巔峰之上，難耐孤寒。

腳步聲響起，一人有些氣喘地到了山巔，說道：「兀卒，有新軍情稟告。」

元昊頭也不回道：「說！」

那人道：「我大軍殺到羊牧隆城下，命千餘鐵鷂子守在城外。羊牧隆城守將王珪派出通信的遊騎，已被我們悉數剿殺。我軍誘敵之兵萬餘，從懷遠城轉戰張義堡。任福帶三萬宋軍，兵出六盤山，從懷遠城一路南追到張義堡，如今屯兵籠竿頭山前，多半準備明晨與我軍一決勝負。而武英、耿傅帶宋軍緊跟任福，就在龍落川接應，也有過萬的兵馬，他們對我們誘敵之軍已形成了絞殺之勢。」

元昊手指屈伸，節律如樂，他有些遺憾道：「中書令，看起來任福已認定此戰必勝了。我本來以為，任福會直趨羊牧隆城，斷我軍的歸路。看來我還是高看了他。」

來稟告軍情的正是夏國的中書令張元。

張元是中書令，如果是在宋廷，也算是兩府中人，但宋廷兩府中人，少出汴京，只會在花前月下。張元不但出了夏都興慶府，而且在宋境攀上這山巔，沒有絲毫怨言。

張元微笑道：「任福白豹城一戰後，心高氣傲，不聽人言。他眼下有恃無恐，認為四方都是宋軍的堡砦，身後又是武英的兵馬，就算不能勝，也有後路可退。不過他沒有想到過，兀卒早率精兵十五萬來到涇原路，就在這裡等他。而他依賴的堡砦，到時候只怕可望不可即。」

風起雲捲，天邊不知何時湧起濃雲，蓋住了蒼山，天地間滿是肅殺之氣。

有小雨淅淅瀝瀝地下，元昊手指在小雨中跳躍，如同個輕快的雨滴，「我們雖收買了宋軍的西路巡檢常昆，讓他謊報軍情，使韓琦、任福等人相信我軍南下的兵力並不算多。但我們也只有一天的機會，遲則生變！」

張元道：「任福高歌猛進，命手下只帶一日的口糧，明日就已糧盡。」

元昊握掌成拳，雙眸凝視著右手，平靜道：「那好，傳令下去，命賓惟吉所率靈州兵馬，全力困住龍落川的武英部，務必不放一騎過來！命洪州都統軍克成傷扼住前往張義堡、籠竿城的道路，絕不能讓任福回去！任福兵敗，無法過籠頭山，三路不通，必定退守羊牧隆城，我就在城外等他！」

元昊沒有多說什麼，但眼中滿是決然，似乎已料定任福必敗。

他有什麼底牌，能這麼有恃無恐？

張元思索道：「但羊牧隆城的王珪也是驍將，多半會出兵支援，兀卒不能掉以輕心。」

元昊哂然不語，輕輕撥了下弓弦，只聽到錚的聲響。

那聲響如鐵騎踏關，兵戈鋒行，殺機已顯。

他的用意很明顯，來援救的是驍將也好，驃騎也罷，他照殺不誤！

見張元並不退下，元昊緩聲問道：「你還有什麼事情要說呢？」

張元猶豫片刻，說道：「剛得到最新的消息，狄青燒了賀蘭原，殺了那裡的正副軍主破浪兵和讜珥千戰……他燒了賀蘭原、毀了鐵門關，已兵進宥州！」

元昊手指在箭鏃上緩緩摸過去，停在銀箭之上。

銀箭泛著淡淡的白光，當初他就是用這支箭，射殺了吐蕃三大神僧之一的金剛印。

他是不是想用這支箭對付狄青？

元昊知道鎮守賀蘭原的是山訛，可狄青竟輕易地擊敗了山訛？

良久，元昊才道：「沒藏悟道在做什麼？」

張元道：「沒藏悟道正在配合兀卒的攻勢，重兵防范仲淹等人搶回金明砦。狄青兵行險招，沒藏悟道暫時無法應對……」

元昊笑笑，淡漠道：「得失得失，有得有失。沒藏悟道知道不能全守，放棄一部分地方，也是明智之舉。這世上本來就是強者為王，弱肉強食。想要不挨打，只有比別人更強！宋廷腐朽昏庸，群臣貪婪享樂。契丹太后掌權，國主尚幼，平穩這些年，已失去狼牙利爪。大夏崛起，銳不可當，此乃天賜我的機會……一個狄青，擋不住我一統天下的步伐！」

張元皺眉道：「但狄青得范仲淹支持，如虎添翼，遲早必成兀卒的大患！」

元昊笑笑，滿是大志的眼眸突然有種狂熱，他目光投遠，一字字道：「那我等他！」

天沉沉雲起，雨淡淡生煙。

淅淅瀝瀝的雨，濕潤了地上的泥土，卻澆不滅那巔頂之人的壯志豪情。元昊望著宥州的方向，只見烏雲蔽月，人跡蹤絕，神色中，有著說不出的如雨寂寞。

第四章　長　歌

王珪心急如焚，因夏國大軍倏然而至，圍困了羊牧隆城！

王珪知曉對手重兵前來之時，立即閉城備戰。羊牧隆城守軍數千，但從北面殺過來的夏軍，滿山遍野，難以盡數。

王珪大驚，不明白為何任福不久前還傳來要全殲入境夏軍的消息，怎麼轉眼間就有這麼多夏軍來攻。王珪更不解，夏軍前來，西路巡檢常昆本在羊牧隆城北的得勝砦巡視，為何沒有半分消息傳過來？

夏軍並不攻城，只是扼住王珪的出兵。王珪雖派遊騎出去報警求援，但遊騎到東山而止。東山附近有夏軍最犀利的騎兵鐵鷂子遊弋，宋軍遊騎無法衝過。

夏軍屯聚在東山之南，到底是什麼用意？王珪不知曉。他更想知道，現在任福如何了？

正焦灼時，有兵士急匆匆趕到，「王將軍，任都部署的人來了。」

王珪又驚又喜，不解城外均是夏軍的騎兵，任福的手下是如何衝到了城下？無暇多想，王珪急招來人。那人渾身是血，滿面塵土，見王珪後，立即跪地泣道：「將軍，任都部署大軍被圍好水川，請將軍出兵救援。」

王珪大驚失色，暗想昨天任福還有消息送來，說已圍困夏軍於籠頭山，怎麼今日就被反困在好水川？好水川就在羊牧隆城的東南，平原開闊，利騎戰！

任福不是在籠頭山嗎？怎麼會跑到了好水川？

王珪心中起疑，喝道：「到底是怎麼回事？」

那人道：「任大人追擊夏軍到了籠頭山，結果被夏軍所敗……」

王珪忙問：「夏軍不過萬餘兵馬，任大人帶數萬兵馬，還有武英支援，怎麼會敗？」

那人悲憤道：「夏軍有詐。在天明時，夏軍從北方衝來了數萬兵馬，將武英部團團圍困，切斷任大人的後援。而在籠頭山的萬餘夏軍中，竟夾雜著夏軍的三千鐵鷂子！」

王珪倒吸了一口涼氣，暗想聽聞夏國鐵鷂子總數也不過三千有餘，說可抵十萬擒生軍。任福猝不及防，被這麼多鐵鷂子攻擊，怎能不敗？

那人果然道：「任大人本命桑懌將軍帶三千前鋒和夏軍對攻，不想夏軍鐵鷂子全出，桑懌將軍不能敵，當場陣亡。」

王珪心中一痛，桑懌是他當年在禁軍時的好兄弟，不想就這麼去了。

那人又道：「夏軍趁機攻擊，任大人不及布防，我軍數萬兵士被衝得七零八亂。這時又有夏騎兵攻擊我軍的後路，任大人支撐不住，只能向王將軍所在的羊牧隆城奔走，期望依城作戰。等任大人衝到好水川時，見路上有數個木箱，箱中有飛禽振翼之聲。任大人命人開啟箱子查看，不想裡面飛出幾十隻鴿子，夏軍見鴿子飛高，從東山衝出，將我軍圍困在好水川。任大人衝不出包圍，逃不過追殺，這才派人衝出重圍，求王將軍救援！」

王珪臉色蒼白，半晌才道：「你是如何殺出重圍的呢？」

那人霍然抬頭，眼中含淚，叫道：「王將軍莫非不信卑職？」驀地拔出單刀，已刺入腹中。單刀入腹，透背而出。王珪一驚，急抓住那人手臂道：「你何苦如此？」

那人嘴唇喏喏嚅動，低聲道：「請王將軍出兵。」他緩緩倒下去，雙眼不閉。王珪凝望著一地鮮血，慘然笑道：「好，出兵去救任大人。」

旁邊有一李姓參軍勸阻道：「王將軍，若此人所言是實，敵勢浩大，若是出兵，與飛蛾撲火何異？還請王將軍三思。」

王珪半晌才道：「今我軍有難，既已知情，當馳往救援。今日不救，他日何人救我？」

李參軍垂下頭來，再無言語。

王珪振奮了精神，喝道：「男兒在世，不愧天地。我軍有難，當赴湯蹈火救赴國難。點兵，出城！」

羊牧隆城沸騰起來，王珪披甲持槊，已衝出城池。他帶出四千兵馬，只留兩千兵力守護城池。

等近東山之時，王珪已聽到山的那頭殺聲震天，兵戈鏗鏘，燃了心中熱血。

這時響炮震天，遠處夏軍早迎來了數千騎兵，靜靜列陣以待。王珪心中微沉，暗想夏軍知羊牧隆城會出兵，早就有準備。只是略有遲疑，王珪稍整陣型，已喝道：「衝過去！」

他既然出了城，就沒有打算再回去！

王珪一馬當先，持槊猛攻，夏軍微觸即退，只是此軍才退，又有生力軍攔阻。

雨已停，血更湧，東山兩側，兵戈崢嶸。

不知多久……

天空現出分亮色，一縷陽光透出厚雲，斜照在王珪的臉上，王珪這才驚覺，原來已午後，他廝殺了數個時辰。東山那邊殺聲仍在，他已十數次衝擊敵陣，但仍衝不過夏軍的騎兵陣。

夏軍實在太多、太過厚重。

那洶湧的騎兵，彷彿永無止歇。

王珪回頭望過去，見到身邊已剩下不到半數的兵馬，每人臉上均已露出疲憊之意。無人不傷，無人不傷痕累累。

王珪馬槊已折，換了鐵鐧，望著胯下的馬兒都口吐白沫，聽著東山那面的殺聲，心如刀絞。

他終於緩緩地舉起了鐵鐧，啞聲道：「殺！」

身後靜悄悄的並沒有聲息，王珪霍然回頭，見到了眾人臉上的猶豫。

為何不攻？王珪想問，突然發現手掌鑽心的痛，低頭望去，才發現鐵鐧已彎，手掌破裂。他雖有勇氣再戰，但一雙手已難承受如此的鏖戰。

「王將軍……不行了。」有兵士膽怯道，「敵軍太厚了，我們根本衝不過去。我們何必……」見王珪望過來，那兵士懦弱無言。

目光從那兵士臉上掠過去，王珪望在餘眾的臉上。所有人都有了遲疑、畏懼和疲憊。

王珪下馬！

眾人均舒了口氣，夏軍雖厚，但均在東山，並沒有對他們形成合圍之勢。王珪若回返羊牧隆城，眾人還有活命的機會。王珪也是人，王珪也會累……

王珪跪了下來，沒有向兵士跪倒，只向東方而跪。

眾人面面相覷，不知王珪何意。

那面的夏軍，也緩了攻勢，默默地看著對面的宋軍。這十數次的衝殺，讓他們也是心驚疲憊。他們並沒有想到，宋軍中除了狄青外，還有如此剛烈勇猛的將領。

東方有夏軍，但更遠的東方卻是汴京。

王珪向東方三拜，喃喃道：「臣得聖上厚恩，才能有如今之榮耀。今日臣非負國，實則力不能也……」

眾兵將垂頭，幾欲落淚，只以為王珪也放棄了進攻的打算。王珪挺起腰身，嘴角反倒露出絲笑容，「臣不敢求旁人赴死，只能獨死報國！」

他突然想起了當年在永定陵之時，夜月飛天曾說過一句，「夜月飛天不才，只求和你葉知秋一戰。」很多時候，很多事情不過是反覆重演。

千古艱難唯一死。

他王珪已不怕死，還怕什麼？他只求一戰——堂堂正正的一戰。

或許別人不解，或許別人不從，或許太多或許……但他王珪明白自己做什麼，這已足夠。

翻身上馬，再不多言，王珪策馬向夏軍衝去。宋軍呆滯，喊道：「王將軍！」

夏軍也呆住，軍陣中並無長箭射出。

王珪孤膽單鐧，匹馬雙拳，就那麼到了夏軍陣前。夏軍中一人呼喝而出，手持長槍，挺槍就刺。

疆場的事情，就要用血氣來解決。

党項人好武，不甘示弱。宋軍有孤膽將領，党項人中，更有好戰之人。其餘夏軍見有人迎戰，並不上前圍攻，反倒勒馬不前。

那人長槍如電，一槍就刺在了王珪的右肩。長槍入肉，鮮血飆出，甚至可聽到鐵槍和骨頭摩擦時發出的聲音。

王珪根本不閃，竟憑右臂夾住長槍，左手鞭起，重重擊在那人的頭蓋之上。

啪的一聲，夏軍來襲那人腦漿迸裂，死屍落地，夏軍大呼。

馬兒悲嘶，栽落塵埃。那馬兒征戰了許久，已挨不住如斯惡鬥，竟先斃命。王珪飛身而起，已騎在來敵的馬上，催馬再行。頃刻又有夏軍持槍刺來，王珪如出一轍，以傷臂挨槍，鐵鐧舞動，又殺一人。

夏軍驚悚，一時間被王珪的彪悍所驚，有人退，有人上，長槍亂刺。

片刻之後，王珪已中三槍，那鐵鐧已成紅色，陽光一耀，殺氣凝冰。又有六、七個夏軍被王珪活生生地打死。王珪嘶聲高喝，舞鞭再殺，這次號角吹起，蒼涼淒然。

嘩啦聲中，夏軍已閃出一條道路。

遠處的宋軍望見，幾乎難以相信自己的眼睛，方才數千宋軍撕不開夏軍的防線，王珪竟憑一己之力打通了前方的道路？

王珪心中詫異，才待催馬，只見到空中黑氣一閃，眼前血紅，驀地身形一凝。

夏軍沉寂，宋軍悲呼，只見王珪眼中插著一箭，透出了後腦，爆出了一蓬血霧。

王珪卻再也聽不到什麼，只看了世間最後的一眼，然後就那麼緩緩地摔了下去。他最後一眼，見到路的盡頭，並非他執意要救的宋軍，那裡只立著一人一騎……

馬上那人黑冠白衣，手擎長弓，神色蕭索，卻有號令天下的睥睨之氣。弓是軒轅弓，弓弦如琴弦般震顫，激盪著所有人的心弦……

那人當然就是元昊！

元昊出箭，用的是黑羽鐵箭，在王珪衝出的那一刻，一箭射殺了王珪！

「可恨我不是狄青。」王珪想到這裡的時候，再沒了知覺。

鐵鐧落地，砸到一處水窪中，激起幾滴水珠，彷彿是蒼天的血。陽光照耀下，滿是紅色。

西北烽煙四起之際，興慶府就和大宋的汴京一般，繁華依舊。太白居上，人來人往，熱鬧非常。當年夏隨在太白居被殺，雖起了些風波，但很快風平浪靜，太白居如今的生意更勝從前。

太白居的二樓正坐著幾個人，唾沫橫飛地議論。

有一人衣著華麗，看起來是個貴族子弟，突然道：「總是聽你們說狄青如何如何，可誰見過狄青到底長得什麼模樣呢？」原來方才眾人正在議論邊塞戰事。說邊塞，就忍不住地要說狄青。

一旁有個瘦子道：「都說此人長得極醜，青面獠牙，有如惡鬼。在陣前只要露面，見到的人都會魂飛魄散，手腳動彈不得。」

旁桌食客中有個著長衫的道：「你說的可大錯特錯，我聽說狄青這人不是醜，只是魁梧。聽說他虎背熊腰，兩個眼睛都和銅鈴一樣，若是吼上一聲，直如虎嘯。聽說他在金湯城前吼了聲，嚇得城中的戰馬都是軟癱動不得。」

衣著華麗那人不屑道：「以訛傳訛罷了，我就不信他有什麼能耐，若能見見他，我倒想和他較量較量。」他腰間帶劍，雕花的劍鞘，金鏤的劍柄。那人解下劍鞘往桌子上重重一放，碗碟亂響。方才說話的瘦子和長衫都是吐下了舌頭，不敢多話，只怕這位是御圍內六班直的人物。

那衣著華麗之人說著話，不停地扯著脖子向樓下長街望去，似在等人。他只顧得向外張望，沒有留意到旁桌有個食客，抬頭望了他一眼。

那食客臉色黝黑，戴著氈帽，一直在低頭飲酒，萬事無關的樣子。可抬頭一望，雙眸中隱泛寒光。食客臉色黝黑，鬢角已有華髮，抬頭那一刻，看其臉部的輪廓，卻是極為的英俊挺拔。

酒樓的樓梯口處有腳步聲響起，衣著華麗那人微喜，扭頭望過去，見到上來個面帶微笑的尋常人，不由大失所望，又轉過頭去。

那微笑之人到了臉色黝黑的食客面前坐下，伸手從懷中取出一封書信遞到那人面前，眼中有分悲涼之意。

臉色黝黑的食客並不意外，接過了書信，展開一看，雙手都已顫抖起來。他的眼中，除了有悲涼、緬懷、傷痛之意外，還有著幾分凌厲的殺意。

這二人舉止平靜，並沒有引發旁人的注意。

就在這時，長街盡頭馬蹄急驟。有好事的食客探頭出去觀望，見長街的一頭，有數騎馳來，為首那人，身形彪悍，臉色陰冷。

有人低聲道：「是御圍內六班直的人。」

衣著華麗那人臉露喜意，樓上招呼道：「毛奴大哥，小弟在此！」

為首那人已到太白居下，抬頭望見那衣著華麗的人，突然飛身下馬，入了太白居。

太白居裡面的食客都是臉色微變，很多人已認出進來那人叫做毛奴狼生。

毛奴狼生性格殘忍，均說此人本是孤兒，被人從狼窩中撿了出來，後來習得武技，被元昊賞識，得入御圍內六班直，眼下是宮中虎組的領班。

當初狄青入興慶府行刺元昊，喬裝成尚羅多多，還當過此人的下屬。

有的人已悄然離去，毛奴狼生突然一把抓住個偷走的食客，冷笑道：「你是狄青？」

那食客駭得臉色發白，說道：「我不是。我怎麼會是狄青呢？」

毛奴狼生道：「你不是狄青，見到我為何要走？」

那食客知道最近狄青攻宥州、戰洪州、大鬧夏境，兵行詭鋒，已屠了羌人三族。而毛奴一族，就是被狄青屠滅的三族之一。毛奴狼生雖說六親不認，但對此事肯定也很惱火。

那食客暗道倒楣，顫聲道：「小人吃飽了，因此要走。」

毛奴狼生盯著那食客道：「你桌子上的一籠包子十二個，到現在只吃了一個，你就飽了？既然這樣，我和你賭一賭。」

「賭什麼？」那食客驚恐道。

「我賭你肚子裡並沒有多少飯，你還在餓著。我若輸了，我就賠你一百兩銀子。」

「這個……如何來賭？」那食客汗水已流淌下來。

「剖開你的肚子，不就知道了？」毛奴狼生面無表情道。

那食客已嚇得雙腿發軟，「你……是開玩笑吧？」

毛奴狼生一擺手，「拉他出去，剖開他的肚子看看。」早有手下人上前，拉著那食客出了太白居，那食客慘叫聲如殺豬般，陡然間慘叫止歇，血濺長街。

慘叫雖止，可那餘聲如鋸木般刺著眾人的耳朵。

有膽小的人，嚇得下身潮濕惡臭，太白居，已死一般沉寂。

毛奴狼生殘忍地望著一眾食客，一字字道：「我最恨別人騙我，你可以不理我，但你要記得，千萬不要騙我！」

他說完後上了二樓，樓下的食客一哄而散，樓上的食客如待宰的羔羊，跑都不敢跑。眾人都有些厭惡地望著那衣著華麗的人。

衣著華麗那人還自鳴得意，見到毛奴狼生前來，那人上前施禮道：「毛奴大哥，小弟有禮了。」

毛奴狼生道：「我沒有兄弟。」

那人改口道：「毛奴大人，卑職有禮了。」

毛奴狼生道：「我沒有你這樣的屬下。」

眾人厭惡那人的諂媚，只希望毛奴狼生也把那人拖出去剖開肚子。可那人竟還能笑得出來，說道：「毛奴大人，小人有禮了。」

毛奴狼生臉色依舊陰沉，卻不再多說什麼，突然喝道：「拿筆墨來。」

太白居的掌櫃錯愕不已，不解毛奴狼生要筆做什麼，但還是顫顫巍巍地親自奉上筆墨，奉承道：「毛奴大人可要題字嗎？那可真讓太白居寒壁生光。」

毛奴狼生冷冷一笑，蘸墨上了長凳，在雪白的高牆上寫了幾句話。

「夏竦何曾聳？韓琦未足奇！狄青等鼠輩，只會弄偷襲！」

寫罷，毛奴狼生哈哈大笑，回望樓上的食客道：「你們說……我寫得如何？」

眾人默然。

夏竦何曾聳，韓琦未足奇。滿川龍虎輩，猶自說軍機！

這首詩，本是中書令張元在三川口寫給韓琦、夏悚二人的，毛奴狼生不過是加以篡改，把狄青扯了上來。

好水川宋軍再次慘敗！

桑懌戰死，任福戰死，數萬宋軍盡折好水川。

王珪戰死，羊牧隆城告急。

武英戰死，耿傅戰死。武英部全軍盡墨。只有朱觀一部，僥倖殺出重圍，只餘千人。渭州都監趙律帶兩千騎兵趕赴救援的時候，亦折損陣前，全軍覆沒。

當年和狄青一同趕赴邊陲的殿前侍衛，在好水川一仗中，大半數殞命。

張義堡失陷，籠竿城被圍，懷遠城告急。

夏軍鐵騎錚錚，兵分兩路，一路由東南侵入逼近秦州，一路向東北返殺，已近三川砦，肆虐鎮戎軍。

消息傳了開來，宋人震駭失色，夏人高呼歡顏。

宋廷一直把三川口一役視為奇恥大辱，耿耿於懷，只以為立國以來，以這次失利最為恥辱。不想到才過了年餘，好水川一戰，更給了宋廷當頭一擊！

好水川之敗，恥辱更甚！

張元統軍大勝後，就將韓琦未足奇一詩投書給三川砦，再次羞辱了韓琦。毛奴狼生如今在太白居篡改了詩句，就是想羞辱這裡的宋人。

興慶府中，宋人亦不在少數。樓上眾人沉默，衣著華麗那人卻道：「大人寫的再貼切不過，狄青鼠輩，不足一道。小人……其實也想和他比試比試了。」

毛奴狼生臉色這才好轉些，見眾人戰戰兢兢，指著個瘦子道：「我問你話呢，你難道沒有聽見？」

那瘦子就是方才說狄青青面獠牙的人，聞言膽戰道：「很好，比李太白還……太白……」他本想恭維，但嘴已不聽使喚。有人想笑，毛奴狼生也笑了起來，可眼中滿是殺氣，「我比李太白還白？說得好……」

「說得好呀！」一人突然截斷了毛奴狼生的話。

眾人大驚，只見那臉色黝黑、頭戴氈帽的食客微笑道：「毛奴大人這詩真的好。」眾人見到他的笑，不知為何，背脊湧上了難言的寒意。

那笑容中，竟像帶有無窮的殺機！

毛奴狼生目光如釘，死死地瞪著那人道：「哪裡好呢？」他並不認識那人，感覺那人雖有些古怪，但他不懼。

頭戴氈帽那人道：「我也有兩句詩回贈大人。」

「回贈？」毛奴狼生瞳孔縮緊，一字字道，「那好，你寫！」他手一揮，手中的筆倏然飛出，已打到那人的面前。

毛筆疾飛，速度已不亞於短劍擲出。

那人伸手一抄，已把筆拿在手上。毛奴狼生微懍，卻見那人手持毛筆，走到白牆前。

毛奴狼生的手下就要上前，卻被他擺手止住。

戴氈帽那人提筆蘸墨，不慌不忙地寫下兩句，「從未識得毛奴面，如今才知丈八長。」

眾人大失所望，以為這人也不過是個諂媚之輩。

毛奴狼生見這人身手不差，本暗自警惕，可見他竟寫詩奉承他魁梧，不由暗想：「難道這人就和馬征一樣，也想求官嗎？」

原來那衣著華麗的人叫做馬征，這些日子來，端是給了毛奴狼生不少好處，就為了能在興慶府做個官兒。戴氈帽那人既然要奉承毛奴狼生，多半也是不得志之人。

毛奴狼生正沉吟間，戴氈帽那人又寫了兩句話，「不是毛奴丈八長，為何放屁在高牆？」

眾人譁然，見那人諷刺毛奴狼生寫詩就是放屁，想笑又是不敢。

毛奴狼生見了勃然大怒，渾身骨頭咯咯響動，殺心已起。那人竟還能好整以暇地又寫了三個字，然後擲了毛筆，拍拍手笑道：「我寫得如何？」

他雖在笑，但目光如針，盯在毛奴狼生的身上。

太白居靜寂得針落可聞，所有人都驚駭地望著白牆上最後寫的三個字。

狄青留！

那人寫的最後三個字，赫然就是「狄青留」！

眼前這人就是狄青？狄青怎麼會到了興慶府？

那人推了下頭頂的氈帽，露出雖黑、卻極為俊朗的一張臉，那人正是狄青。他不過是抹黑了一張臉，暫掩刺青，但他蕭索悵然、氣息依舊。

他悲意滿懷，驀地想到當年眾人醉酒狂歌的情形。歌聲猶在耳，可武英、王珪、桑懌等人均已不在。那些平日沉默、心中熱血的漢子，在他狄青受窘、被韓琦輕蔑的時候，還是義不容辭地站出來，站在他的身邊。

君子之交，平淡若水。

可真正需要的時候，拋頭顱，灑熱血，義無反顧……

狄青正為兄弟們的死而狂怒悲憤，毛奴主動挑釁，他如何能忍？

「毛奴狼生，我和你賭！」

毛奴狼生渾身蓄力，一字字道：「賭什麼？」

狄青冷笑道：「我賭你活著離不開這太白居！我若輸了，隨便你如何！」

眾人譁然，毛奴狼生望著狄青滿是殺機的一雙眼眸，背脊驀地躥起一股寒意。狄青若輸了，當然要死，可他毛奴狼生輸了呢？

他毛奴狼生不只人要留在太白居，還要留下一條命！

毛奴狼生沒有動，可握刀的手已青筋暴起。他的眼角開始跳動，感覺到背脊都有汗水，良久，他才道：「好，我和你賭了！」毛奴狼生一句話說出，太白居中氛圍已如風雨怒來。

眾人望見毛奴狼生咬牙切齒，戰意已起，卻還沒有出手，都以為毛奴狼生是在蓄力一擊，只有毛奴狼生知道不是。

他有些怕。

這種恐懼，毛奴狼生許久未有。但當見到狄青鎮靜的一張臉，自信的一雙眼，還有那腰間隨意掛著的一把刀，毛奴狼生想起太多太多狄青的往事。他未見狄青的時候，只以為見到狄青時，會毫不猶豫地殺過去，可見到狄青的時候，雙腿有如灌鉛般沉重。

那沉寂的氛圍已讓人發狂。

狄青笑了，手扶刀柄道：「方才你說我是鼠輩，我就和你光明正大地一戰，難道你連鼠輩都不如了？出招吧！」

狄青厲喝才出，毛奴狼生遽然拔刀，一個跟頭就要翻出二樓。人在空中，毛奴狼生嘎聲道：「攔住他！」

毛奴狼生退，他不戰而退，他已沒有了和狄青交手的勇氣。敗就死，逃或許還能留住性命。

並非所有的人都不怕死，越看似兇狠的人，心底越怕死。因為他們一直在輕賤著別人的生命，來壓制自己心中的恐懼。

毛奴狼生帶了四個手下到了樓上，那四人在毛奴狼生退的那一刻，幾乎同時出刀攔住狄青。只要剎那的工夫，毛奴狼生下了樓，他們的任務就算完成。

樓中陡然寒氣大盛，驚虹起，血光崩。

眾人只見一道飛虹追出去，擊在毛奴狼生的背心，倏然縮回。驚虹如閃，毛奴狼生半空頓了下，然後胸口、背心同時噴出了鮮血。陽光照耀下，如虹化七彩，從毛奴狼生身上幻化了出來。

砰的一聲大響，屍體摔在了樓下，街市大亂。

樓上沉寂若死，眾人都不敢動，只見圍攻狄青的四個侍衛已翻身倒地，喉間鮮血狂湧。

狄青出刀，不但一刀擊殺了毛奴狼生，還順手殺了四個侍衛，這是什麼樣的刀法？

鏘啷鳴響，長刀歸鞘。狄青一刀得手，不急於離去，反倒走到欄杆處向下望去，見毛奴狼生怒睜雙眸，眼中滿是不信之意，淡淡道：「你輸了。」

他放聲長笑，突然一指馬征道：「你過來。」

馬征褲子全濕，雙股打顫，聞言跪倒道：「狄大爺，小人是隨口亂說……」不等多說，一聲慘叫，已捂住耳朵。

狄青一刀削了他的耳朵，沉聲道：「留下你的命去告訴張元，讓他以後小心些睡覺。」馬征慘叫聲中，狄青已不見蹤影。

眾人呆若木雞，只聽到遠遠傳來狄青豪放的歌聲。

「男兒此生輕聲名，腰間寶刀重橫行，流不完的英雄血，殺不盡的是豪情！」

那歌聲鏗鏘有力，激盪街市中，漸漸去得遠了……

可那股豪情血氣，久久的留在天地之間，餘韻不絕！

狄青殺了夏國六班直的好手，長笑而去。

他雖笑，但心中滿是悲愴，殺個毛奴狼生，根本算不了什麼，減輕不了他心中的悲憤。

當年眾人並肩前往西北，已料到將軍百戰死，壯士難得回。此去經年，風沙刻磨，一腔熱血，說不定就此灑在邊塞之上。

說不定去了，就見不到親人。說不定去了，就留在邊塞……

但沒有人退縮。

他們有豪情、有熱血、有遠志、有為國死戰、捐軀邊陲的決絕之心。

可他們本不必死！

狄青不願多想，他對興慶府早就輕車熟路，出樓後，輕易地擺脫了夏軍的追蹤，混出了興慶府。到了郊外，狄青遠望群山連綿，逕自到了一片密林旁。

戈兵早在林外等候，見了狄青，迎上來道：「狄將軍，延州有信，周美已挺進綏州，佔領了承平砦。」

狄青喃喃道：「打得好。攻下了承平砦，綏州在望。綏州若再能打下來，夏人的銀州又危險了，只要我們不停地打下去，夏人就顧不得打我們了。現在……涇原路有新情況了嗎？」

戈兵道：「我軍好水川一戰慘敗，韓琦上書擔責，不過夏竦說責不在韓琦，而在任福。當初韓琦的確叮囑任福小心從事，不想任福大意猛進，遭此敗仗。」

狄青想起韓琦高傲的神色，歎了口氣，喃喃道：「難道好水川數萬的冤魂，就是一個責任可以了結了？」

狄青臉上悵然之色更濃，戈兵又道：「聽說朝廷下旨，將韓琦貶到秦州當知州……最近新派滕子京暫管涇原路。」

「滕子京？」狄青有些疑惑，「他是誰？」

「他是范公的摯友，當年和范公一起中的進士。聽說此人不錯。」

狄青真心地笑了，「范公的朋友，總不會差了。眼下元昊在涇原路，有退兵的跡象嗎？」

戈兵道：「據目前的消息，還沒有。元昊看來想要打通入關中之路，目前重兵肆虐涇原路，滕子京閉城不出，壓力很大。」

狄青皺眉道：「這說明我們給元昊造成的打擊並不大。」

戈兵苦笑道：「狄將軍，我們一共兩千的人手，已接連數戰。你更是在沒藏悟道帶兵圍殺的時候，帶著我們幾百人橫穿沙漠，來到了興慶府，伺機攻打長雞嶺，威脅元昊退兵，你做不了更多了。」

長雞嶺已在賀蘭山谷，賀蘭山谷又是興慶府的西北屏障，賀蘭山谷若有戰情，興慶府肯定人心惶惶。狄青一直沒有放棄逼元昊回兵的念頭。

狄青靠在樹上，心中暗想：戈兵說的不錯，我雖一直給夏軍施壓，但依眼下的人手和能力，的確難以給元昊震撼的威脅。既然如此……接下來應該怎麼做？

正沉思間，心中突升警覺，狄青臉色不變，悠然說道：「今天的天氣不錯。」

戈兵眼中寒光一閃，見狄青左手食指向東南角的林中一指。

有敵前來！

狄青和手下十士有一套聯繫的密語，方便行事。狄青說今天的天氣不錯，就是示意有敵，他食指的方向，就是示意敵蹤所在。

十士中，多是桀驁不馴之輩，經种世衡感化甄別入選，但對狄青都是心服口服。戈兵跟隨狄青許久，更是對狄青由衷地佩服。

狄青說有警，就絕不會虛報。

可這附近早有戈兵的手下戒備，又有誰能輕易掠過那些人手的戒備，到了狄青的身邊？

戈兵目光電閃，突然撮唇做哨，口中發出一聲鳥鳴。那鳥鳴極為逼真，鳥鳴聲起，戈兵已衝到一棵大樹下。

戈兵身形展動，長劍出鞘，已一劍向樹上刺去。

樹上有人！

劍光如電，炫目明耀。戈兵長劍才出，一人從樹上飛鳥般掠過。長劍斬空，戈兵心中微懍，暗想來敵身手卓絕，是勁敵！

那人躍到樹下，不等奔走，林中已有五六人奔出，向那人圍來。那人身形陡轉，霍然向狄青衝來，厲喝道：「狄青，拿命來。」他手腕一動，袖口突然冒出個鐵杆模樣的東西，尖端有如鷹喙。

眼看他離狄青不過丈許，那鷹喙已倏然而動，就要轟然一擊。

狄青竟動也不動，皺眉問道：「飛鷹，你做什麼？」

那人倏然而止，立在狄青身前，哈哈一笑道：「好一個狄青，這都嚇不了你。」他手臂上的鷹喙嗖的一聲，已縮回到了衣袖。

那人臉上戴著眼罩，只露出薄薄的嘴唇，和鷹勾一樣的鼻子，目光犀利若鷹，正是和狄青聯手刺殺元昊的飛鷹。

狄青一擺手，手下人隱去。狄青皺眉道：「你覺得很好玩？」他不想飛鷹突然到了這裡，飛鷹來興慶府做什麼？

飛鷹歎口氣道：「一點兒也不好玩。上次我殺了夏隨後，被人追殺，一路逃到了玉門關，差點兒送命。不過我沒想到，那種計謀竟也殺不了元昊。」他談話間傲氣不減，狂性依舊。

狄青眼中光芒閃動，若有所思道：「那你這次前來，要做什麼？」

「找你！」

狄青問道：「你怎麼知道我在這裡？」

飛鷹撇撇嘴，高傲道：「你殺了毛奴狼生，夏人找不到你，我卻能跟上你。」

狄青皺眉，暗想這人神出鬼沒，連元昊也敢得罪，到底是誰呢？沉聲問道：「你找我做什麼？」

飛鷹緩緩道：「我準備找你聯手，再殺元昊，為郭大哥復仇！」他目光咄咄，滿是狂熱。

狄青哦了聲，輕淡道：「你真的想為郭大哥復仇嗎？」

飛鷹身軀微震，目光陡然變得淬厲，緩緩道：「那我費盡心力地聯繫野利旺榮，讓你混入宮中刺殺元昊，攪亂興慶府，逃亡玉門關，都是吃飽了撐的？」

狄青目露思索之意，半晌才緩緩道：「你逃往玉門關，因為你知道……香巴拉在那附近！你和野利旺榮合作，也是為了香巴拉。你要殺元昊，不過是因為他阻撓你接近香巴拉！」

飛鷹眼中光芒暴閃，身形微弓，已現殺機。

狄青知道自己猜中了。

二人方才均在試探，看誰能掌控局面。飛鷹一直故作神祕，狄青就要在這方面，揭穿他的神祕，取得先手。

與飛鷹對話的過程中，狄青一直在想著和飛鷹交往的經過。

飛雪、元昊、野利旺榮、玉門關——玉門關豈不在沙州的附近？

想到沙州的時候，狄青又想到趙明曾說的敦煌和曆姓商人，更不能不想到香巴拉。

念及香巴拉的時候，狄青霍然省悟，飛雪非要穿越沙漠去興慶府，可能就是去找飛鷹。飛雪和飛鷹竟能聯手，是不是因為他們有個共同的目的？

飛雪要去香巴拉，這麼說，飛鷹也是為了香巴拉！狄青想到這個答案，其餘的事情豁然開朗，他接連三個推斷，水到渠成。

見飛鷹神色緊張，狄青更加輕鬆，他知道自己不必再被飛鷹牽著鼻子走了。

「就算我說中了你的心事，你也不必劍拔弩張吧？」狄青神色愜意道。

飛鷹舒了口氣，突然笑道：「狄青，你其實也不敢肯定的，對不對？我一緊張，反倒告訴了你實情。」

狄青微微一笑，不再多說。有時候，不說比說要管用。

飛鷹正視狄青，半晌又道：「你還知道什麼？」

狄青模稜兩可道：「該知道的自然就會知道。」心中卻想，飛鷹顯然沒有進入香巴拉，他沒有成功，所以又回到興慶府。興慶府有香巴拉的祕密嗎？還是他還要找合作之人？如果說一定要找合作的人手，難道說要入香巴拉，單憑一己之力不行？不然何以飛雪一定要找個同伴前往？

以前模糊的概念漸漸清晰，狄青知道得越多，愈發地冷靜。他更知道一點，他不急，急的就會是飛鷹。

飛鷹眼中意味深長，突然道：「我知道你也在找香巴拉，對不對？」

狄青心口一痛，還能神色不變，「因此你一直不對我提及香巴拉，你怕我會和你搶？」

飛鷹笑了，神色中，驀地變得自負，「該是我的，就是我的，誰都搶不走！」

狄青諷刺道：「你不必這麼著急把香巴拉劃在你的地盤裡。我必須要告訴你個現實，現在香巴拉還在元昊的地盤中。」他依舊在試探，果見飛鷹眼中露出憎恨之意，「元昊這個雜碎，我遲早有一天讓他知道，得罪我的下場。」

狄青再次肯定了自己方才的想法，香巴拉就在沙州！元昊控制著沙州，不讓任何人接近。狄青倒也有些駭然飛鷹的狂傲和自信，飛鷹甚至不把元昊放在眼裡。

這個飛鷹，到底是什麼來頭，又有什麼底氣如此自信呢？

飛鷹陡然放緩了語氣，「狄青，既然你也知道不少，那我就和你直說吧！我找你，就是為了和你聯手找出香巴拉的祕密。這天底下，如果以你我之能，還不能找出香巴拉的祕密，那只怕沒有別人能找出這祕密了。」

「是嗎？」狄青不鹹不淡道，「飛雪加上野利斬天也不能嗎？」

飛鷹冷笑道：「他們是癡心妄想。」

狄青心中微動，微笑道：「你聽我說飛雪和野利斬天在一起，根本不驚訝？是不是說，你已見過他們了？」

飛鷹微震，已意識到狄青早非沙漠時的那個狄青。眼下的狄青，更加地睿智成熟，心機很是深沉。他雖什麼都沒有說，但狄青已知道了很多。

狄青見狀，搖頭道：「你什麼都瞞著我，那我們如何合作呢？」心中卻想，飛雪和野利斬天肯定也沒有成功，不然飛鷹的目標就是那兩人。葉知秋這麼久沒消息，曹佾也在苦苦尋覓……

這個香巴拉，到底有什麼玄奧？

半晌後，飛鷹試探道：「狄青，其實你比我更想去香巴拉。你若和我聯手，尋出香巴拉的機會更大。我的確有一些事瞞著你，但現在顯然不是說出真相的時候。」

狄青斜睨著飛鷹，突然道：「你和我合作可以，但我有個條件。解下你的眼罩，你必須讓我知道你是誰！我不習慣與不知底細的人合作。」

飛鷹身軀一震，凝聲道：「我若不解開眼罩呢？你又如何？」

狄青心中一緊，暗想飛鷹為何對身分如此重視，飛鷹怕什麼？他幾乎想要動手揭開飛鷹的眼罩，但他終於克制住衝動。

眼下他沒有擒住飛鷹的把握，他也沒有必要和飛鷹撕破臉皮。

「不告訴我你的身分，那就請便吧！你說的不錯，我的確也想尋找香巴拉，但我……不必一定與你合作！」

飛鷹臉色突然變得極為古怪，凝聲道：「狄青，你今日若不和我合作，你肯定會後悔！因為天底下，只有我一人才知道如何破解香巴拉之祕！元昊都不行！」

「是嗎？」狄青心中雖緊張，仍是滿不在乎的表情，「那你自己去找吧，何必來找我呢？」

飛鷹眼中已現怒意，長吸一口氣，仰天長笑道：「好，你莫要後悔！」他言畢，霍然轉身，身形一晃，已消失在密林之中。

狄青微有失望，不想飛鷹突然說走就走，卻示意手下人莫要攔截。他和飛鷹一番談話，有些收穫，但意義不大。他更知道，飛鷹來興慶府，也絕不會是因為他狄青。

在殺了毛奴狼生之前，誰都不會想到他狄青已來到了興慶府，飛鷹也不例外。

飛鷹到興慶府，多半有另外的目的！

正沉吟間，韓笑已趕到。方才在太白居給狄青送信的人就是韓笑，他一見狄青，就道：「狄將軍，有最新消息。范大人急召你回返！」

狄青微怔，猜不到范仲淹召他回返是因何事，但知道范仲淹不會無的放矢，當下吩咐道：「韓笑，你傳令下去，讓李丁、暴戰今夜進攻長雞嶺的夏軍。一戰之後，莫要停留，全部撤走！」

韓笑傳令下去，狄青不再耽擱，和韓笑、戈兵一路向南，準備過群山上官道回返大順城。到了山腳處，狄青忍不住向戒臺寺的方向望了眼，見遠方戒臺寺虎踞龍盤般，不由止住了腳步。

山風幽幽，繁花似錦。

狄青收回目光，望著那山野中嬌笑的花兒，不知哪一朵是楊羽裳的笑，又是一陣惆悵。他本以為可以不想，原來那相思只是刻得更深……

他舉步要走，突然止步。

這時天藍草綠，花紅風輕。爛漫的山光中，過來了一頂小轎，轎子金頂玉簾，在青青山色中，顯得那麼的引人注目。

轎子前後都跟著夏軍，共有十六人。轎子旁跟著一婢女，垂首低眉，輕移蓮步。

韓笑留意到狄青在看婢女，有些奇怪。那婢女雖唇紅齒白，有些姿色，可狄青絕非好色的人，狄青盯著那婢女要做什麼？

韓笑覺得轎中人身分不低，心中微動，向戈兵使個眼色。

戈兵走到狄青的面前，做個殺的手勢。狄青搖搖頭，扭頭閃到了路的一旁。韓笑方才只以為狄青要出手殺人，見狄青表態，知道會錯了意，也跟戈兵閃身到了路邊。

韓笑不知情，狄青卻是認得那個婢女，當初他刺殺元昊不成，避難丹鳳樓的時候，就見過那婢女。那是單單公主的丫環。

轎中人是單單？

一想到這裡，狄青腦海中閃過那紫衣身影，還有那倔強略帶蒼白的面容。這裡離戒臺寺不遠，單單可能是去上香還願，如今回轉興慶府吧？狄青如此猜測。他心中並沒有殺機，只在靜等轎子過去。

狄青的舉動很尋常，普通百姓見到這種轎子，不用問，也是暫避以免麻煩的。

天往這方藍，轎往這方來。

那些夏兵盯著路邊的狄青三人，眼中露出警惕之意，畢竟當初單單曾被飛鷹抓過一次，這些人得兀卒的吩咐，隨時保護單單，如有失誤，難免人頭落地。

擦肩而過，如山色融雲，蟬過青草……

淡淡的，似近實遠。狄青已待舉步，轎子突然停了下來。戈兵肩頭輕聳，韓笑笑容微凝，只有狄青還是不動聲色，斜睨著小轎。

轎簾捲開，果然現出熟悉的紫色，如丁香盛開。單單下了轎子，向狄青這方向望過來。她像是望著狄青，又像是望著青山連雲。

一如既往的高傲，一如既往的任性，但七分高傲中，夾雜一分惆悵、兩分憔悴。

單單人就如冰山般冷，但眼神中，有了分惘然和思念。

她思念著什麼？

狄青沒有再想，也沒有再看，他移開了目光，絕不是因為覺得單單會認出他。

單單終於移開了目光，狄青已變了裝束，她當然認不出來。可她為什麼要下轎？難道說……這裡曾經有過思念？

良久，夏兵無語，也不敢勸。單單突然拎著裙角，跳著腳向山坡上跑去。

護衛的夏軍都是臉上色變，但喊都不敢喊，只能低聲呼哨，分散開來衛護。幸好一望綠草無垠，沒有人的藏身之處，也不虞有刺客。

狄青滿是詫異，不解單單要做什麼。他就算猜得透飛鷹的心機，可卻看不透單單的心思。

單單蹲了下來，蹲在綠草中，撿起塊碎石，劃著什麼，又像望著什麼。片刻後，她起身下山，入了轎子。

轎子抬起，伊人遠去。

狄青望著那轎子消失不見，轉身要走。韓笑突然道：「這女子方才好像在寫什麼，就在那紅杜鵑旁。」

狄青微怔，搖頭道：「她寫了什麼，不關我們事。」

戈兵有些好奇，說道：「狄將軍，下屬去看看。」他知道狄青不會阻止，飛掠過去，片刻後回來道：

「韓笑說的不錯，那女子的確寫了幾個奇怪的字。」

狄青不經心地問：「寫的是什麼？」

戈兵表情古怪，半晌才道：「她寫的是，『花兒悄悄開，你為什麼會來？』」

狄青一震，竟然呆了。

花兒悄悄開，你為什麼會來？

單單為何要寫這句話？難道說單單公主，方才已發現他狄青來了？她是怎麼發現的？狄青嘴角露出自嘲的笑，暗想道：她說的，不見得是我狄青。

狄青心情複雜，終於舉步到了方才單單公主寫字的地方。戈兵說的不錯，一叢杜鵑花旁，單單公主在一片褐土上，用碎石劃寫的就是那幾個字。

或許風過後，塵土終究會掩蓋字跡，但那刻下的字，就像說過的話，總是存在。不在地上耳邊，只在心間腦海。

輕風吹拂，山花搖曳。字跡尚存，人已不在。只有那隨風而走的花香，從那青青的山上飄過，掠過那疾步東行的人，到了那搖曳的小轎旁。

轎子搖啊搖的，轎中人冷漠不改，只是望著如玉的手掌。十指纖纖，還殘留著泥土的芬芳，花兒悄悄地開，但會來的人終究還是要走。

既然如此，是相見不如不見？抑或是，相見不如懷念？

第五章 鬥將

花開花落，青草蕭瑟，轉瞬又到了新霜染楓火的季節。野草枯黃，秋波湧起，秦州安遠砦周邊，滿是寂寥。

風聲起，征伐滿空。

未及日落，安遠砦砦門早早地緊閉，砦中的軍民，如秋一樣地蕭冷。安遠砦東的一家酒肆旁，斜陽晚照，風扯酒旗，呼呼作響。

這時尚未到晚飯時間，酒肆內只有一個酒客。

那酒客戴個氈帽，衣衫落魄，伏在桌案上，不待天晚，似乎就已睡了。

酒客並不引人注意，伏在桌前，讓人看不到臉。他腰間隨便地掛著一把單刀，刀鞘陳舊，如酒客一樣地落魄。

酒肆的老闆望著那伏案而睡的酒客，皺了下眉頭。不過看看手上的碎銀，還是搖搖頭，喃喃道：「大好男兒，這大白天的就喝得酩酊大醉？」

這時夕陽蕭索，一聲鑼響後，沉寂的安遠砦稍有些熱鬧。

有些軍民從遠處塵道走來，三三兩兩地來到酒肆旁坐下，隨便要些酒兒，就著些醃菜下飯。

鑼聲是守軍交班的訊號，守砦一天的兵士，耕作一天的百姓，都會借歇息的工夫，到附近的酒肆喝幾口酒。

無論砦兵還是百姓，均是愁眉不展，喝著悶酒。不知哪裡傳來羌笛悠悠，滿是淒清。那些人聽著羌笛，滿是鄉思，有人還重重地歎口氣，喃喃道：「這種日子，什麼時候是盡頭呢？」夏軍好水川大勝，涇原路苦苦掙扎，就算是交界的秦州，也是風聲鶴唳，草木皆兵，整日困守。安遠砦的很多守軍，本是從北方撤回，聽羌笛響起，難免思念故土。

這時路邊行來個盲者，身邊跟隨個姑娘。

盲者滿面滄桑，手中拿著兩塊梨花板，輕輕地敲著，節奏雖是單調，自有滄桑古意。那姑娘手上拿個曲頸琵琶，面容姣好，衣著樸素，梳著兩個長辮。

看這二人，像是爺孫，相依為命，讓人一眼看去，隱生同情。

有砦軍見到，喊道：「江老漢，來得正好，說一段吧！」砦軍都認得這祖孫二人，盲眼老漢姓江，那拿著琵琶的女子叫做露兒。這祖孫四處流浪，聽說本在西北，只因懷念故土，終於回到了宋境，以賣唱說書為生，眼下就在安遠砦住著。

露兒領著爺爺到了個長凳旁坐下，問道：「各位看官，今日想聽些什麼？」

有一長臉的漢子道：「昨天正說得緊要，今日當然還是說說好水川一戰了。」

伏案而睡的那漢子好像動了下，但終究沒有抬頭。

砦軍都看那漢子眼生，不知道那是誰，可無人有心思詢問。眼下戰起風塵，不知有多少這樣的漢子遊蕩西北，誰管得了許多？

露兒對盲眼老者道：「爺爺，他們想聽那些英烈的故事呢……」

「不是故事，只是往事。」那老者沙啞著嗓子，輕敲下梨花板，唱道，「塞下秋來風景異，衡陽雁去無留意。四面邊聲連角起，千嶂裡，長煙落日孤城閉！濁酒一杯家萬里，燕然未勒歸無計。羌管悠悠霜滿地，人不寐，將軍白髮征夫淚！」

老者聲音滄桑，那露兒輕輕彈著琵琶，暗合盲者的語調。

酒肆眾人聽了，只覺得曲調滿是蒼涼悲壯，遠望斜陽輝落，心中愴然。

老者唱完，露兒幫腔道：「爺爺，你這唱的是什麼曲兒？」老者道：「這是范公的詞，老漢我一時興起唱出來，唱得不好，諸位看官莫要介意。」

有一身著麻衣的漢子道：「唱得好呀！老漢，你說的范公就是范仲淹范大人吧？」

老者道：「這天底下，不就是一個范公嗎？」

長臉漢子道：「那可不然。本來還有個大范老子的。」眾人哂笑，旁邊有一人道：「你是說范雍嗎？嘿嘿……」那人欲言又止，滿是輕蔑。

露兒一旁抿嘴輕笑道：「那大范老子可不如小范老子呀！范雍在時，導致三川口慘敗，邊塞頹廢。可自從范公……也就是小范老子來了後，整頓邊陲，先建大順城，破金湯城，困宥州，取承平砦，到如今，又反取了金明砦。大范老子的失地，全被范公收回了，不但如此，還把夏人的疆土挖了幾塊呢！」

眾人聽得心潮澎湃，長臉漢子拍案道：「說得不錯，要不然邊陲的夏軍互相告誡呢，說什麼『小范老子腹中有數萬甲兵，不比大范老子可欺』。」

盲者歎口氣道：「可惜西北只有一個范公。」眾人沉寂下來，有的人也跟著歎氣。盲者又道：「老漢我方才唱的那詞，本是范公初到邊陲，有感西北蕭條所作。我朝詞風，多是柔靡無骨，唯獨范公一掃頹廢。老漢我以前也唱柳七的詞，但現在更喜唱范公的。可惜……范公只有一個，他才華橫溢，詞做的卻不多。」

露兒一旁跟腔道：「或許……范公有才，卻是大才，心思多用在邊陲上，因此無心做詩詞了呢？」

原來這祖孫相依為命，賣唱說書也是如此。那盲者主要負責說唱，而那露兒姑娘，在一旁彈曲幫腔，砦軍早已習慣。

紅顏白髮，清脆點綴著滄桑，倒成了安遠砦獨特的風景。

盲者說道：「露兒，你說的也對。可我們今天要說的不是范公，而是好水川之戰中一個值得說的人。」

露兒眨著眼睛問，「那是誰呢？」突然拍手道：「爺爺說的可是韓琦嗎？」

眾人沉默下來，臉上均有異樣之色。

盲者搖頭道：「韓公的功過，哪是我老漢能說的？老漢不敢說呀！」他的聲音中滿是唏噓，眾人也聽出盲者語氣中還有些不滿。

露兒思索了半晌，突然道：「爺爺，我知道你要說哪個了。我聽你說過，好水川一戰，宋軍雖敗，但有太多血淚悲氣。比方說，任福任大人和夏軍決戰好水川，臨死之前，別人勸他逃走，他說什麼『吾為大將，兵敗，以死報國爾！』結果戰死在好水川，你可是要說任福任大人嗎？」她聲音嬌脆，但說及以死報國幾個字時，鏗鏘有力，眾人聞了，均是熱血激盪。

盲者歎口氣，啞聲道：「好水川一戰，都說是任福輕兵冒進，入了夏軍的埋伏，導致慘敗。但他死前，總算力戰殉國，老漢就不多說了。」

露兒一甩長辮，又猜道：「那你說的多半是王珪王將軍了……我聽說他本不必死，他駐軍羊牧隆城，只因聽任福將軍被困，領軍前去解圍。夏軍陣營如桶，他衝了十四次，竟然還衝不過敵陣，誰都乏了、累了、怕了，甚至那些兵士，都不願意再衝了。只有他對東方而叩，說道，『臣非負國，實則力不能也……臣不敢求旁人赴死，只能獨死報國！』他說完後，就獨自殺進了夏營，又殺了十數人，這才被亂箭射死。這種英烈，為何不說說呢？」

眾人聽露兒說得抑揚頓挫，眼中均露出追思之意，那長臉的漢子卻低下頭去，滿是愧色。

盲者道：「昨天不是說了？今日再說，只怕眾看官厭倦。」

露兒水靈靈的眼珠轉轉，歎道：「不錯，但他的事情，我再說百十來次也不會累。」突然又道，「可王珪真的……不必死呀！他若退走，夏軍也無力圍他。他為何……為何這樣呢？」

盲者臉上滿是愴然，緩緩道：「人有不為，人有必為。有些人，明知必死，也會赴死的。宋人積弱，邊陲多吃敗仗，缺的不是人，而是一股必拚的血氣。若是人人自保，遇難不救，那邊陲人人難保，有心的人都明白這點。因此任福有難，李簡去援，王珪去援。王珪赴死，或許不為旁的，只想告訴夏軍，宋人中，也有很多如他這般拚命的漢子。他雖死了，但羊牧隆城卻保住了。夏軍雖多破涇原路的堡砦，但直到現在為止，還攻不進區區幾千人把守的羊牧隆城！為何？因王將軍不負天下，天下人不想負王將軍！」

盲者最後幾句話說得鏗鏘有力，他眼雖盲，但心不盲，臉上已有光輝，如秋日夕陽。

夕陽已暮，殘霞如血，但有那麼分燦爛，也足矣。

眾人血已熱，心中激盪。

露兒悠悠神思，撥弄著琵琶，半晌才道：「那好，就不說任大人和王將軍了。那爺爺到底想說什麼，我可真的猜不出來了。」

盲者輕輕敲了下梨花板，咳嗽一聲才道：「我今日想說的，卻是好水川的一個行營參軍，名叫耿傅。」

露兒搖頭道：「沒聽說過此人的名字呀！想必各位看官對此人也很陌生吧？」

麻衣漢子道：「姑娘說錯了，很多人知道耿傅耿參軍的。他是任大人的手下，和武英武將軍一同戰死在了龍落川。他雖是個文人，但若論一顆俠烈之心，不讓旁人的。」

盲者梨花板叮噹一響，一旁接道：「不錯，這為人之俠烈，不看勇猛、不看事蹟、不看官職，只看大是大非之前的一顆抉擇之心。就算是手無縛雞之力的書生，能慷慨赴死，也值得老漢說說，讓更多的人知道。」

眾人默默地聽，露兒卻看著那伏案而睡的漢子，眼中突然露出好奇之意。

盲者輕咳聲，續道：「好水川一戰，元昊以十數萬精騎兵，三千鐵鷂子盡出，圍困宋軍的數萬兵馬。任福被圍時，武英、朱觀兩部亦在龍落川被夏軍鐵騎數倍兵馬圍困，宋軍人少馬亦少，在那開闊的平原處，無處逃避，只能布陣抵擋對方鐵騎的衝擊。但弓箭早盡，武英當時已中了數箭一槍，知道不行了，就讓朱觀率部突圍，他來斷後。那時候耿傅耿參軍就在武英身邊，武英請耿傅先走。」

露兒接道：「爺爺，這個武英也是個好男兒。」

盲者歎道：「他是好男兒，可也擋不住如狼的夏軍。他雖英雄奮戰，可聽說……他後來死在了夏軍羅睺王的刀下。」

伏案而眠的漢子全身微震，突然抬頭望了那盲者一眼。露兒瞥見，心中微驚，暗想這人好犀利的眼眸。見那人臉頰有刺青，原來也是個軍人。

眾人都被盲者所言吸引，並沒有留意那漢子。

露兒的目光還沒有從伏案漢子臉上移開，心道：好英俊的男子，偏偏那麼多滄桑。她和爺爺說書賣唱，走南闖北，端是見過不少人物。但滄桑的少英俊，英俊的少滄桑，文人多柔弱，武人多粗魯。唯獨那男子，鬢角已華髮，臉上滿風霜，額頭有疤，臉頰刺青，本應是個落魄無為的武人，偏偏仔細看去，才發現他實在俊朗得很。

那個滄桑落魄的男子，是個極為英俊的男子。

但望向那男子的時候，卻讓人少注意他的英俊，只留意他不屈不撓的一雙眼、他惆悵落寞的一張臉。

他雖在聽書，雖在人群中，但仍落寞。他的一雙眼，還是亮如天星，但那眼眸中，又似朦朦朧朧，藏著不知多少前生今世。

露兒只看了一眼，目光就再難移開，她憑女兒細膩的心思，就知道這男子本身的故事，肯定比爺爺講的故事要精彩蒼涼百倍。

她甚至忘記了幫爺爺說書，突見那男子向她望來。

露兒垂頭，只覺得那如閃電的眼中，有著說不出的魔力，不敢再看。

那盲者似乎遐想龍落川之戰，並沒有留意孫女的表情，梨花木也忘記了敲，又道：「武英死前，曾勸耿傅逃命，耿傅不語。武英急道，『英乃武人，兵敗當死。君文吏，無軍責，何必與英俱死？』」

落魄漢子突然開口，聲音嘶啞問道：「耿傅怎麼說？」他神色中，又有些緬懷。他記得，當初他在高平砦的時候，被韓琦輕視，耿傅也曾為他出頭。

盲者道：「耿參軍什麼都沒有說，只是挺身上前。武英死後，耿參軍竟領軍掌旗親自帶殘部作戰斷後。他本是個文人，誰也不知道他哪裡來的氣力。但他終究還是文人，很快就死在亂軍之中了。」

落魄漢子微怔，長歎一口氣道：「說得好。」眾人覺得漢子回答得奇怪，因為耿傅明明什麼都沒有說。

露兒卻已明白，說道：「這位……官人是說，耿參軍雖什麼也未說，但比說了無數豪言壯語還要管用。這世上本來就有一種人，不用說什麼的。可就算他一句話都不說，也有無數人記得住他！」

落魄漢子笑笑，示意讚許，眼中已有分戰意。武英死在野利斬天之手，他和野利斬天終究還要一戰。可野利斬天不是一直和飛雪在一起，怎麼又回到了夏軍的軍營中？

盲者道：「露兒，你這句話不但適合耿參軍，還適合狄將軍。」

露兒眼睛已亮了起來，眾人的耳朵都豎了起來。

「狄青」這兩個字，已讓天邊的晚霞為之失色。「狄青」這兩個字，不但有著一種魔力，也代表著邊陲的希望。

露兒道：「爺爺，時日尚早，你就再說說狄將軍的往事吧！我想這裡的人，都想聽狄將軍的故事呢！」

麻衣漢子叫道：「不錯，老爺子，你若說狄將軍的故事，我就算聽個三天三夜也不厭煩……」他因為想聽故事，對盲者的稱呼都改了。

眾人心情激盪，都是若有期待。只有那落魄漢子垂下頭去，自嘲地笑笑。

盲者擊著梨花板道：「這狄將軍的事蹟，我說個三天三夜也說不完呀！都說范公這幾年來，功績無雙，但很多人都知道，他若沒有狄將軍幫手，也很難對抗虎狼般的夏軍。狄將軍身經百戰未嘗敗，破後橋砦，擊白豹城，取金湯，鬧葉市，燒賀蘭原，屠羌人悍族，甚至數亂興慶府，鏖兵賀蘭山，遠戰玉門關……橫刀立馬，夏軍很多人聽了狄將軍之名，甚至不敢和他一戰。這些事情，又豈是三天三夜能說得完的？」

眾人聽狄青馬踏關山，塞外橫行之事，眼都發亮，嚮往著狄青的英勇。唯獨那落魄漢子道：「老丈，或許你說得有些誇張了。據我所知，有些事絕非狄青做的。」

麻衣漢子拍案而起，喝道：「你說什麼？你敢說狄將軍的不是？」眾人亦是怒視落魄漢子，均是極為不滿。看他們的樣子，就算自己受辱，都不肯讓旁人說狄青的壞話。

那落魄漢子望著麻衣漢子道：「我也沒有說他的不是……」

盲者道：「這位官人，你說老漢無所謂，可我敢說，狄將軍的功績，只比老漢列舉的多，不會比老漢說的少。誰敢說老漢說得不對？」

眾人均是點頭道：「不錯，狄將軍就是那種少說多做的漢子。他的事蹟，只有比江老漢你說的要多，而不會少了。」

落魄漢子唯有苦笑。

麻衣漢子神色氣憤，不再理他。盲者不想眾人鬧事，已擊著梨花板道：「別的事情就暫時不說了，就說狄將軍前些日子大鬧興慶府，曾留下一首歌……」

他不等說完，露兒已彈起了琵琶，曲調激昂，有如兵甲鏗鏘。

老者啞聲道：「男兒此生輕聲名，腰間寶刀重橫行……」不等他唱完，麻衣漢子已用筷子擊案跟唱道：「流不完的英雄血，殺不盡的是豪情！」

二人合唱，曲調悲涼中滿是豪壯。

眾人跟著喃喃道：「流不完的英雄血，殺不盡的是豪情……」不知為何，從這平平淡淡的四句話中，已唱出了不知多少英雄血淚、壯志豪情！

等唱完這四句，那麻衣漢子斜睨那落魄漢子道：「這歌就是狄將軍在興慶府殺了夏人高手後唱的，如今早由夏人之口傳到了中原，你敢說這歌不是狄將軍作的？除了狄將軍，還有誰有這般氣魄？」

落魄漢子只是端了碗酒，默默地喝下去。他像也被歌聲激盪，眼中滿是激昂之意。

露兒見狀，解圍道：「他也沒說什麼。不過狄將軍雖這麼大的威名，但一直孤軍作戰，聽說他現在還是鄜延路兵馬都監，因此他能做的事情不多。他若能再多升幾級，不知道還要做出多少驚天動地的事情呢！」

麻衣漢子眼前一亮，搖頭道：「露兒姑娘有所不知，眼下狄將軍早非兵馬都監。我聽封砦主說，狄將軍以前被奸人打壓，一直得不到提升。可自從范公來到西北後，將他的軍功如實稟告，他這才得以正常升遷。饒是這樣，如今他已身為涇原路副都部署，兼涇原路副經略安撫招討使，領涇原路全責。涇原路危急，因此朝廷命狄將軍前來坐鎮，對抗夏人。聽說狄將軍這幾日就要來安遠，封砦主早出去迎接了。」

眾人霍然動容，振奮喊道：「狄將軍就要來這裡了？真的假的？顧山西，你莫騙我們。」

露兒惋惜道：「為什麼都是副職呢？以狄將軍之能，就算做個安撫使都可以呀！」

盲者歎道：「我朝素來如此，需要武人，卻一直怕武人作亂，不肯重用。給狄將軍副職，還是要正職牽制之意。」

顧山西搖頭笑道：「大宋武人，以行伍出身，能像狄將軍這樣打到如今位置的，已少之又少了。他如今在邊陲，有范大人的支持，無人再能約束他，我聽說……」

話未說完，砦西突然傳來鑼聲急響。

眾人均是一驚，起身道：「不好，有緊急軍情。」場面微亂，顧山西已道：「莫要慌，怕什麼？有敵來，我們打就是。說書是江老漢的事情，可作戰，還是我們的事情。」

眾人點頭，不待多說，路那頭飛奔來數人。顧山西見了，臉有喜意，喊道：「封砦主，你回來了？」

奔來為首那人，身材剽悍，臉若重棗，脖頸有道刀痕，斜上入耳。

疤痕如蚯蚓般扭動，看起來有著說不出的可怕，但所有人都不怕，因為安遠砦的人都知道，封砦主這一刀，是在和夏軍交手的時候挨的。

對這種人，他們只有敬。

封砦主向這面一望，喝道：「顧山西，劉刀兒，有敵情，你們跟我來。其餘的人，不要休息了，都去。」

顧山西和那長臉漢子都應令，振衣跟隨。

封砦主命令發出，才待向砦西行去，突然止步。轉過身來，霍然向那落魄漢子望去。

眾人只見封砦主臉上突然露出極為複雜的表情，似不信，又像是激動，還帶著無盡的悲意……

封砦主一步步向那落魄漢子走去，眼中已含淚，一個勁道：「你來了……你來了……」他不知說了多少個你來了，淚水已順著眼角流淌下來。

眾人滿是困惑，他們都知道封砦主素來是流血不流淚的硬漢子，那封砦主為何落淚？

落魄漢子望著封砦主，神色唏噓，只回了一句，「我來了！」

他只是簡單的三個字，可口氣中，卻有著說不出的感慨和堅定。

他挺起了腰身。

方才他伏案之時、飲酒之際，只有惆悵；但他挺起腰的時候，已能擔負山嶽。

封砦主到了那人的身前，突然向地上跪下去，嘶聲道：「狄將軍，你終於來了，可你來遲了！武大人死了！」

眾人耳邊如沉雷滾滾，臉上均露出不信的表情。

狄將軍？是哪個狄將軍？

這天底下，還有哪個狄將軍？那落魄漢子是狄青？

那落魄漢子當然就是狄青！

狄青一伸手，已拉起了封砦主，眼角濕潤，說道：「封雷，我來遲了。」

封砦主正是封雷，也是武英的手下。當年曾和狄青見過，和狄青鬥過，被狄青救過，如今武英死了，封雷做了砦主，就在安遠。

往事如煙，滿是雨露……但往事歷歷，猶如在目。

眾人已看呆了，顧山西臉上有些驚嚇，喃喃道：「我的娘，他就是狄青？我方才還在喝斥他？」

封雷淚流不止，泣聲道：「武大人臨死前，還念著狄將軍。他說了，你若指揮，絕不會讓這些人就這麼死了。他說他對不起三軍兵士，可他已竭盡了全力，他本來也勸過任福莫要如此輕進，可任福不聽。武大人不等再勸的時候，就被夏軍圍住了。」

狄青想起當初和武英並肩作戰的情景，滿是傷懷，「我……也……」他本想說，我也盡了全力，可終是將這句話嚥了回去。

「殺他的是野利斬天。」
「我知道。」
「武大人死前，對我說過一句話。說我若還活著，就把話轉告給狄將軍。」封雷咬牙道。
「你說！」
封雷一字一頓道：「武大人說他死而有憾，但他知道，狄將軍你一定會給他報仇，給所有屈死在好水川的將士報仇。他說……你一定能做到！」
眾人均是望著狄青，等著狄青的回復。
狄青環望眾人，笑了，笑中帶淚，他輕聲說道：「你們信我，我一定能做到！」有時候，決心絕不看聲音的大小。狄青說的聲音雖輕，但所有人都聽到了，聽到了骨子裡面的決心。
眾人有的含淚，有的已流淚，就算那盲者，乾澀的眼眶中，也有了濕潤之意。
狄將軍一定能做到，所有的人都信！
封雷一把抱住了狄青，壯碩的漢子有如孩子般哭得傷心，「狄大哥，你沒有來晚，你來早了。」
「是呀，我來早了。」狄青伸手輕輕拍著封雷的背心，說道，「封雷，現在不是哭的時候。」
封雷後退一步，伸袖子一抹淚水道：「是，現在不是哭的時候。狄大哥，若說好水川之戰，你來晚了，你若在的話，焉能讓元昊得逞？可你也來早了，本來聽軍訊，你應該兩天後到的，我今天去接你了，我想你可能會早到。但聽說有夏軍在附近出沒，只怕安遠有事，這才又趕了回來。」
狄青道：「我等不及了，聽說你在安遠，想見見你，所以早到了兩天。我見不到你，不想驚擾別人，因此在這裡等消息。」
眾人這才明白二人言語中來早、來晚的意思，唏噓不已。

所有人都望著狄青，望著那傳說中的英雄。不信他如此俊朗落魄，可見到那雙滿是戰意的眼，卻信只有這樣的男兒，才是他們心目中的英雄。

流不盡的英雄血。

英雄血在，鬥志在，狄青鬥志在，豪氣在！血流不盡，鬥志不息！那一聲聲鑼響已急迫在耳，可狄青根本沒有半分緊張，若沒有百戰成鋼的膽魄，如何會有這般山崩於前不色變的鎮定？

有軍士已急奔道：「封砦主，有夏騎千人到了砦西。請你快去。」

封雷怒喝道：「怕什麼？你去告訴徐子郎，讓他頂住，夏軍攻進來一人，我就斬了他！你再告訴徐子郎，就說狄將軍來了，徐子郎若不是孬種，知道怎麼做！」

那軍士向狄青望了一眼，眼中滿是驚喜，連連點頭，如飛而去。

狄將軍來了！

這五個字，幾乎如風一般地傳遞在安遠，傳遍了安遠。

酒肆眾人已沸騰，安遠砦已沸騰。就連那盲者都是臉泛光輝，側耳聽著，不肯漏過狄青的一句話，可卻不敢上前打擾狄青。露兒水靈靈的大眼，更是盯在狄青的身上，不肯錯過這次相見的機會。

有些人，錯過了，還有擦肩的機會。有些人，錯過了，就再也不見！

狄青聽封雷火爆的口氣，微笑道：「封雷，多年過去了，你還是如此急躁。」

封雷搔搔頭，有些尷尬。誰都想不到封雷竟也有這種姿態，可誰又都看出，封雷對狄青，心服口服。

「狄大哥……」

「去砦西看看吧！」狄青道。

封雷立即道：「好。」扭頭喝道，「走！」他和狄青並肩前行，滿是振奮，卻沒有注意到，狄青眼中掠過分遲疑。

酒肆的眾人均跟在狄青、封雷的身後，聞訊趕來的軍民也跟了過來。人流如潮，滾滾向砦西而去。

只有盲者坐立不動，對孫女道：「露兒，狄將軍到底什麼樣子，你得和我說說。」

露兒蹺著腳向砦西望著，聞言急道：「爺爺，我們也去看看呀，你方才怎麼不讓我跟去？」

盲者歎口氣道：「露兒，說書是我們的事，但打仗是狄將軍的事，你去摻和什麼？你要盼狄將軍勝，就不應該扯他的後腿，你能做什麼？」

露兒噘著嘴，雖是不悅，但終究還是坐了下來，說道：「爺爺，你不知道，狄將軍長得真的很俊朗……」她說著話兒，可一顆心早就飄到砦西，只是想著，「狄將軍現在如何了？他可千萬不能敗呀！」

狄將軍不能敗，狄將軍也不會敗！

所有人都是這個念頭，狄青已到砦西。這時日西沉，散盡了最後的一分光輝。青天已晚，尚餘微明。

有一將迎了過來道：「封砦主……」見到狄青和封雷並肩而立，省悟過來道，「這位是狄將軍嗎？」他神色中有些遲疑，只因為狄青俊朗得不像千軍橫行的將軍。

封雷罵道：「當然是狄將軍，難道還是你徐將軍嗎？」

那將正是砦西的守將徐子郎，本是個指揮使。聽封雷喝罵，狄青擺手止住，說道：「我是狄青，現在情況如何？」

徐子郎道：「夏軍有千餘人到砦西搦戰。末將一直在這裡守著，不過他們也沒有攻過來。」

狄青不經意地皺了下眉頭，「有千人？」他似乎思索著什麼，神色有些猶豫。

封雷見狀，心中不解，低聲道：「狄大哥，安遠砦能作戰的有三千多人。你……是孤身來的嗎？」

狄青四下望去，點頭道：「我來得急，本還有他事，不想竟碰到夏軍來攻。」

封雷道：「你一個人來就夠了。當年狄大哥你一人都打得數百鐵鷂子落荒而逃，幾十人就燒了後橋砦。安遠砦的兵士有幾千人，也能打，全歸你調動。」

眾人均望著狄青，只等他一聲吩咐。

狄青見四周砦兵雲集，眼中又有分猶豫。封雷瞥見，心中微懍，喃喃道：「狄將軍，你怎麼了？」

封雷這才發覺，如今的狄青，和以往有些不同了。若是以往的狄青，這刻說不定早就帶人殺了出去。己方人多，又佔優勢，狄青為何反倒沒有了以往的衝勁？

難道說，因為狄青已升職到了副都部署？

有些人，豈不是官高了，膽子就小了？

狄青見到封雷欲言又止，笑道：「好，既然都歸我派遣，那就出戰！」狄青一說出戰，安遠全砦人又振奮起來，紛紛請纓。

狄青用手一劃道：「我左手的跟我出戰，擊退來敵。」左手處約莫有二百來人，聞言齊聲道：「遵令。」狄青又對封雷道，「封雷，你也出戰，替我壓住陣腳。」

封雷挺起胸膛道：「好。狄將軍，我可以當先鋒。」

狄青搖搖頭，「不用了。」早有人牽馬前來，那人卻是韓笑。狄青望見韓笑，目光閃動，手扶馬鞍，手指輕動。

韓笑一隻手也在屈伸變換，像是說著什麼，狄青見了，眼中閃過分振奮。他和韓笑間，只憑手勢就可交流許多事情。

二人交流極為快捷簡單，可狄青交流後，神色已變得堅決。

砦門大開，砦中鼓聲雷動。狄青帶二百來騎兵，當先行去，陣容雖弱，但氣勢不弱。

封雷又點了近千人跟在狄青的身後，出砦後，列陣砦前。

狄青出砦後，從馬鞍上取下青銅面具戴在臉上。轉瞬間，那個俊朗的將軍，就變成了青面獠牙的刑天。

眾宋軍見了，士氣大振。

對面正有搦戰的夏兵，見宋軍出軍，停止了罵戰，列陣相迎。

夏軍騎兵，並沒有宋軍的陣仗，看似參差不齊，但狄青掃了眼，知道對方的騎兵已布成了很犀利的攻擊陣勢。

狄青手下也有精銳的騎兵，當然知道何種間距下，最有利騎兵發揮。

對手不弱。

狄青腦海中已在回憶韓笑給的消息，「靈州竇惟吉圍困羊牧隆城，兵破三川砦，眼下南下轉戰靜邊砦，大軍已近安遠……」

狄青不待再想下去，對面軍陣衝出三騎。

為首那騎坐著個彪形大漢，那漢子竟精赤著上身，露出的胸膛有如鐵鑄，雙臂肌肉勁結凸出，有如老樹古根。

那彪形大漢的手上，持著開山巨斧，一望之下，有著說不出的雄壯。

大漢身後跟著的兩人，居然是一般模樣，極似孿生兄弟。那二人都是削瘦的臉、灼灼的眼，身形矯健，身著鎧甲，一持長槍，一持鐵杵，護衛在大漢身後，有如天神護法般。

狄青見對手只出三騎，三尖兩刃刀一舉，宋騎均停。狄青持刀躍馬，已迎了上去。

鼓聲停，風驟緊。

夜風狂烈，捲動塵土漫天。秋葉飄零，似乎也被殺氣所攝，遠遠的蕩了開去。

宋軍望著場上的情形，一顆心均已提起。誰都知道，那彪形大漢絕不好對付，狄青一比那漢子，已弱了氣勢。

這裡的宋軍雖早知狄青的大名，但終究沒有見過狄青出手，難免心中惴惴。

狄青離三人數丈開外，已勒住了戰馬，沉聲道：「爾等何人？」他橫刀立馬，眼中似乎有分思索。目光從壯漢身上掠過，望了那孿生兄弟一眼，移開了目光。

壯漢不等說話，他左邊的那人已道：「來將可是狄青嗎？」

狄青心中微懍，暗想自己才到了安遠砦，對手怎麼這麼快就知道他的消息？可他心思轉動，面具卻遮住了表情，只是點點頭。

那人揚聲道：「我將軍屠萬戰早聽說將軍的大名，知將軍到了安遠，特求與將軍單獨一戰！」

兩軍肅然，不想夏軍竟提出這種要求，夏軍提出個狄青無法拒絕的要求。

夏軍要求鬥將！

兩陣既立，各以其將出鬥，謂之鬥將。鬥將並不常見，戰場勝負，主鬥排兵布陣，眾人齊心，而不在主將的匹夫之勇。

自古以來，名將如韓信、白起、李靖等人，雖有顯赫戰功，立千古之名，卻在於指揮神準，而不靠獨力擎天。

真正的將領，少有鬥將一說。但夏人尚武，既然提出來，狄青難以拒絕。他是都部署，但他更是宋軍心中的戰神。

他本是行伍出身，能到今日的地位，憑藉的不是身分祖德，而是靠雙拳單刀打出的軍功。眾人敬他，就是因為他的勇猛。

如果夏人要求一對一地交手，狄青都不能迎戰的話，那他如何統領千軍？

狄青幾乎沒有猶豫，沉聲道：「好。」

此言一出，夜幕已垂，四下火起。火光炳曜，豪氣沖霄。

屠萬戰聽到狄青應戰，眼中已燃起火一般的戰意，那開山巨斧已緩緩提了起來，火耀下，泛著如冰的寒光。

狄青仍是橫刀立馬，神色自若，可雙眸也忍不住地盯著屠萬戰的巨斧。

屠萬戰？宋軍中沒有誰聽過這名字，狄青也沒有聽過，但他知道，這人既然敢和他獨鬥，不是瘋子，就是有過人之處。

屠萬戰肯定不是瘋子！

戰前肅殺，千軍屏氣。就在此時，有狂風捲起，吹起黃葉無數。黃葉翩翩，化蝶而舞。

屠萬戰憑單臂之力，平舉戰斧，陡然暴喝道：「狄青，吃我一斧！」

那聲斷喝，有如沉雷轟響，三軍盡聞。喝聲未歇，屠萬戰已催馬衝來。人狂怒，馬狂奔。那馬兒幾乎才一催動，就已發揮到巔峰之境。

馬勢如矢飛！

宋軍低呼，他們從未見過這麼快的馬，也從未見過這種氣勢的人。屠萬戰催馬上前，馬如箭，人如虎，斧化流星，已向空中擊出。

他一斧，劈的是半空。

可所有人都知道了屠萬戰的用意。屠萬戰果然沒有起錯名字，他就算沒有萬戰，但也是熟知對攻一道，對於馬戰的算計更是精準到了極點。

馬戰不比步下，除了比氣勢、拚實力、鬥勇力，還要計算雙方奔馬的快慢。

狄青在屠萬戰催馬之時，已同時策馬衝過去。屠萬戰雖快，可狄青也不慢，就在屠萬戰斧起的時候，狄青已離屠萬戰兩丈。

屠萬戰長斧劈出，快若流星，可就在那流星飛逝的工夫，狄青又近了一丈，丈許的距離已夠出刀。

但屠萬戰擊空的一斧，已搶了先機，在距離急縮之際，劈到了狄青的面前。

這一斧，極快、極猛、極厲，可更犀利的卻是屠萬戰的計算。他這一斧頭計算了太多的因素，就算狄青出刀，也比他慢了一步。

斧頭已砍在狄青的身上。

火光都似乎凝住，宋軍幾欲崩潰。可轉瞬之間，他們才發現，斧頭砍中的是狄青的殘影，狄青已不在馬上。

開山巨斧餘勢不歇，重重地擊在戰馬上，戰馬悲嘶，竟被那巨斧硬生生地擊得四腿齊折，栽落塵埃。

狄青在哪裡？屠萬戰一斧劈中戰馬，心中已寒。

半空中霍然擊出一道閃電，閃電之厲，耀過了流星，吞噬了流星。

那是狄青劈出的一刀。

刀光如電，還帶著分驚豔。

刀光落，人雙分，血花綻。暗黑的夜空中，金黃的是火，鮮紅的是血，明亮的是刀，長刀握在狄青的手上，殺氣已斂。人如山嶽，狄青已落在屠萬戰的馬上。

渾身浴血。

血是屠萬戰的血。

屠萬戰已分成兩半落馬，開山巨斧噹啷啷地落地，帶著分最後的哀鳴。兩軍甚至還不明白到底怎麼回事，鬥將終結。

只有極少數的人才看到，狄青就在屠萬戰出斧的那一刻飛身縱起，躍到天際，揮刀斬落，一刀憤斬，生死立斷！

第六章 痛 擊

屠萬戰雖勇，但狄青以更快、更猛、更犀利的一刀斬了回去。狄青一刀斬後，有人驚呼叫嚷，似乎見到了比狄青斬了屠萬戰更驚懼的事情。他們驚叫，又是為了什麼？

兩軍潮湧，已向陣前奔來。遽然間，狄青察覺到更大的危險，兩騎就在屠萬戰落馬之際，已逼到了狄青的兩側。那兩人的殺氣，更甚屠萬戰！

只有兩個人才能這麼快地逼近狄青，那就是屠萬戰身後的孿生兄弟。屠萬戰不過是個誘餌，那兩人才是真正的殺手。這本是一場佈局，誘殺狄青的局。狄青想到這裡的時候，那兩人已出手。

咄的一聲，持槍那人長槍碎空，已刺向了狄青的胸膛。狄青退，可他斬屠萬戰落馬，卻是倒騎在屠萬戰的馬上。他刀已染血，戰意正弱，眼下他的速度氣勢已差。

對手就趁這時出招，顯然極能把握機會，絕非等閒之輩。提杵那人亦是同時出招。鐵杵狂舞，殺氣漫秋。黃葉悲旋，碎影淩亂。

狄青長嘯聲中，再次出刀，噹的一聲，刀槍相抗，火光四射。長槍蕩開，鐵杵隨後而至，正中馬背。戰馬悲嘶，轟然倒地。狄青閃身空中，不等揮刀，波的一聲，持槍那人手臂急震，槍尖倏飛。

槍尖快如流星，已刺到狄青肋下。狄青空中急扭，槍尖擦肋而過，狄青避過突襲，心中反緊。原來那槍尖雖過，但陡然急旋，將狄青層層綑住。槍尖後竟有條肉眼難見的細線，狄青沒想到這種變化，已被細線綑住了手臂。

線雖細，卻極為堅韌，狄青一掙不脫，身形已困。就在這時，鐵杵又到。

狄青狂呼聲中，已被鐵杵擊得凌空飛起。可生死關頭，雙臂劇震，已崩斷束縛，長刀脫手飛出，如雷驚電激。持鐵杵那人一招得手，心中才喜，轉瞬一涼。低頭望去，見胸口已被長刀洞穿，身軀晃了晃，栽落馬下。

狄青同時摔在地上。就在此時，一馬疾到，一手伸來，叫道：「狄將軍。」那人正是封雷，他見夏軍兩將偷襲之際，就已催馬上前。等狄青落地之時，及時趕到。狄青伸手扣住封雷的手腕，被封雷用力一帶，已上了馬背。持槍那人雖想衝來，但已被兩軍隔擋。

兩軍相遇，絞殺在一團。封雷心憂狄青的傷勢，顧不得再戰，長槍一揮，喝令暫歸。夏軍雖趁亂急攻，不過安遠砦守軍早有經驗，以鐵盾、弓箭，配合長槍溝壕，擊退了夏軍的衝擊。封雷背著狄青回到營砦後，砦中再無人歡呼，人人臉上沉重冰冷，所有人都想知道一件事情，狄青傷得到底重不重？

封雷傳令下去，讓全砦兵士嚴防死守不能出戰，妄戰者斬。等封雷放下狄青後，立即找了砦中最好的大夫，給狄青看病，而關於狄青的傷勢，封雷祕而不宣。

一連兩日，安遠砦上空，愁雲慘霧籠罩。天濛濛，竟下起了毛毛細雨，更增眾人愁緒。夏軍接連搦戰，在安遠砦前謾罵，激狄青出戰，安遠砦只是閉砦門不出。砦軍人人惶惶，都明白狄青的傷勢肯定十分嚴重。狄青若還能作戰，怎會任由夏軍如斯囂張？

轉眼間，已到了第三日黃昏，安遠砦外的夏軍更見囂張，謾罵嬉笑聲不絕，有的甚至已在砦前嬉笑撒尿，極盡侮辱之事。安遠砦眾人一腔怒火夾雜著悲憤，所有人都是義憤填膺。顧山西鎮守砦西，見狀怒容滿面，突然一拍大腿，喝道：「狄將軍傷了，可我們沒有傷。有種的，和我一塊出戰！」

他霍然站起，砦中軍士早就憋了幾天的怨氣，紛紛響從。顧山西才待出戰，一旁的劉刀兒急勸道：「顧兄，不能出戰。封砦主說了，妄自出戰者，死罪的。」

顧山西嘿然冷笑，斜睨劉刀兒道：「劉刀兒，當初在羊牧隆城前，你就不戰，任由王珪將軍赴死。難道到如今，你還不戰嗎？」他忽然扯開了胸襟，露出胸口一條刀痕，喝道：「顧某在龍落川隨武大人作戰，僥倖不死，這條命本來就是撿回來的，今日就算死在安遠，也無憾事了。」

劉刀兒已臊得滿臉通紅。

原來這二人均是好水川一戰的倖存兵士，如今退守安遠。當初王珪獨自赴死，活下來的宋軍人人自責難安，劉刀兒就是其中一員，是以他聽到說書的爺孫提及王珪之時，忍不住地羞愧。

顧山西見劉刀兒無語，喊道：「今日就算死，也讓夏人看看，安遠砦的宋人沒有孬種。」他才待出砦，又被劉刀兒一把抓住。

劉刀兒臉雖紅，意已堅，說道：「顧兄，我當初是怕死不假，可今日就算死了又如何？劉刀兒的這條命，就交給顧兄了。」眾宋軍聞言，熱血激盪，劉刀兒又道：「但無論如何，軍無令不行，我們不能讓這麼多兄弟無端受責，你可敢與我去向封砦主冒死請戰？」

顧山西喝道：「怎麼不敢？要請戰的，跟我走。」他心中悲憤，但也知道劉刀兒是一番好意，大踏步地向封雷的軍帳行去。

眾宋軍見狀，紛紛跟隨。

砦軍迅疾匯成洪流，奔騰到了中軍帳前。人聲鼎沸中，顧山西跪倒在帳外，高聲道：「封砦主，顧山西請帶兵與夏軍一戰。」他知道此舉不妥，甚至可能被封雷斬在當場，但他義無反顧。

「劉刀兒請戰！」

二人言出，眾砦軍異口同聲道：「我等請與夏軍決一死戰！」

群情洶湧，熱血沸騰。狄青雖傷了，但眾人已決定，他們要為狄將軍分擔重任。

一隻手伸過來，輕輕地扶起了顧山西。那隻手雖看似秀氣，但其中蘊藏的力道決心，甚至比千軍請戰還要雄厚。顧山西知道那絕不是封雷的粗糙大手，霍然抬頭，失聲道：「狄將軍？」

站在他面前的，正是幾日未出的狄青。狄青臉色有些蒼白，胸口還纏著繃帶，繃帶上有血透出。但他身軀挺直，在黃澄澄的秋日照耀下，顯得高昂偉岸。

「狄將軍？」所有兵士詫異呼道。

顧山西喜道：「狄將軍，你好了？」隨即見到狄青的肅然，顧山西一顆心又沉了下去。在眾人的心目中，狄青是宋軍的不死戰神，是宋軍中鬥志激昂、永不言棄的將軍。所有人傳誦著狄青的名字，因為這個名字代表著西北的希望。

但眼下看來，狄青已要被希望壓垮。

有飛騎趕來，那砦兵下馬後，說道：「狄將軍……封砦主。」陡然見到眼下這種情況，支吾難言。

封雷就在狄青的身旁，見狀怒道：「何事？你舌頭被割了？」

那砦兵咬牙道：「夏軍將領嵬名虛在砦前，請與狄將軍一戰。他說久仰狄將軍的大名，想狄將軍定不會讓他空等。」

封雷怒道：「這個嵬名虛是什麼東西？他要打就打嗎？那我們多沒有面子！」

眾人心頭沉重，知道封雷這麼說，就是認為狄青已沒有了再戰的能力。

狄青傷得不輕！

那砦兵喏喏道：「那……我們就不理了？」

封雷喝道：「當然不理了。這幫人，詭計多端，上次說好了單打獨鬥，可卻暗算了狄將軍，和他們有什麼好談的？」

砦兵轉身要走，神色沮喪。

狄青突然攔住砦兵道：「等等。你去告訴嵬名虛，一個時辰後，我和他決一死戰！」

眾人大驚，封雷也露出焦灼之色，喊道：「狄將軍，你傷勢很重，怎能出戰？」

狄青環望眾人，只說了一句，「狄青可以死，但不能不戰！」

在場兵士均已熱淚盈眶，望著如山如岳般的狄青，他們不由想起了武英，想起了王珪，想起了耿傅，想起了太多太多的邊陲熱血男兒。

邊陲就是因為有了這些男兒，這才能湧出更多的好漢。

原來狄青還是狄青！

一個時辰後，狄將軍要與夏軍將領嵬名虛一戰！消息傳開，安遠砦再次沸騰，沸騰中，夾雜著難言的悲壯和深深的憂心……誰都知道，狄將軍這次不能再輸。狄青身受重傷，再輸，就可能把性命輸出去！夏軍詭計多端，這一次，會不會還和上次那樣，偷襲暗算？

嵬名虛是誰？很多人都不知道，狄青卻是知道的。嵬名虛——元昊八部中，夜叉部中最神祕的高手。就算是狄青，也不過聽過他的名字，此人是虛空夜叉的頭領。往事如電，宋軍好漢前僕後繼，不過元昊的八部中，好手折損也是極多。今日一戰，折損的到底是宋軍的好漢，還是夏人的高手？

一個時辰轉瞬即過，狄青再次出了中軍帳，甚至沒有披上鎧甲。難道說，他連負甲冑的氣力都沒有？封雷神色肅然，再沒有相勸，只是點齊了砦中最精銳的騎兵。炮聲一響，砦門打開，騎兵側分兩翼，盾牌兵刀斧手已列方陣出行。雖說是鬥將，但封雷還是要防備夏軍趁機衝營。

雨冷，淅淅瀝瀝；鋒厲，殺伐叱空。對面的夏軍，早就擺好了陣勢，在兩軍陣前，空出了好大的一片空地。夏軍陣前，這次只策馬而立一人。那人黑甲黑馬，臉色發灰，手持長柄單錘，錘身烏色，似和那人馬融成一色。那人雖在軍前，可已融入秋的暮色。雨瀟瀟，天濛濛，狄青望見了那人，只感覺那人仍是縹縹緲緲。

狄青已戴上了青銅面具，加重了秋意的冷。那面具後，灼灼的眸子，亦像泛著清冷的光。他橫刀鞍前，策馬前行，距嵬名虛數丈的距離，緩緩停下。

嵬名虛掛錘抱拳道：「久聞狄將軍大名，今日一見，幸何如之？」

狄青淡漠道：「幸運不是常有的事情，或許你很快就知道，是幸還是不幸了。」

嵬名虛長吁口氣，慎重道：「男兒習武，當求揚名天下，能死在狄將軍手下，雖死無憾。在下也知，狄將軍有傷在身。但想就算菩提王都不是狄將軍的對手，在下只能趁狄將軍有傷時，厚顏求戰。」

「你倒是坦誠。」狄青歎口氣道，「你當然知道，我不能不戰。」

嵬名虛眼中有分尊敬之意，沉聲道：「不錯，狄青可以死，但不能不戰！在下卑劣用心，求的……也是揚名天下。一個人為了成名，就算用點卑鄙的手段，好像也說得過去？」

青銅面具更冷，面具後那雙眼閃過分譏誚。狄青凝聲道：「你說得不錯，一個人只要找到了藉口，做什麼都能求心安的。但我很想告訴你一句話……」

嵬名虛肅然道：「狄將軍請講。」他由始至終，對狄青的態度都是彬彬有禮。他就算骨子裡面是小人，表面行的仍是君子的事情。

狄青道：「你有行無奈之事的藉口，我亦是一樣。」

嵬名虛愕然，眼中閃過狐疑之意，半晌才道：「恕我愚昧，不能明白狄將軍所言。」

狄青道：「你很快就會知道了。請。」

他再不多言，手按長刀，凝望著嵬名虛的舉動。嵬名虛心中雖有困惑，但一時間無法多想。

二人之戰，有如箭在弦上，不能不發。嵬名虛提錘在手，緩緩地吁了一口氣，說道：「請。」他雙腿夾馬，提錘已向狄青衝來。他始終對狄青帶有分恭敬，等離狄青還有兩丈距離的時候，見狄青竟還不動，嵬名虛已不能不出手。

嵬名虛出手，一錘就砸在了地上。

千軍無聲，只望著戰場上的兩人，見嵬名虛出手，眾人都是愕然，不解這招目的何在。

很快，眾人又都明白了嵬名虛的用意所在。那鐵錘頓地，霍然爆裂，已冒出黑色的濃煙。那煙擴得極快，剎那間，已將方圓數丈籠罩其中。

夏人又使詭計，宋軍大怒。嵬名虛已衝到狄青的身前，嗤的一聲，錘柄凌厲，勁刺狄青的胸口。只一招，石破驚天！

嵬名虛從出戰時，就開始用計。他先用言語驕狄青之心，後用無奈博取同情，再用黑煙佔得地勢，然後蓄力一攻，準備全力取得狄青性命！所有的一切，計畫精準，嵬名虛確定狄青已負傷，傷勢很重，因而求此一戰，力圖擊殺西北宋軍的戰神！

錘柄破空，刺在了空處。

狄青陡然不見，嵬名虛雖是眼尖，但黑煙中，亦是難以分辨狄青去了哪裡。煙霧彌漫，遮擋了狄青的眼眸，同樣讓嵬名虛看不到很多事情。

就在同時，只聽嗤嗤嗤響聲不絕，轉瞬之間，對面不知射出了多少弩箭。

狄青竟用暗器？這怎麼可能？嵬名虛一驚，藏身馬腹，就在同時，看到了對面馬腹下、冰冷泛著青光的面具。嵬名虛驀地明白，狄青方才在他一攻之時，就已躲在馬腹下。

雙馬交錯之際，嵬名虛忽聽到夏軍喧譁，夏軍竟亂了陣腳？嵬名虛又驚，不知道後軍究竟發生了何事。

夜月風同樣不知道發生了何事，夜月風就是三日前和狄青交手的兩兄弟之一。

風林山火，夜叉四絕。夜月風很恨狄青。當初狄青才到邊陲，就殺了他的兩個兄弟夜月山和夜月火，夜月風一直伺機報仇，因此在知道狄青到了安遠的時候，立即搦戰。夜月風以夜叉第一高手屠萬戰為引，然後夥同兄弟夜月林夾擊狄青。本以為此戰必勝，哪裡想到只是擊傷了狄青，反倒又折了屠萬戰和夜月林。

但狄青終究傷了。

夜月風將此事急報給南下的靈州太尉竇惟吉，元昊在好水川大勝後，已和張元回返夏國，命竇惟吉全權處理涇原路一事，伺機進攻關中。竇惟吉一聽，立即令嵬名虛前來安遠求戰，同時移兵南下，要殺狄青、克安遠。

殺了狄青，比取宋軍十餘堡砦還要振奮人心。狄青若死，西北再無夏軍畏懼之人。夜月風見嵬名虛出手之際，恨不得親身參戰，但他要壓住陣腳，提防宋軍衝擊。他們既然可施展詭計，宋軍也不見得坐以待斃。果不其然，嵬名虛才一出手，宋軍那面，已有移軍的跡象。

夜月風已傳令夏軍準備出擊，就在這時，後軍突然亂了起來，夜月風急怒，扭頭望過去，見篝火雖起，照不到沉沉遠處。冷風勁吹，掀起浪潮湧動。

那湧動的浪潮，如水面波紋般，一圈圈地向夏軍中擴展。

夏軍的中軍已亂。夜月風不明所以，喝問道：「到底發生了什麼事情？」有兵士急急前來稟告，「夜月將軍，突然有敵軍從西南殺了過來……我們擋不住。」

話音未落，又有兵士奔來，叫道：「夜月將軍，有敵軍從西北殺過來了……我們損失慘重。」

夜月風心中懍然，已隱約明白什麼，不等下令，就見到身後西北、西南兩向，均起了騷亂。緊接著，夏軍的隊伍如巨石投水、冰刺寒夜般，現出了兩道縫隙。

有兩隊兵馬倏然冒出，割裂了夏軍的陣勢。西北衝來的兵士，均是身著皂衣，手持長槍，斜背利刃，奔勢如箭。暗夜中，長槍勁刺鋒行，排成如滿是尖釘的鐵盾。那由長槍組成的鐵盾每次刺出去，總能帶來無數悶哼慘叫，鮮血嬌豔。

為首的那人，劍鋒般的目光，已向夜月風望過來。那人正是戈兵。

戈兵已帶十士中的陷陣之士，突破了夏軍在西北向的防禦。西南衝來的兵士，全部身著黑甲，手持單柄長錘，錘頭布滿了狼牙般的勾刺，背負寬刀。他們在黑暗中，有如幽靈般驀地湧出，手中長錘揮舞，如雷公行法。那些兵士，或許沒有陷陣之兵的銳利，但有磅　如山崩般的威勢。鐵錘勁落，砸人人亡；鐵錘揮舞，擊馬馬飛。

為首那人，手持巨錘，狂野的目光，同樣向夜月風射來。那人正是暴戰。

暴戰已帶十士中的勇力之士，突破了夏軍西南向的防線。夏軍騎兵猝不及防，陣腳大亂，一時間展不開有利的衝擊，落入各自為戰的噩夢之中。

夢難醒，狂風湧。戈兵、暴戰撕裂了夏軍的陣型，已對夜月風形成了合圍之勢。夜月風一顆心沉了下去，他們由佈局的獵人，驀地變成了陷阱中的困獸。

狄青有詐！

那狄青到底傷了沒有？夜月風很懷疑，但他無法再想下去，因為戈兵、暴戰帶來的沛然壓力，已讓他如履薄冰。

狄青絕對有傷，狄青若沒有傷，絕對不會動用弩箭，也不會藏身馬腹。嵬名盧想到這點的時候，戰意高漲。殺了狄青，他嵬名盧就可稱霸夜叉部，甚至榮登龍部九王之列！

兩馬交錯之際，寃名虛再次出招，黑夜煙籠，蕭蕭濛濛，此刻，正是他出手的絕佳機會。寃名虛落馬、縱越、陡化三影，已到了狄青的面前。寃名虛是虛空夜叉，這一縱，幻化成虛，以無限的空，罩住了狄青。夜叉部各有絕學，寃名虛這一招，本叫一氣化三清，在霎時間，可幻化三道人影，虛虛實實，讓人無法分辨。這本是海外忍術、藏北密教的綜合之法，詭異無邊。寃名虛已聽到了夏軍的騷亂，知道事情有變，他必須儘快、盡力地解決了狄青，才能應付其他。他不信狄青能應付他的障眼之術，他的衣衫幻化出的身影，已兜住了狄青的前方。他借煙凝氣變化的第二道身影，已到了狄青的眼前。而他真正蓄力的一擊，就在狄青的身後。

寃名虛已到狄青身後，驀地心中微寒，他只見到一件衣裳，一個青銅面具掛在了馬腹下，狄青不在。狄青沒有藏在馬腹下？寃名虛想到這裡的時候，就見到一道光。

光如月，光如冰，光如明月映冰。冰河遼闊，肅殺蒼茫，就那麼照了下來。一切幻影，皆被照滅。

今晚陰，本無月，哪裡來的這麼寒亮的月光？寃名虛想到這裡的時候，思維斷裂，見到明月染血。血是寃名虛的血，月非月，是刀光，是狄青手上的刀光。狄青目光如刀光，盯著寃名虛飛起的人頭，只說一句，「你現在明白我的意思了吧？」

咚的一聲，人頭滾落，寃名虛的眼睛還是睜著的，似乎已明白。

狄青沒有傷，若是傷重的狄青，劈不出這麼冷亮的一刀。

寃名虛用了一氣化三清之法進攻狄青，狄青亦是用的障眼之法，掛面具於馬腹下，沖天而起，給了寃名虛致命的一刀。

寃名虛一直以為得計，因此已有驕傲，而他，就敗在驕傲之下。他若沉靜下來，本能發現那馬腹下，不過是幻影。你有行無奈之事的藉口，我亦是一樣！寃名虛死時，終於明白狄青方才說這句話的含意。但他還是沒有閉眼，他不明白，為何狄青好像早知道他如何出手？為何狄青要拖延幾天？為何夏軍眼下已亂？可人死了，明白不明白，又有什麼區別呢？

狄青已飛身上馬、戴上面具衝出了濃煙。宋軍見狄青從濃煙中衝出，一顆心劇烈跳動，高聲歡呼，聲動天霄。殺出來的是狄青，死了的當然就是寃名虛，狄青還是大宋的戰神，戰無不勝，就算重傷的狄青，也是一樣！本悲氣泣風的宋軍，驀地變得勇氣如虹。

狄青舉刀向夏軍殺過去之時，封雷早有準備的樣子，喝道：「衝！」安遠砦的宋軍在封雷的帶領下，也向夏軍的陣營殺去。

夜月風敗逃。一招失算，滿盤皆輸。夜月風本還希望剿殺戈兵、暴戰二人，挽回頹勢，但聽宋軍歡呼之聲，見狄青穿出黑霧之時，夜月風就決定逃。

他無再戰的勇氣。夏軍無首，見主將一被斬，一敗逃，再沒有抵抗的勇氣，呼嘯聲中，撥馬狂奔，已向北敗去。夜更沉，雨漸緊。馬蹄錚錚，激起秋雨淚飛，踏破風鳴夢碎。

夜月風一路狂奔，已逃出數十里。可馬蹄聲仍在身後，宛若下一刻，隨時要殺到他身後的樣子。狄青的追兵並不放棄，這一追，看似要將數載的恩仇一朝了斷，追回昔日悲血，萬里山河。前方就到雞川砦。夜月風心中悲喜交集。悲的是，數千夏軍鐵騎，一朝散盡；喜的是，竇惟吉的萬餘大軍就在雞川砦。

只要見到竇惟吉，重整旗鼓，仍能和狄青一戰。夜月風不服，輸得很不甘心。狄青狡詐，竟詐傷誘他們掉以輕心，用決戰之名，行突襲之事。

狄青言而無信。

此非戰之罪！

夜月風想到這裡的時候，帶數百騎兵已到了雞川砦前。有夏兵呼喝道：「是誰？」夜月風急道：「快去稟報竇太尉，宋軍來襲。全力備戰！」

那夏軍還有些不信，笑道：「竇太尉才移兵這裡，明日前往安遠……」話音未落，陡然變了臉色。

夜月風身後處，遽然狂風湧動，鐵騎雷鳴。

暗夜處，已殺出一隊兵馬，衝到了夜月風所率兵士之後，手持長刀闊斧，放肆屠戮。夜月風大急，怎麼也想不明白對手為何來得如此之快。顧不得廢話，策馬入營躲避。砦外的夏軍亦是保命要緊，只覺得雞川砦才是最安全的所在，跟著夜月風蜂擁衝到砦中。追殺過來的宋軍見狀，毫不猶豫地跟隨殺入。

守砦的夏軍見那些持刀擎斧的宋軍，隨著怒風狂捲，夾雜暴雨雷鳴衝來，均是臉色大變。夜月風已衝到了中軍帳前。

竇惟吉迎上來，喝道：「何事？」見夜月風狼狽不堪，又聽雞川砦瞬間就是殺聲四起，一時間不知道來了多少敵人，臉色巨變。

夜月風嘶聲道：「竇太尉，大事不好，嵬名虛死了，狄青殺過來了。你要快些備戰。」

竇惟吉心頭狂跳，叫道：「你……」他本想喝斥夜月風胡說的。

這怎麼可能？夏軍自從好水川大勝後，一直挾餘威擄掠，攻破三川砦，圍困羊牧隆城，揮兵南下，沿途宋軍堡砦，紛紛自危，或被破，或避而不戰。

這時候有消息傳出，狄青臨危受命，主戰涇原路，負責涇原路的一切兵馬調度。狄青到了涇原路不久，轉去秦鳳路的安遠。

夜月風設計挑戰，重創狄青。消息傳來，夏軍轟動。竇惟吉更是急派夜叉部高手嵬名虛前去挑戰，明日竇惟吉就準備親自領兵南下，圍困安遠，畢其功於一役。

殺了狄青，取了安遠，擊穿秦鳳路一線，不久就可打通前往關中之路。竇惟吉正蓄力之時，驀聽噩耗，狄青竟反殺回來，也就難怪他不信。

但就這會兒的工夫，雞川砦殺聲四起，有如宋軍四面圍困的架勢。夜月風聽了，臉色更寒，心道宋軍怎麼會有這麼多的人手，又如何能這麼快地就追過來？

竇惟吉無暇多問，喝道：「備馬！」

有兵士牽馬而來，到了竇惟吉的身邊。竇惟吉才待上馬，驀地心中微懍，暴喝聲中，已拔刀怒斬。刀落處，血光飛雨，寒光耀面。那牽馬的兵士一個翻身，已沒入了黑暗之中。那兵士臨行之前，回頭望了眼，眼泛死灰之意。

那人竟是狄青手下的死憤之士——李丁！

夜月風大驚，急問：「竇太尉，怎麼回事？」陡然見到竇惟吉的左肩頭，已插著一支弩箭，臉色又變。原來李丁不知何時，趁亂到了竇惟吉的身邊，借送馬之際，刺殺竇惟吉。竇惟吉畢竟身經百戰，又為洪州太尉，整日在刀頭謀生，就在李丁出手的那一刻，幡然驚醒，避開要害，揮刀反擊。

李丁一擊不中，全身而退。竇惟吉肩頭痛，心中更痛，怒視夜月風。

夜月風很快明白，方才他衝入了軍營，宋軍順勢殺入，李丁肯定就是那時候混入，殺了夏軍，然後換衣牽馬接近竇惟吉。這人竟這般心機計畫？所有的一切已很明顯，這次攻擊，絕非宋軍趁勢掩殺，而是蓄謀已久！

竇惟吉上馬，才待催馬備戰，馬兒悲嘶，咕咚倒地。竇惟吉斜睨過去，見馬兒口吐白沫倒斃在地，更是急怒攻心，不等再次索馬，就見到迎面衝來一人，怒衣鐵斧，一斧砍來。雨寒斧厲，夾雜風雨，斧未至，寒風擘面。

竇惟吉急閃，滾到一旁，奮力躍起，將一個手下撞落馬下。搶了手下的戰馬，竇惟吉顧不得迎戰，喝令手下抗住來襲之人，策馬高喊道：「跟我出砦一戰。」

出砦一戰！

夏軍的犀利，本不在守砦。夏軍的威勢，在於充分利用騎兵的優勢，平原捭闔，對攻對衝！

竇惟吉號召兵馬，準備出砦和宋軍對戰，挽回頹勢。竇惟吉喝令聲中，夏軍終於找到方向，紛紛向竇惟吉聚過來了，並肩一衝，已殺出了自己的營砦。

可才到砦外，竇惟吉臉色又變。左右黑暗處，又衝出了兩隊騎兵，以比雷緊、比雨急的攻勢殺過來。

一隊持槍，槍鋒如林。一隊擎斧，斧勢若山！

那兩隊騎兵挾無邊的銳氣、磅礡的殺氣、澎湃的勇氣衝出來，竇惟吉的騎兵被對手一衝，已四分五裂，潰不成軍。萬餘的夏軍，已如無頭蒼蠅般，四處奔走逃命。

竇惟吉見敵勢如潮，駭然對手的準備充足。無心、亦無力聚戰，認準方向，帶餘眾向北逃竄。只要過雞頭山，奔治平砦，聚集那裡的夏軍，還能站得住陣腳。只要能站穩，竇惟吉相信，終究還能與宋軍一戰。他還是不信宋軍有那麼快的攻勢，亦不信宋軍竟在騎兵上擊敗了他們。

馬顫秋風，風雨夜來。竇惟吉片刻後已到了雞頭山的蜈蚣嶺，知道過了嶺下小路後，很快一馬平川，任由馳騁。就在此時，前軍驀地止步。

竇惟吉怒道：「何事？」不等再問，他就知道發生了何事。山中要道處，橫著一隊人馬。豎盾如牆，死死地扼住了山中要道。

此路不通。「衝過去！」竇惟吉喝道。

夏軍上前，只是山道狹隘，騎兵的作用大是削弱。眾人衝上，威力大減，遠沒有平原馳騁的快意逍遙。

堪堪到了鐵牆之前，夏軍已有猶豫。他們雖是勇猛，但要如何衝破這厚重的盾牆？將停未停之際，盾牆霍然裂開，斧光劈出，兇悍有如洪荒怪獸。

戰馬悲嘶，夏軍慘叫，有的人竟被巨斧一劈兩半，血流成河。

堵路的是披堅！

狄青手下十士的披堅之士！

披堅身著重甲，持鐵盾，舞鋼斧。斧泛青光，有如車輪般滾動飛舞，牢牢地扼住山中要道。夏軍幾番衝鋒無果，只聽一聲炮響，山嶺兩側伏兵四起，長箭如雨，滾石似雷，傾瀉而下。

夏軍大亂，竇惟吉撥轉馬頭，另覓山路，好不容易衝出了埋伏，淒慘慘地到了山外，跟隨他的夏軍鐵騎，已不過數百。

竇惟吉仰天長歎，才待策馬北歸，就聽北方馬蹄急驟，有一騎快如風、急如電地破了黑暗，向他迎面衝來。暗夜中，只見那人青面獠牙，散髮凌亂。

狄青？

是狄青！狄青怎麼會在這裡出現？竇惟吉心悸神飛，想要上前迎戰，可士氣早落；想要退後逃命，為時已晚。那人長刀倏起，驚夢碎夜，伴隨一聲暴喝斬落。

狄青在此！聲到馬到，馬到刀落，刀落頭落！

狄青策馬狂追夏軍二百里，暗夜殺出，手起刀落，一刀就砍了靈州太尉竇惟吉。

夏軍狂亂，四散逃命。狄青力斬了竇惟吉，終於稍有止歇。立在雨中，望著夏軍四處逃竄。早有騎兵衝出追擊，狄青卻像在等著什麼。雨淅淅瀝瀝地敲打著枯葉，流淌在清冷的面具上，帶著冰涼的光。血已淡，雨如淚，那猙獰的面具望著北方，凝思的舉動，讓駭人的面具少了分冷意，多了表情。

一人策馬奔來，面帶笑容，和那猙獰的面具倒形成了鮮明的對比。來人是韓笑。韓笑的笑容中，帶著分自豪，「狄將軍，雞川砦已被破，夏軍四處逃竄，陷陣、勇力、寇兵三隊已如約兵分三路，再次出擊。披堅負責掃清後方，執銳全部準備就緒，隨時準備和將軍再次出戰。」

秋雨中，有一隊兵馬靜靜地立在狄青的身後，有如幽靈。那隊人馬各個手持利刃，或長刀、或闊斧、或利戟……他們正是第一波衝擊雞川砦的那隊人馬，這隊人馬叫做執銳。他們手持的兵刃或許各不相同，兵刃上所泛的寒光，卻是一樣的冰冷。刃冷無血，血不沾刃。這是种世衡為狄青準備的第七種人馬，也可以說是狄青的第七種武器。

執銳！

以銳氣取勝，以利刃衝鋒。

死憤、勇力、陷陣、寇兵、披堅、執銳、待命七士悉數到齊，參與此戰。嵬名虛若是不死，多半會明白，狄青詐傷，不過是在拖延時間，等七士人馬糾集，對夏軍發動雷霆反攻！

在狄青詐傷的幾天內，陷陣、勇力兩部悄然移兵，已對嵬名虛部形成剿殺之勢。而寇兵、執銳、死憤三部早就如約移兵百里，虎視雞川砦。三士之兵等嵬名虛部敗退之際，趁亂進攻賨惟吉部。

這些事情，在狄青出戰屠萬戰之前，已和韓笑商議妥當。

為了這一晚，狄青準備了半年，甚至可說，才到邊陲的時候，他就期待這麼一戰。

見諸軍待命，狄青點點頭，命令道：「那好，按照原計畫，繼續追擊。這次的目標，就是靜邊砦！」

靜邊砦又在雞川砦北數十裡外，宋軍今晚已大獲全勝，狄青卻根本沒有收手的打算！這一仗，要踏破關山，收復山河！

鐵騎錚錚鳴亂，秋雨蕭蕭不停。暮戰安遠奮起，血染關山橫行！

狄青安遠奮起，力斬夏軍嵬名虛、屠萬戰、夜月林三名高手，對入侵涇原路的夏軍發起了全面的反攻；

宋軍雞川砦大勝，擊潰夏軍南下主力騎兵萬餘，洪州太尉竇惟吉斃命；宋軍急攻靜邊砦，收復失地……宋軍戰銅家堡，宋軍取威榮城。宋軍幾天內，已將涇原路失地收復大半。

夏軍聞風北逃，甚至不敢和狄青一戰。西北戰神狄將軍有令，涇原路兵馬悉數配合此次行動，劫殺北歸的西夏鐵騎。

涇原路全民皆兵。

狄青鐵騎錚錚，三日大小十一戰，逢戰必勝，高歌橫行！

紅日出，秋霜凝，有長空孤雁，伴烽煙同行。肅殺清冷中，狄青已殺到三川口。昔日那數萬的冤魂已渺，深秋的塞下，冷冷清清。往日難追，縱然憶得了風雨，亦是回不到當年。狄青催馬而行，已去了青銅面具。面具後，只有比深秋更蕭瑟的面容。

面容冷，眼多情。狄青立在空曠蕭條的三川口，眼簾已有濕潤。青山依舊人易老，人已不再山有情。望著那蒼穹同色，煙波天闊，他彷彿見到武英揮兵血戰，落寞道：「英乃武人，兵敗當死。」他有如見到了王珪東向而跪，悲涼道：「臣非負國，實則力不能也……臣不敢求旁人赴死，只能獨死報國！」

往事如刻，歷歷在目。怎能忘記眾兄弟的醉酒狂歌？怎能忘記眾兄弟的情深意重？此去經年，風刀雨箭流年如電，白骨荒山悲歌熱血。那曾經的兄弟、曾經的朋友，就此再也不見……

兒須成名重橫行，兒已揚名夢未成。一想到這裡，忍不住地心酸、忍不住地淚下、忍不住地扼腕長歎……

羊牧隆城內的守軍早就歡呼沸騰，城外圍困的夏軍已一夜散盡。狄將軍從秦鳳路戰起，大戰涇原，已破夏軍主力，戰雞川，收靜邊，三天內轉戰數百餘里，攻回到三川口，盡復大宋這一年來的失地。狄將軍已兵近羊牧隆城。

羊牧隆城——那是涇原路自好水川一戰後，還在屹立的孤城。沒有了畏懼，沒有了固守，守城的兵士早早出迎，迎接他們心目中的將軍英雄！馬蹄雷動，歡聲如虹！

狄青只望著那沖霄的煙，如羽的雲。浩瀚蒼茫中那失群的孤雁，飛向那紅日染霓的天空。彩雲湧動中，似乎現出一個熟悉的身影。那身影淡淡，若隱若現，只緣感君凝眸，相思朝暮。雲彩隨風飄蕩，狄青耳邊宛若又聽到了一個聲音。那熟悉的聲音多年依舊，輕柔情濃。

「狄青，好好地活下去，讓我知道……我不會看錯我的英雄！」

天地無言，關河蜿蜒。三千癡纏如弦斷花落，寂寂長歌。原來所有的一切，從未離去，亦未變過。狄青眼中已有淚，滿是滄桑，望著天空那霓裳般的雲，心中自語道：「羽裳，你不會看錯你的英雄！你放心，我很快就會前往香巴拉了。你……一定要等我！」

紅彤彤的秋日衝破了浮雲，撒下了金黃的光線。光線暖暖地落在路邊秋晚經霜的野花上，溫柔得有如情人的手，輕輕地撫摸著花瓣上殘餘的露珠。

青葉上的露珠清如淚，陽光下閃閃的晶瑩剔透，執著不捨地伴著那如少女笑靨般的花朵……

第七章　承　天

邊陲風起，古城秋濃。繁霜覆蓋的陵道高城處，有胡笳聲聲。不知哪裡傳來歌聲陣陣，嘹亮激昂，驚碎了寒川，喧囂了連營。有孤雁驚飛，振翼高飛在千里碧空，掠過那不再孤單的羊牧隆城。羊牧隆城的城守府內，狄青聽到雁鳴歌聲，抬頭望了一眼，轉瞬伏案公文，眉頭微鎖，鬢角白髮有如秋晚凝霜。

涇原路大捷，收復故土，大宋邊陲將士無不慷慨激昂，群情振奮，只等狄將軍一聲令下，眾人馬踏橫山，再戰夏軍。狄青卻知道，事情遠沒有那麼簡單。聽聞消息，如今沒藏悟道總領西夏橫山防務，調山訛嚴防死守橫山一線，宋軍要過橫山，豈是那麼容易的事情？涇原路告捷後，狄青不敢懈怠，積極備戰防元昊反擊，更是早早地將待命之士派出，打探夏軍動靜。

這些日子來，狄青除了安撫城中百姓，更是祭奠了戰死的王珪，城內百姓早就為死去的王珪立下了衣冠塚。這羊牧隆城能夠堅守數月，孤城不破，皆因王珪之死，激起軍民的血性。

待到狄青祭拜之時，羊牧隆城的軍士百姓，哀喜交加，哀王珪之死，更喜西北終於有了可以支撐戰局的將軍。不到月餘，狄青已用行動在百姓心中樹立起無上威望。這威望，西北無人能及！此時的狄青，正看著西北邊陲的地圖，深思著下一步如何行動……

府外有馬蹄聲傳來，須臾工夫，韓笑已入了府中，上前稟告道：「狄將軍，羊牧隆城南的夏軍悉數撤離了涇原路。三川砦前的夏軍也有移兵北歸的跡象……這些天來，我軍斬夏軍近萬餘，俘獲盔甲戰馬無數……」

狄青點頭道：「窮寇莫追，命我軍到三川砦止，依據六盤山地勢進行防禦，提防夏軍反擊。命涇原路各堡砦的軍民修繕工事，積極備戰！」韓笑領命，才待退下，狄青突然想起一事，問道：「上次派往沙州的人有消息了嗎？」

韓笑神色猶豫，道：「狄將軍，元昊在沙州敦煌附近佈防了重兵，還派了野利遇乞鎮守，常人根本無法靠近那裡，更不要說去打探消息了。」

狄青點點頭，「好的，我知道了。讓去沙州的兄弟們小心些，伺機行事就好。」等韓笑退下，狄青坐在堂中，暗自沉思。原來宋軍好水川兵敗後，宋廷大駭，不想西北賜姓家奴元昊竟然兩次大敗泱泱大國。趙禎急召百官問計，朝堂束手無策。范仲淹上書建議破格提拔狄青前往涇原路坐鎮，百官反對，認為狄青這段日子升遷過於快速，於理不合。趙禎雖一直優柔寡斷，但火燒眉毛，聽聞狄青屢戰屢勝，為扳回顏面，不再猶豫，立即任命狄青總領涇原路事宜，各地州縣全力配合狄青的行動。

狄青接管涇原路後，卻不著急大張旗鼓，只是暗中將手下七士人馬調到涇原路。有滕子京、龐籍、范仲淹等人全力配合，這才從安遠奮起反擊，雷霆一擊，一口氣將夏軍趕出了涇原路。這場戰役，狄青謀劃很久，但他知道，勝利不過是暫時的，眼下的當務之急是如何逼得元昊再不能騷擾宋境。他在月餘前已上書給趙禎，提出一個大膽的想法，就不知道趙禎有沒有魄力實施……狄青正沉吟間，有兵士急匆匆地趕到道：「狄將軍，种大人來了。」

狄青精神一振，振衣而起道：「快請。」他不等种世衡進府，已迎了出去。种世衡進來的時候，面帶菜色的臉上滿是興奮，見狄青後，一挑大拇指道：「狄青，你小子行，這一仗打得漂亮。」

狄青笑笑，「任重道遠呢，這不過是剛剛開始。」留意到种世衡身後還有一人，那人京官的打扮，耳大唇厚，面容忠厚，但雙眸炯炯，隱有肅然之色。

种世衡見狄青目有徵詢之意，介紹道：「狄青，這是朝中知制誥富弼富大人。」

富弼已拱手為禮，開門見山道：「狄將軍，我奉聖上旨意，特來找你。路上遇到种大人，因此相攜而來。」

狄青心中微動，暗想知制誥隸屬兩制，一般都是由朝中翰林學士充任，此人得聖上吩咐前來，難道說自己上書一事有了結果？忙讓道：「兩位大人裡面請。」

眼下狄青雖總領涇原路戰事，但官階只是秦州刺史。种世衡也因功升遷，目前知環州。二人官職雖已不低，但尚在富弼之下。入堂後，狄青請富弼上坐。富弼搖搖頭道：「久聞狄將軍威名，一直無緣相見，今日得見，三生有幸。狄將軍有功之人，還請上座。」狄青倒有些詫異，暗想朝中文官除范仲淹、龐籍等人外，對武將均是倨傲。這個富弼竟然這般客氣，實在難得。見富弼神色誠懇，狄青心繫國事，不再客套。眾人分賓主落座後，狄青直接道：「不知富大人這次前來，有何旨意？」

富弼微微一笑，從懷中掏出一份詔書遞給了狄青道：「狄將軍，請自行觀看。」

狄青接過詔書，展開一覽，臉有喜意道：「聖上同意我的建議了？」

富弼點點頭道：「狄將軍上書言事，所想和聖上不謀而合。聖上心憂西北戰情，因此命我來配合狄將軍的舉動，前往青唐城，便宜行事。」

种世衡一直沉默無言，聽到「青唐城」三字時，精神一振，臉上有分喜意。

狄青輕舒一口氣，目光中已有分希冀，問道：「那富大人何時方便啟程呢？」

富弼道：「軍情如火，遲一刻，說不定就會有不少變數。我隨時可與狄將軍前往青唐城！」

狄青見富弼做事利索，沒有半分文人的酸氣，沉吟道：「今日已晚，不如請富大人在城中暫歇一晚，我也做些準備，明日清晨出發如何？」

富弼起身施禮道：「那這一路……有勞將軍了。」

狄青回禮笑道：「本分之事，富大人太過客氣了。」他命人送富弼前往府邸安歇，回轉後，种世衡開口問道：「狄青，聖上真的同意聯合吐蕃，共擊元昊嗎？」
狄青緩緩點頭，沉吟道：「前段日子，范公、龐大人以及你我均覺得要遏制元昊的攻勢，只憑大宋眼下的兵力難能做到。若能聯合吐蕃人兩路夾擊西夏，讓元昊首尾難顧，可以殺其銳氣。聖上終於同意我等的建議，這次派富大人出使青唐城，去見唃廝囉，說服他們聯手出兵，聖上又命我保護富大人，相機行事。老种，若真能說服吐蕃人出兵，到時候我軍進攻西夏的銀、洪、宥州，吐蕃人進攻西夏的瓜、沙、涼州。若能成行，無疑等同斬斷元昊的雙臂，再要擊敗元昊，事半功倍……」
狄青神色已有興奮，他等待多年，就在等待這個機會。
种世衡一旁撇撇嘴，潑冷水道：「你莫要想得太好了，能不能說服唃廝囉出兵是個問題。說服他們出兵，能不能真如你說的那樣，更是個問題。藏人神祕難以捉摸，我甚至懷疑，你去那裡，能不能見到唃廝囉，能不能活著回來……」
狄青見种世衡雙眉緊鎖，嘿然一笑，「老种，你放心好了，我命硬，這些年來，老天都不收我……這次也收不去的。」
种世衡凝望那霜塵滿面的漢子，良久才道：「狄青，我有句話想問你……你聯合吐蕃要搶沙州、瓜州兩地，是為了大宋呢……還是為了別的？」
狄青驀地沉默下來。
种世衡扭過頭去，喃喃道：「趙明雖把地點畫了出來，但那裡已山崩，地形全改，從原路肯定進不去了。夏軍對那附近看守得緊，我們無法接近香巴拉……這麼說，如果能和吐蕃人合夥搶回沙州，再入香巴拉就方便很多了。」
狄青突然道：「老种，你看著我！」

种世衡微愣，抬頭望向狄青，只見狄青雙眸閃亮，目光誠懇。狄青上前一步，沉聲道：「老种，我是想去香巴拉，我做夢都想。但這些年來，我知道……很多事情，不是想做就能做的。你、郭大哥、葉捕頭，還有太多太多的人一直在為我的事情奔走，我很感激你們。我也想告訴你一句話……」狄青頓了下，一字字道，「你相信我，我會以國事為重！」

种世衡盯著狄青，半晌才道：「我不是不信你，我是不信我。狄青，你答應過我，全力作戰，為西北百姓而戰，你做到了。可是我……我辜負了你的信任，我這麼久都沒有幫你查出個究竟……我問心有愧呀！」

老漢眼圈有些發紅，神色滿是歉然，捂住了嘴，忍不住地咳。

狄青反倒笑了，輕輕拍拍种世衡的肩頭，「當年先帝窮一國之力，都沒有找到香巴拉，你應承下這天大的難事，我就占了你的便宜。老种，一切由命，你不用著急。只要我們攻下沙州，一切事情……自然水到渠成。」他如此安慰种世衡，但究竟能否打下沙州，其實他心裡也沒底。

种世衡不由笑歎道：「唉……老漢一大把的年紀了，反倒要你來安慰。好了，不多說了，你去青唐要小心。希望你能順利說服唃廝囉出兵，取了沙州。到時候我們平了西夏，你揚名天下，我也不用再跑來跑去，可以安心做買賣……發大財……」

种世衡神色中滿是憧憬，狄青微微一笑，喃喃道：「我其實並不要揚名天下的……」

「那你要什麼？」种世衡脫口問道。突然省悟到什麼，住口不語。

狄青並沒有回答，只是扭頭望向堂外。堂外已暮色，一秋寒色倚望關山。不知哪裡胡笳悠悠，勾起天邊殘月……殘月清輝，清淡地落在堂前，有如灑下一地的霜愁。

狄青望著殘月孤霜，神色瑟瑟，心中只道：「我狄青不要天下，只要羽裳！」

种世衡望著那如刀削、似岩鑄的面龐，眼圈忍不住地發紅，用衣袖揩揩眼角，喃喃道：「傻小子……」

天明時分，韓笑早已準備妥當。狄青只帶了韓笑等幾個手下，與富弼出了羊牧隆城，一路奔西而行。

狄青、富弼肩負重任，奉天子之令，悄然出使藏邊，要說服唃廝囉與宋軍聯合出兵，攻打西夏！

如今天下數分，當以契丹、大宋、西夏最強。

不過吐蕃唃廝囉近些年來異軍突起，力量已絕對不容忽視。

當年元昊打高昌、擊回鶻的時候，本想趁勢將吐蕃地域劃入版圖，不料遭遇唃廝囉的強烈抵擋。元昊勢強，但唃廝囉坐鎮青唐城，堅壁清野，憑十萬信徒駐兵宗哥河畔，與元昊鏖戰近一年的時間，半步不退。元昊糧草不濟時，軍心動搖，被唃廝囉以逸待勞地反殺，結果導致宗哥河大敗。

宗哥河一役，可說是元昊生平少有的慘敗。自此後，夏軍再也不敢飲馬宗哥河，唃廝囉也憑此一役奠定在吐蕃的至高地位。

但隨後唃廝囉族內叛亂，歸義軍曹賢順投靠了元昊。元昊收瓜州、沙州等地，進一步擴張勢力。而唃廝囉平叛之際，無力搶奪瓜州、沙州兩地，只能和元昊僵持不下。眼下唃廝囉控地東近宋之秦州、北臨西夏、西過青海、南界蠻夷，是西南最強盛的一股勢力。狄青想到這裡，已過隴西狄道。

古道長天，蕭蕭落落。漢家陵道，胡沙飛揚……

富弼一路行來，倒是很少說話，入了狄道後，突然道：「狄將軍可知道狄道的往事嗎？」

狄青搖搖頭，有些汗顏道：「我少知書……」

富弼微微一笑，「我聽范公說，狄將軍少讀書，會用兵。其實西北征戰，會用兵是要緊的事情，書讀得少算不了大事，以後多讀讀就好，兵用得不好，可是要人命的事情。」

狄青見富弼態度謙和，感興趣地問道：「富大人好像和范公關係不差？」

富弼感慨道：「和范公或許有關係不好之人，但很少是因為私怨。當年我鬱鬱不得志時，還幸得范公舉薦，這才有今日的榮耀。說起來，范公也算是我的恩師了。」

狄青從种世衡口中得知，富弼本來是朝中重臣晏殊的女婿，不想還和范仲淹有過瓜葛。心中暗想，能得范公舉薦之人，絕對差不了了。

富弼遠望碧天沙塵，說道：「狄道本李唐故地，端是出了不少英雄豪傑。除去大唐開國皇帝李淵不說，想漢時，就曾出過飛將軍李廣。飛將軍功績難以勝數，命運多磨……但只憑後人『但使龍城飛將在，不教胡馬度陰山』一句，就可名垂千古！」

但使龍城飛將在，不教胡馬度陰山！

龍城飛將李廣，橫刀立馬，彎弓殺將，終究讓胡人不敢小窺中原！

狄青聽及這兩句之時，也是熱血激盪，可他不知道富弼為何會有此感慨，難道因為漢道蒙胡塵之故？

富弼轉望狄青，誠懇道：「狄將軍，自古『馮唐易老，李廣難封』，誠為憾事。有才有能之人不得志也是常事。范公多次感慨，說狄將軍定能成為一代名將，但受制於祖宗家法，一直難以人盡其才……我等每念於此，均是心中難安。」

狄青笑道：「我能從行伍之身到今日的地位，已是僥倖。富大人過獎了。」

富弼搖頭道：「狄將軍能有今日的地位，是憑軍功而起，怎能說是僥倖？狄將軍，范公與我等均對你抱有厚望，只盼你能和飛將軍一樣，立馬橫刀，平定西北，令胡人不敢攪亂中原，還天下安定。我等當竭盡全力助你成事，也盼你莫要妄自菲薄。如今天子振作，要謀國興，正是你我為天下盡力的大好機會。」

狄青見富弼神色真摯，半晌才道：「狄某當竭盡全力，不負天下之望。」

富弼露出欣慰的笑，換了話題道：「夏人數次挑釁，天子震怒，這才一力主戰。但聽說前些年，唃厮囉本派不空到京城，請太后出兵共擊元昊……」

狄青想起不空，隨即又想到郭遵等人，神色唏噓。他後來從葉知秋口中得知，不空還曾向太后索要過五龍……

富弼惋惜道：「那時本是消滅元昊的大好機會，可惜當初太后無心西北，終致事不成行。這次我肩負重任，要說服唃廝囉出兵，但究竟能否成行，心中並無把握。不知狄將軍……可有什麼建議嗎？」

狄青猶豫片刻，說道：「富大人，想當年畢竟是太后做主，與他人無關。如今太后已仙逝，往事想必也就淡了。」他的言下之意就是，就算當年唃廝囉被宋廷拒絕，也與趙禎無關，「再說……藏人、夏人交惡多年，積怨由來已久。據我所知，唃廝囉一直……有意瓜、沙兩州之地，如今有機會上門，應該不會錯過。」

富弼點點頭道：「狄將軍所言很有道理。」心中暗想，狄青雖是武人，但頗有見解，所想倒與我不謀而合了。他伊始是因為趙禎、范仲淹提及，才對狄青心有好感，今日一番言論，倒讓富弼對狄青的見識另眼相看。

如今宋、夏交兵，生意斷絕。行商之人多是從秦州出發，經狄道、奔青唐城，或和藏人，或和西域商賈進行生意交往，因此一路上商賈如織，頗為熱鬧。

因有韓笑隨行，狄青不用過多費心，帶富弼取道向西。這一日秋日正懸，遠處青山蜿蜒，大河如帶，目光盡處出現了一座大城。

韓笑不等狄青詢問，已道：「狄將軍，那條河就是宗哥河，前方的城池叫做宗哥城，是吐蕃人的樞紐要地，亦是經商之所。過宗哥城再趕一天的路程，就能到青唐城了。」

狄青抬頭望天，建議道：「富大人，天色已晚，我們今日稍微歇息下，明日再出發如何？」

富弼雖是心急，但畢竟是文人，從京城遠赴邊陲，再入吐蕃境內，很是疲憊。聽狄青這般提議，知道狄青是為他著想，擔心他身子吃不消，心中感激，當下應允。

這次出使吐蕃，因是祕密行事，狄青也不張揚，讓韓笑在城中找了間客棧。客棧簡陋，三教九流混居。客棧中滿是刺鼻的氣味，能喝的東西只有兩樣——黑如墨汁的酥油茶和嗆鼻辛辣的青稞酒。狄青初次來到藏人的居住地，第一次喝酥油茶。茶一入口的時候，幾乎吐了出來。那茶濃膩如油，不知是甜是鹹，極有異味。反倒是富弼坦然自若，一口口地將酥油茶喝了下去。狄青有些詫異，問道：「富大人，你喝過這東西嗎？」

富弼搖搖頭，含笑道：「入鄉隨俗，既然沒有選擇，就要適應，這些算不了什麼。其實我也苦過，不過呢……終究沒有范公苦。」

狄青奇怪道：「范大人怎麼苦了？」

富弼端著茶碗，回憶道：「聽人說，范公前往應天府求學時，過得極為貧寒，整日熬粥充饑。天冷之時，將凍粥劃為四塊，早晚各食兩塊……」

狄青記得郭遵曾對他講過此事，回憶前塵，念及郭遵，心有傷感。

富弼又道：「我自覺不如范公，但盡力向他看齊，若是這點苦都吃不得，那真的不要來藏邊了。酥油茶雖有異味，但對強壯身體很有幫助。藏邊苦寒，因少菜蔬，藏人才從茶葉中汲取養分，強身健體。若是狄將軍一人，此刻只怕早就見到了唃廝囉，我拖累了你們的行程，還指望這酥油茶幫幫我呢！」

狄青見富弼感慨中帶著倔強剛毅，心下敬佩，點頭道：「若朝中均如富大人這般想，我朝何愁不興呢？」話題一轉，笑道：「不過我倒還是想喝些酒了，富大人，我先出去看看……」

狄青出了住所，到了客棧的大堂，衝鼻而來的就是奶茶、香燭和烈酒摻雜的氣味。狄青尋個僻靜的角落坐下，叫了烈酒和羊肉，望著門口的方向。

每到一處，狄青均習慣坐等韓笑的消息。天色已黑，堂外燃起篝火，劈啪作響。火光明耀下，眾人呼喝拚酒，堂中嘈雜非常。狄青見狀，想起當年兄弟們喝酒的情形，神色蕭索。突聞門前有腳步聲響起，狄青抬頭望過去，見到韓笑走過來，突然神色微變。

韓笑正待向狄青說些什麼，見狄青表情奇怪，不由道：「狄……大哥，什麼事？」他不顯身分，就和狄青以兄弟相稱。

狄青霍然起身，低聲道：「等等。」他身形一閃，已到了客棧外。客棧外正有兩人經過，見狄青鬼一般出現，駭了一跳，退後了兩步。

狄青一瞥之間，見那兩人一是書生的打扮，另外一個人更像是個書僮，無心理會，向客棧右方望去。只見到長街寂寂，有火光閃耀，路的盡頭，並沒有人跡。狄青眉頭緊鎖，又向那方向走了半晌，終究沒有收穫，心中奇怪想到，是他嗎？怎麼是他？他怎麼會走得那麼快？難道說……他發現了我，所以避而不見？

狄青正沉吟間，韓笑已趕過來道：「狄大哥，怎麼了？」狄青低聲道：「我看到一個人，好像是葉喜孫。」

原來狄青方才見門口有一人經過，那人身形瀟逸如雁，依稀好像認識。又見那人側臉神色孤高，斜眉入鬢，陡然間想到，這人像是葉喜孫！狄青曾兩見葉喜孫，一直捉摸不透此人的來歷。後來因葉喜孫涉嫌殺了曹賢英，取了香巴拉的地圖，狄青又請种世衡多加留意此人。可從那以後，葉喜孫鴻飛杳杳，再沒有了蹤影，不想狄青幾乎要忘記此人的時候，他又驀地出現。葉喜孫怎麼會來藏邊呢？

韓笑也知道葉喜孫，聞言詫異道：「他怎麼會來這裡？」很快發現問的問題不會有答案，韓笑改口道：「要不要我派人四處打探一下呢？」

狄青沉思片刻，說道：「眼下不宜節外生枝。葉喜孫這人武功很高，敵我不明……這樣吧，你派手下留意這人的動靜，若見到他後，就說我找他，莫要動手。明日我們就要啟程，若尋不到，就不要在此事上耽擱了。」

韓笑點頭，急匆匆地離去傳令。狄青回到客棧後，見自己坐的桌子旁多了兩人。那兩人就是狄青在客棧外所見的書生和書僮。

二人都在盯著狄青，眼中都有分訝然，書僮低聲道：「公子，他好像……」

那書生容顏清秀，舉止雍容，見狄青走過來，用眼神示意書僮莫要多話，起身施禮道：「兄臺請了。」

狄青皺了下眉頭，不知道那書僮說他好像什麼，也不解這公子的來意，回禮道：「閣下找我有事嗎？」

那書生微笑道：「兄臺好像是宋人？」

狄青神色微有不耐，坐下來道：「是又如何？」他心中微動，又打量一下那書生，暗想這書生這麼問，難道他不是宋人？可見他容顏談吐，又不像藏人和党項人。

那書生笑道：「在下久仰大宋文化，聽說大宋人傑地靈、臥虎藏龍，本還有不信，今日見兄臺英姿勃勃，龍行虎步，這才信傳言不虛。」見狄青皺著眉，那書生立即道：「在下段思廉，大理人。」

狄青沒聽過段思廉的名字，但見此人頗為爽朗，倒不好一直黑著臉，問道：「段兄找我何事呢？」

段思廉試探道：「不知兄臺高姓大名？」

狄青這次入藏邊，為防另起波折，如以前般抹黑了臉，掩去了刺青。見段思廉詢問，不想說出身分，淡淡道：「你我相逢有如萍聚，轉瞬擦肩再也不見，知不知道名字又有什麼區別呢？」

段思廉碰了個軟釘子，神色訕訕，又問：「兄臺可是前往青唐城嗎？」

狄青心頭一震，神色不變道：「段兄為何這麼問呢？」他留意到段思廉眼中閃過分振奮，甚至還有分詭異，心中警惕。

段思廉低頭半晌，才道：「再過幾天，青唐城就有三年一次的承天祭，可說是這方圓千里的盛事，不少人千里迢迢來觀看此祭，我以為兄臺也是為此事而來的呢！」

狄青不知道什麼是承天祭，對承天祭也沒什麼興趣，搖搖頭道：「我並非為承天祭而來。在下還有他事，告辭了。」他起身回轉廂房，走前聽那書僮低聲道：「公子，這人不識好歹，你何必理他？」又聽那段思廉道：「高人行事，自有怪異之處，你莫要多嘴。」

狄青暗自好笑，心道自己算什麼高人，這個段思廉可看走眼了。他留意到段思廉的神色中隱有憂意，不過不想多管閒事。

第二日清晨，狄青收到韓笑的消息，並沒有找到葉喜孫。狄青雖有些失望，但在意料之中，暗想葉喜孫神出鬼沒，要想找他並不是件容易的事。狄青不再理會葉喜孫，和富弼再次啟程，直奔青唐城。

日落西山之際，斜陽掩映下，青唐城已在眼前。青唐古城巍峨聳立，雄踞西南，眼下為藏邊百姓心目中的聖地，規模恢弘，遠勝藏邊的其餘城池。眾人入了城，見城內寺廟林立，行人如織，雖沒有汴京的繁華奢靡，但若論莊嚴肅穆，遠勝汴京。

吐蕃人信佛，城中之屋，可說是佛舍居半，到處可見寺院、僧人、碑碣和佛閣。空氣中，都氤氳著香燭的氣味。有風吹過，四處傳來銅鈸鐘鼓之聲，梵唱之聲有如天籟清音……人一到此，忍不住收心斂性，甚至連大氣都不敢喘出。

狄青等人到了城中，也是不由小心翼翼。富弼見天色已晚，微皺了下眉頭，說道：「聽聞唃廝囉有個習慣，夜間不會見客。我們身為大宋使臣，雖是遵天子之令，祕密行事，但要見唃廝囉，還是要正大光明，不如明日清晨正式去見他好了。」

狄青不知這些禮儀，但尊重富弼的建議，當下命韓笑去找客棧休息一晚。韓笑早派人準備妥當，回來後笑道：「好在我們幾天前就預訂了房間，不然這時候要找住的地方，可真不容易。」

富弼奇怪問道：「為什麼？」

韓笑解釋道：「青唐城今晚就要舉行三年一次的承天祭，典禮莊嚴，附近有很多百姓趕來觀禮。有回鶻、高昌、大理……甚至西域的商賈也趕了過來。」

狄青忍不住問道：「什麼是承天祭呢？」他聽段思廉說過這件事，只是未曾放在心上。

韓笑解釋道：「唃廝囉前幾年平定內亂後，每隔三年就要進行一次和天神的交流，就叫承天祭，目的應該是祈禱天神給藏人降福。唃廝囉是贊普，又是佛子，他為百姓祈福，聽說很靈驗呢！這幾年來藏邊一直風調雨順，藏人都說是唃廝囉的功勞。」

吐蕃語中，贊是雄強之意，普意為男子，在藏邊，只有吐蕃帝王才有這般的稱號。富弼知道唃廝囉在藏邊有極高的威信，見狄青神色古怪，怕狄青對唃廝囉出口不遜，惹來不必要的麻煩，笑道：「入鄉隨俗，他們的習慣，我們就算不認可，但也要遵從。狄將軍，你說是不是？」

狄青聽出富弼言下的勸告之意，點點頭，請富弼先回去休息，他卻找了家酒肆，向韓笑詳細詢問承天祭的事情。

狄青對承天祭本沒有興趣，但這些年遇到的奇異事情多了，聽韓笑說唃廝囉能與天神溝通，倒是大有興趣，暗想唃廝囉若真有這種神通，倒不妨問問他香巴拉一事。不過韓笑對承天祭知道得也是有限，見狄青蠻有興趣，立即出去打探消息，讓狄青在酒肆等候。

天色已晚，可青唐城四處篝火熊熊，亮如白晝。藏人、羌人、西域人、漢人甚至還有契丹人在城中穿梭不停，低聲議論，說的都是承天祭的事情，但內容乏善可陳。狄青正沉吟間，聽門口有人道：「公子，承天祭在子時開始，還有幾個時辰，我們不妨先用些飯吧？」

狄青聽聲音依稀熟悉，扭頭望過去，見到一人向他的方向走過來，正是那個大理人段思廉。段思廉見到狄青，臉有喜色，急步走過來道：「兄臺，又見面了。看來你我非浮萍相聚，而是有緣之人了。」見狄青皺眉不語，段思廉厚著臉皮道：「兄臺……相請不如偶遇，這頓飯，我請了。」說罷坐了下來。

狄青不解這人為何對自己很有興趣，才待起身離去，突然想起一事，微笑道：「上次聽段兄特意為承天祭而來，卻不知段兄能否說說承天祭到底是什麼？」

段思廉見狄青終於肯和他交談，神色很是興奮，四下望了一眼，壓低聲音道：「兄臺問我可是問對人了，這事旁人不過知曉皮毛，我卻知道究竟。」

狄青心中微動，提起酒壺為段思廉滿了杯酒，微笑道：「在下願聞其詳。」

段思廉喝了酒，也不推搪，低聲道：「我聽說承天祭事關吐蕃國運。當年贊普年幼時，曾受論逋溫逋奇控制，這件事兄臺知道吧？」

狄青知道論逋是藏語，是吐蕃國相的意思，權位相當於大宋兩府中人。

當年吐蕃國相溫逋奇欺唃厮囉年幼，雖擁護唃厮囉，但一直將大權獨攬，甚至囚禁了唃厮囉，想要廢唃厮囉自立為王。不過唃厮囉竟能逃出囚牢，到藏人群臣中只說了八個字，「我是贊普，為我平亂！」就這簡簡單單八個字，就讓吐蕃群臣軍民憤然而起，殺了溫逋奇，重立唃厮囉為王，唃厮囉在藏邊的影響力可見一斑。

這件事極具傳奇色彩，狄青這些天也在瞭解藏邊的往事，是以知曉。

段思廉見狄青點頭，輕聲道：「佛子當年被囚，曾立下誓言，說只要能平亂，必定三年一次以血祭天，為藏民祈福。他不是用別人的血，而是用自己的血！他捨身為藏人祈福，因此在藏邊十分受人愛戴。」

狄青有些震撼唃厮囉的所為，又問道：「還有其他關於承天祭的消息嗎？」

段思廉猶豫了一下才道：「我知道的就這些了。」

狄青覺得段思廉好像還隱藏著什麼沒有說，才待再問，忽然扭頭向一旁望過去。

就在那一剎那，他察覺到有人在留意他。那是一種突如其來的感覺，那也是一種身經百戰養成的警覺！狄青依仗這感覺，已躲過多次的危機，但這次警覺，卻和以往有些不同。具體有什麼不同，他一時間又難以言明。

他扭頭望過去，心中微震，然後他就見到了一雙眼……

恍惚中，狄青見到的不過是一個尋常普通的人。那人衣著再普通不過，坐在那裡，如同眾人；可那人卻又絕不尋常，只因為那人的一雙眼。那是一雙如凝聚三生情緣、三千癡纏的眼，那也是一雙洞徹世情、銳利無雙的眼。那人見狄青望過來，並不移開目光，只是那平凡的臉上，突然泛出一道光輝。狄青見到那道光輝，陡然內心震顫，忍不住地臉色蒼白，悶哼了一聲！

段思廉抬頭望見狄青臉色不對，只以為狄青有事，低聲叫道：「兄臺？」

狄青一震，霍然站起，茫然道：「怎麼了？」再向一旁望去，見到那桌旁，已空無一人，不由吃了一驚，額頭已顯汗水。原來他方才一眼望去，轉瞬間就墜入了恍惚迷離中。那種感覺，如入夢中。而夢中剎那，他見到有白影從眼前墜落……

那是他今世難忘的噩夢！他怎麼會突然產生那種古怪的幻覺？難道是因為方才那人的一雙眼？

狄青見段思廉滿是困惑，一把抓住他的手，問道：「段兄，你看到坐在那桌旁的人了嗎？」

段思廉扭頭望過去，迷惑道：「剛才那桌有人嗎？哦……我記起來了，好像坐著一個人，不過那人沒什麼特別之處……」他話未說完，狄青已鬆開他的手，閃身出了酒肆，衝到長街之上。

古道長街，篝火繁亂。

無盡燈火闌珊處，人來人往，紅塵反覆，但狄青想見到的人，卻終究沒有出現。狄青冷汗如雨，心中知道，他很難找到那人。因為那人實在太過平凡，平凡得到了人群中，就會消失不見。那人究竟是誰？一雙眼恁地有這般的魔力？

狄青正在張望，就聽到古城中，有銅鈸相擊之聲，那聲響極巨，震顫天地。青唐城火本燃，夜正喧，但那一聲巨響後，整個城池都清寧了下來。緊接著有梵唱隨風傳來……

天地間，只餘梵唱清音，再無其他雜音雜念。從青唐宮城的方向，行來了一隊番僧，個個穿著黃色的僧衣，手持巨鈸，火光照耀下，僧衣金光閃閃。那震耳欲聾的響聲，想必是他們手上的巨鈸擊出。路上的行人見到了那隊番僧，紛紛退到路旁，跪下施禮。那隊番僧之後，又是一隊番僧，身著青色僧衣，雙手結印，嘴唇嚅嚅而動，梵唱聲聲疊加在一起，洗滌著天地。

青衣番僧之後，緩步踱來一枯瘦的僧人。那僧人臉上皺紋如刻，容顏蒼老，神色中總有種沉思之意，可又像世間紅塵凌亂也無法紛擾他的心思。那僧人垂眉閉目，就那麼走了過去……空氣中滿是梵音輕唱，莊嚴肅穆。狄青一時間也忘了方才發生的事情，等所有的番僧過去後，狄青這才低吁了一口氣。

段思廉快步走過來，拉了狄青衣袖一把，低聲道：「快去搶位置，不然就看不到承天祭了。」狄青本無意去觀承天祭，但身在青唐，被這裡的肅穆玄祕所吸引，不由自主地和段思廉追隨那些番僧而去。眾人如潮，但又極為安靜地跟隨在那些番僧的身後不遠。

狄青忍不住問道：「段兄，方才那位有些蒼老的僧人是誰？難道是佛子嗎？要去哪裡搶位置？」

段思廉搖頭道：「那人不是佛子，是佛子手下的高僧善無畏。承天祭在青唐城第一寺承天寺舉行，要早些去，晚了就沒有位置了。」

狄青這才想起唃廝囉手下原有三大僧人，分別是不空、金剛印和善無畏。不空出現在汴京後，就一直沒有消息，而金剛印被元昊射殺在興慶府。他本以為善無畏也和不空、金剛印彷彿，卻不想竟是這般模樣。

眾人已到一寺院前。那寺院遠沒有汴京大相國寺的繁華，但極為空曠廣漠。百姓隨番僧魚貫而入，不待吩咐，已依次在院中跪好，神色虔誠。

狄青本以為來得早，可入寺後，才發現寺中早如螻蟻般跪滿了形形色色的人。空曠的寺院周圍，點著難以盡數的巨型火把，火光在風中閃爍，帶著神祕的氣息。主殿前，搭建著一個木製高臺，色澤紅如血，詭異而又肅穆。而那蒼老沉思的僧人，也就是善無畏，正坐在高臺正中，雙手結印，嘴唇嚅動……

善無畏身邊，只有一盞青銅佛燈，散發著幽幽的光芒，照得善無畏臉色陰晴不定。梵唱不停，在夜幕中聽來，讓承天寺中滿是詭異可怖的氣息。或許正因為這種氣息，才將所有人的心神懾服，使人忘記自我。

狄青跪在人群中，聽著梵音，心緒慢慢平靜，可縈繞在腦海中的幾個問題一直揮之不去：承天祭到底是不是能通神？方才見到的那個平凡人又是誰？

不知過了多久，狄青突然有所察覺，向一旁望過去。見韓笑不知什麼時候，也夾雜在人群中，正向他的方向悄然張望，好像想說什麼。本來以狄青的直覺，早就能發現韓笑，可這段時間內，他腦海中那道墜落的白影時隱時現，讓他難免心神不寧。

韓笑手指屈伸，向狄青傳達了一個消息，「已找到了葉喜孫！」十士間有種手語，就是為了不便說話時交流。如此環境，韓笑當然不敢造次，甚至不能移動，只能靠手勢傳達心意。

狄青得知找到了葉喜孫，又驚又喜。但他不能出聲，亦不能移動。心思轉念間，悄然地手扶肩頭，手指屈伸，告訴韓笑等承天祭結束後就出去。

他迫不及待地想要去見葉喜孫，但此情此景，他怎能起身？

承天祭還沒有開始，到底什麼時候結束，狄青也是不知。正焦灼時，只聽銅鈸巨響，萬籟俱靜。高臺左手處，無聲無息推來了一輛大車。

狄青抬頭望去，見車上站有一人，白衣勝雪，黑髮如墨。他只能見到那人的背影，只見那人長髮飄飄，竟是個女子。眾人均是臉有詫異，不明白在這神聖的時刻，為何會有個女子前來。段思廉也滿是驚奇，突然瞥見狄青一直盯著那女子，身軀微顫，不解狄青為何會這般激動。狄青見到那女子出現時，就有依稀熟悉的感覺。因為那女子不妖豔、不嫵媚，只有平靜如水。陡然間，狄青瞥見那女子腰間藍色的絲帶，心中震駭。

絲帶藍如海，潔淨如天，勾起那曾經流逝的記憶……

狄青雖未見到那女子的正面，但感覺和那女子依稀相識。還有哪個女子會在這種情形下依舊波瀾不驚，就算面對佛子手下的神僧亦是坦然自若？

那女子竟像是飛雪！

第八章　大　禍

狄青正錯愕時，那女子從車上到了高臺，行到了善無畏的身前。臺下眾人神色各異，但還能保持肅然。善無畏一直都是閉目念經，等那女子到了面前，終於睜開了眼睛，望著那女子道：「你可準備好了？」

那女子話也不說，只是點點頭，盤膝在善無畏身旁坐下。

她一轉身，狄青就見到那黑白分明、有如水墨丹青的眼。不出狄青所料，那女子正是飛雪。

飛雪為何到了藏邊的承天寺？她有什麼資格坐在善無畏的身邊？

眾人都露出驚奇之意，要知道承天祭本是極為肅然之事，根本不可能讓女子參與，飛雪為何可以坐在高臺之上？眾人雖不解，但善無畏既然不反對，就沒有人敢提出質疑。

空曠宏大的寺院內，梵唱之聲漸漸低沉森然，那青銅燈在風中忽明忽滅，閃著幽冷的光芒。狄青一時間被飛雪吸引，甚至暫忘了葉喜孫的事情。

不知許久，善無畏雙眼陡然睜開，低喝道：「時辰已到，佛子請出。」那聲音沉喝，甚為低沉有力，有如在眾人耳邊響起。

話音才落，只見祭臺上，陡然大放光芒。那道光芒絢爛華麗，來得極為突然，剎那間籠罩了整個血色的祭臺。跪伏的信徒見狀，有的振奮，有的畏懼，有的忍不住地歡呼……光華散盡之時，一人帶著光輝已立在祭臺之上，眾人靜肅，再無半分聲息。

就算是狄青，都忍不住向唃廝囉望去。他聽過唃廝囉太多傳說，也知道唃廝囉聲名雖隆，但一直沒有人能描述出唃廝囉長得什麼樣子。當初狄青前來藏邊之時，就向韓笑詢問過唃廝囉的容貌，不想就算萬事通的韓笑，也不能描繪唃廝囉的外貌。韓笑只是說，他也沒有見過唃廝囉，多方打聽下，發現一千個藏人，對唃廝囉竟有一千種描述。

狄青今日終於見到了唃廝囉。他突然發現，就算唃廝囉站在他的面前，他竟也無法描述唃廝囉的外貌。

唃廝囉好像是金色的……

他身著黃衣，渾身上下金光閃閃，就算青銅色的油燈照在他身上，都不能改變他的金黃之色。他的一張臉，隱泛光芒，或者說，他的一張臉，就像是一團光！

這實在是十分怪異的感覺。唃廝囉明明站在高臺之上，但以狄青犀利的目光，就是看不清他的面容！

天地皆靜，火光熊熊。

唃廝囉立在祭臺之上，終於開口道：「德佤察，者吉利夜，奴訶朵兒！」他的聲音低沉有力，一字字說得如斧斫錘擊，擊在人的心口。

狄青微怔，聽不懂唃廝囉說的是什麼，只感覺可能是和祭天有關。跪伏的信徒聽了，很多跟隨念道：「德佤察，者吉利夜，奴訶朵兒！」

剎那之間，眾人群情洶湧，臉現激動之意。只是片刻之間，承天寺內突然如巨石擊水，波瀾起伏。唃廝囉語調不變，又道：「帕撻尼緹，噠摩拿！」

眾人跟隨喊道：「帕撻尼緹，噠摩拿！」狄青斜睨旁人，見有人喊得淚流滿面，有人喊得聲嘶力竭，狀似瘋狂，不由怦然心驚。

這種情形，他好像曾經見過。突然心頭一震，記起飛龍坳的往事，當年趙允升蠱惑人心也是這般情形。不過當年趙允升還要借助藥物讓眾人迷失心智，但唃廝囉只憑數語，就能使人如此，更讓人心驚。狄青見周邊眾人這般叫喊，頭腦中也湧起要跟隨叫喊的念頭。但他意志極堅，生生地扼住了這個念頭。

就在這時，善無畏已道：「祭天開始，呈法器。」話音才落，有四個番僧，已抬著一件東西走上了祭臺。

那東西上面蓋著赤紅色的布料，讓人看不到下面是什麼。不過看其形狀，很像是方方正正的箱子。那東西顯然極重，因為四個番僧抬那東西上來，肩頭已傾，腳步沉重。狄青有些詫異，暗想這四人均是壯漢，每人都能負個百十來斤的東西，四人加在一起還扛得這般費力，這麼說那東西最少也有五、六百斤的分量？看那東西體積不大，就算裝了金磚，也不見得這般沉重。那東西到底是什麼法器？

四人放下了所抬之物，祭臺上好像都搖晃了一下。善無畏起身到了那物前，沉默許久才道：「取法刀！」

有人高舉金色的托盤，上放兩把銀色法刀。刀身在青燈佛影下，泛著幽幽的光芒，照得飛雪臉色更白，映得善無畏神色更老。只有唃廝囉，還是一如既往地朦朧迷離，臉色光輝不減。善無畏已取一柄法刀，遞到飛雪面前。

飛雪沉靜地取了刀，手腕緩緩輕轉，竟將刀尖對準了胸口。狄青悚然，差點兒叫出聲來。只見飛雪以刀指胸，凝視唃廝囉道：「我死後……你記得你的承諾……」

那幾個字雖是清淡，但傳到狄青的耳邊，有如沉雷滾滾。不知為何，狄青心中一痛——刀絞般地痛！

飛雪因何要自盡？唃廝囉為何要飛雪自盡？

狄青眼前發花，腦海中驀地閃過那墜落的白影。就在這時，他聽到唃廝囉輕聲道：「好。」話音才落，飛雪已揚起手腕，尖刀就要刺下去！

狄青顧不得多想，喝道：「不要！」他長身而起，幾個起落，已到了祭臺之上。

眾人譁然，轉瞬沉寂。那尖刀止在半空，終究沒有再刺下去。

銀刀的光芒閃爍流離，激盪著狄青一顆跳動不休的心，可清風冷冽，寒了他的滿腔熱血。事發突然，沒有人會想到竟有人敢衝到祭臺上，因此狄青倏然而來，居然能輕易地到了高臺之上。

可狄青不等立穩，四周人影不絕，不知有多少藏密高手已圍住了祭臺。那些人冷得和冰一樣，看狄青的眼光，已如看死人般。

這些年來，未經佛子許可，擅上祭臺者只有一個結果，那就是死！

狄青雖不知道這個規矩，可也知道自己的舉止極為不妥。但他不能不阻止，他怎能眼睜睜地看著飛雪去死？

他就算知道規矩，也一定要阻止！

飛雪贈他刑天面具，京城中幫他說服了趙禎，平遠救過他的性命，沙漠中又將活命的機會讓給他。飛雪雖冷漠，雖什麼也沒有說，但狄青自覺欠飛雪的不止一點，而是太多太多……

祭臺上，沉寂若死。飛雪動也不動，可那黑白分明的眼眸中，似乎也有層霧氣朦朧。她根本沒有問狄青是誰，但她顯然認出了狄青。

除了狄青，還有誰會為了她，在這種時候站出來？

唃廝囉亦是沒有動，他在望著狄青，像是在觀察狄青，又像是對狄青視而不見。狄青也在望著唃廝囉，驀地發現，他雖接近了唃廝囉，但還是看不清唃廝囉的面容。

善無畏同樣沒有動，只是他那蒼老的面容中突然閃過分猙獰，一伸手，指著狄青說了一句，「殺了他！」

無解釋，無緣由，甚至都不問來人是誰。

因為不管來的是誰，只要擅自上了祭臺，干擾了祭天，褻瀆了神靈，結果只有一個，那就是死！

番僧和中原僧人的教義有所不同。中原僧人戒殺生，但這裡的僧人，對付叛逆、罪人和妖魔鬼怪只有一種方法。

以殺止惡！

更何況，佛家也做獅子吼。聽善無畏有令，群情洶湧。有人怒吼聲中，已飛身撲到了祭臺之上。那人也不算魁梧高大，但一撲之下，氣勢如虎！

很多人都已認出，那人正是善無畏的大弟子，叫做氈虎。唝廝囉手下有三大神僧，各有神通，唝廝囉更被傳說是佛祖轉世，有無上大能。可這幾人在藏人眼中算是神，而不能劃分為武技高手，在藏人心中，藏邊第一高手卻是氈虎！

神可降龍伏虎，高手和神本來就是兩個概念。

很多藏人都知道，氈虎人已中年，卻只有十來歲的智商。傳說他是在虎窩中養大，被善無畏救出，終日癡癡呆呆。他一生只忠於兩個人，那就是善無畏和唝廝囉。

善無畏讓氈虎回歸人的行列，唝廝囉卻有神通和氈虎交流。氈虎對這兩個神一樣的人，有著無邊的尊敬和服從。善無畏有令，氈虎肯定會第一個跳出來！

虎嘯如風，竟壓得佛院中千餘火把為之一暗。

氈虎沖天，從天而降。他無兵刃，可雙手就如虎爪，指甲長出，有如十把利刀。

嘯落人到，虎爪已到了狄青咽喉前。

狄青一把抓住了飛雪，身形陡旋，已在電光火閃中避開了氈虎的一抓。他沒有出刀，他知道自己無意中破壞了藏人的祭天風俗，是件很嚴重的事情，他還想解釋。

可氈虎人雖呆，武功卻恐怖得駭人！他一抓落空，身形不停，第二爪已抓到了狄青的胸口。

氈虎如虎，出招沒有花俏，簡單明快，速度驚人。那一抓突如其來，眼看就要將狄青開膛破肚，所有人都覺得狄青已躲不開如斯兇猛的一抓。

喀嚓一聲響，一把刀鞘擋在了狄青的胸口前。是狄青的刀鞘。

狄青及時用刀鞘擋在胸口，擋住了一抓。他的動作看似不快，但一舉一動，已如朔風橫行，渾然天成。刀鞘裂，碎裂的聲音讓人為之牙酸。

氈虎一抓就抓裂了狄青的刀鞘，他的一雙手，比虎爪還要犀利，比鋼鐵還要堅硬。可氈虎沒有抓住狄青的刀。

霸王逐鹿，太保橫行！

逐鹿之心，從不因為打擊而輕易懈怠；橫行之刀，更不是能被人隨意扼住刀鋒。刀鞘裂，單刀反倒掙脫了束縛，狄青出刀，一刀砍在了空中。

氈虎那一撲，讓院中火把已暗，青燈更青。可狄青這一刀，卻讓天地間，突然泛起一道光華，火光更熊……

那一刀，如將院中千餘火炬的光芒聚在刀上，就在寒風中，輝煌炳耀！

氈虎身形一閃，已撲到了狄青的左側。

狄青那一刀砍的是空氣，可氈虎若執意衝過去，一定會被那刀斬為兩半，一定！

那一刀之威勢，就算氈虎見到，都不能正攖其鋒。氈虎雖虎，但他有著野獸一般的本能，更知道危機何在，他要等待時機，再做致命的一擊。

狄青也終於有了說話的機會，高喊道：「等等……」話音未落，就聽到轟的一聲巨響，整個祭臺竟炸裂開來！

狄青出來得突然，那聲轟響更是突然。巨響聲起，整個血色的祭臺四分五裂，臺下的信徒大驚，就算沉靜的善無畏聞此聲響，都是變了臉色。

濃重的黑煙瞬間已籠罩了祭臺，迅疾地擴散到四周。寺院中遽然暗了下來。周圍熊熊的火把不知為何，突然滅了半數。

剎那間，承天寺滿是驚怖的氣息。

信徒終於有所騷動，驚叫聲此起彼伏，混亂中，狄青拉住飛雪，已躍下了祭臺。

飛雪並沒有掙扎，任由狄青帶著下了祭臺。濃煙中，不知氈虎是迷失了方向還是怎的，竟沒有追過來。

狄青一時間也不知如何是好。

究竟是誰炸了祭臺？他伊始覺得是韓笑，隨即就知道絕無這種可能。這次爆炸絕非偶然，看火把全滅，顯然是有人蓄意而為，不是韓笑倉促間帶人發動的。

炸祭臺的目的何在？狄青不解。他唯一知道的是，眼下他已百口莫辯！

飛雪冷靜如常，低聲說道：「先離開這裡吧！」她赴死的時候，很是平靜，遇到這種驚亂，竟還能鎮靜自若。

狄青見善無畏一改平靜，高聲說著什麼，但這次善無畏說的卻是藏語。煙更濃，可寺院中似乎漸漸安靜下來。狄青還在猶豫，不知是否要解釋，陡然間警覺突升，帶著飛雪向一旁閃去。

一劍破煙穿來，擦著狄青的肩頭而過。狄青身形再轉，已遠離了那人，他不想傷人，也不想造成更大的誤會。心思轉念間，狄青拉著飛雪，認準承天寺主殿的方向奔去。濃煙已將承天寺籠罩，伸手難見五指。狄青知道番僧首先要集中人手防備有人逃出寺院，承天寺院內戒備肯定鬆懈些。

果不其然，寺院內亂作一團，殿中番僧均是衝出護衛佛子，承天寺的主殿內反倒空無一人。狄青入了主殿，見主殿正中供奉著一尊神像。神像面目猙獰，色彩斑斕，青燈照耀下，滿是詭祕可怖。狄青不識那是什麼佛，可見到那佛像的時候，忍不住想到了夢境和玄宮見到的無面佛像。顧不得多想，狄青抬頭望向梁頂，他知道人通常都有視線盲點，雖對周邊的東西查看仔細，卻很少留意頭頂的天空。若是他一人，他肯定會先躲在梁上看看動靜……

聽到腳步聲傳來，狄青不再猶豫，拉著飛雪上了香案，躲在那猙獰的佛像後。佛像極巨，二人藏身其後，除非有人上了香案後才能發現他們的行蹤。

腳步聲到了殿前而止，然後再無聲息。

狄青暗自奇怪，心道有人敢大搖大擺地來到殿前，難道是藏人的大人物？這人到殿前，卻不知要做什麼。他雖滿腹疑惑，卻不敢探頭去看，突然發覺還緊緊地握著飛雪的手掌。飛雪的手，柔軟冰冷。狄青緩緩鬆開飛雪的手，雖有一腔疑惑，卻不知如何發問。抬頭望向飛雪，見那如水墨冰影的眼眸正在望著他。

狄青心頭一震，不由又想起了在麥秸巷時，楊羽裳也是這麼地望著他……

飛雪凝視狄青片刻，緩緩地將目光投向牆壁青燈，也不知在想著什麼。

狄青心緒繁遝間，突然聽到腳步聲又起，有幾人匆匆忙忙地進來道：「贊普、國師，已查到了那人的底細。他是和宋臣富弼一起來的人，應該叫狄青！」

狄青心頭一震，不想這些人竟如此快就查到了他的底細。

原來殿中立著的就是佛子唃廝囉和國師善無畏，可他方才只聽出一人的腳步聲。那到底是唃廝囉深不可測，還是善無畏身具大能，竟能掩去腳步聲，甚至讓狄青都不能察覺到？這兩人方才一直在佛像前，是否發現了狄青和飛雪？

狄青雖自恃藏身隱祕，但在藏邊最神祕的兩人面前，亦是不敢有絲毫大意。

許久，善無畏蒼老的聲音才傳來，「富弼現在如何了？」

有人回道：「屬下已將富弼等人拿下！」

狄青微震，暗自叫苦，不想無心之過竟連累了富弼，還可能使大宋、吐蕃聯盟成為幻影。

殿外又有腳步聲傳來，片刻後有人稟告道：「啟稟贊普，呷氈已被帶到。」

狄青有些奇怪，不知道呷氈是誰。飛雪臉色未變，似乎對眼下的情形並不在意，還是呆呆地望著牆壁青燈。

狄青忍不住地想，難道在這世上，真的沒有飛雪關心的事情？可飛雪若真的什麼也不關心，她讓唃廝囉答應什麼事情呢？

殿中有個顫抖的聲音道：「贊普、國師，小人失職，讓奸人破壞了承天祭，罪該萬死。可是……小人……這些年來……」那人似乎怕得厲害，已語不成句。

善無畏道：「呷氈，你這些年，沒有功勞也有苦勞。因此你想讓贊普赦免你的死罪，對不對？」

呷氈大喜，連連點頭道：「是……是……求贊普看在小人這些年的辛苦上，饒小人一命。」

良久後，唃廝囉才道：「呷氈，你跟了我多少年？」他這次說的是中原話，聲音依舊低沉有力，還是不露半分心意。

呷氈道：「七年……」

唃廝囉輕輕歎口氣，說道：「是七年三月零十三天。」

呷氈一怔，應道：「是。」他額頭的汗水滾滾而下，不知唃廝囉為何記得這般清晰，更不知道唃廝囉為何要提及此事。

又過了許久，唝厮囉才道：「當年我被溫逋奇所囚，你還是個獄卒。若是沒有你放了我，我說不定已死在牢籠。你對我有救命之恩。」

狄青聽唃厮囉說中原話亦是流利無比，暗想這佛子看來也精通中原文化。

呷氈五體伏地，不敢抬頭。唃厮囉又道：「我記得你的恩情，一直留你在身邊，將負責承天祭的重任派給你，你也一直沒有辜負我的信任。你雖然沒有身居顯位，但可說要什麼有什麼，我始終不明白，你為何要叛我？」

呷氈連連叩首道：「小人沒有背叛贊普。」

善無畏一旁道：「你真的沒有背叛贊普？承天祭素來不禁來朝拜之人，是以混入奸細不足為奇。但祭臺是你搭建的，祭臺突然爆裂，絕非倉促能行，顯然是有人蓄謀已久。你素來心細，沒有道理發現不了祭臺下的異樣！只憑此一點，你這次難逃勾結外人反叛之罪！」

呷氈身軀一震，顫聲道：「國師，小人只是一時偷懶……」他不等說完，唃厮囉已道：「我只問你一句，你是否認罪？」

唃厮囉聲音低沉依舊，平靜如常，可就是這一句話問出，呷氈汗如雨下，竟不敢分辯，半晌道：「小人認罪。」

唃厮囉輕聲道：「你並沒有背叛我的理由……到底是誰指使你這麼做的？只要你告訴我，我不會罰你。」

呷氈顫聲道：「贊普，你真的不懲罰我？」

唃厮囉道：「人誰無過，改了就好。我說過，你救過我，又只是受人利誘，一時無心，只要肯改過，我不會罰你。」他口氣和緩，沒有半分怒意，就算狄青聽到，都感覺唃厮囉說得誠懇。

呷氈再無猶豫，立即道：「贊普，指使我炸毀祭臺的人，叫做狄青！」

狄青一震，難以相信所聽之言！他根本才剛知道承天祭一事，也不認識呷氈，做夢也沒有想到，呷氈竟說是他狄青主使破壞承天祭？

呷氈在撒謊？呷氈為何要誣陷他狄青？

狄青心緒飛轉，已感覺落入一個極大的陰謀中，更糟糕的是，他根本無法分辯。

殿中沉寂如雪落，無聲中帶著冰冷。

許久，唃廝囉這才道：「狄青為何要破壞承天祭呢？」

呷氈搖頭道：「小人不知。但他抓了小人的家人，威脅小人破壞承天祭。他說小人若不照辦，就殺了小人的家人。贊普，小人真的無心背叛你，小人別無選擇……」

狄青又驚又怒，轉念之間，已決定一件事，低聲道：「飛雪，你保重。」他話才落，就閃身出了佛像後，跳下了香案，喝道：「呷氈，你說謊！我是狄青，你再說一遍，是否我主使你的？」

狄青不能不站出來，他方才並未逃走，反而入了承天寺內，就是想找機會分辯。誤會已生，他就要立即解決。他不想因一時無心，耽誤了吐蕃、大宋的聯合之事。

呷氈竟說是他狄青主使，這時候，他若不站出來，只怕再也沒有解釋的機會！

可他一站出來，見到唃廝囉立在那裡，冷意森然，見到善無畏蒼老的面容上，殺機已起，狄青的一顆心已沉了下去。

更讓狄青心驚的是，呷氈一見狄青，就後退兩步，指著狄青驚恐道：「就是他，就是他抓了我家人，威脅讓我破壞承天祭！」

狄青懍然，知道若不是呷氈刻意陷害，就可能是別人喬裝成他的模樣，讓呷氈誤認……

但無論是哪種情況，這場陷害都是早有預謀，他都已落入了陷阱，不能自拔。到底是誰，竟有這般心機？

善無畏冷冰冰地望著狄青道：「狄青，你先毀承天臺，後對佛祖不敬，竟敢藏身在佛祖之後，所犯的均是死罪。我不管你是大宋的將軍也好，是大宋的使臣也罷，立即受死，我給你個全屍！」

善無畏蒼老的聲音中，帶著絲憤怒，顯然覺得狄青罪無可赦。

狄青辯解道：「佛子，在下和富弼富大人此行前來，本有事相商，怎會無端炸毀承天臺……」他離唃廝囉已不遠，寺中也不昏暗，但見唃廝囉的一張臉仍如在夢中，根本瞧不出唃廝囉的心意。

唃廝囉截斷道：「我只問你一句，你是否認罪。你若認罪，我就不要你的性命！」

狄青一怔，心亂如麻。青燈佛影，古剎莊嚴，唃廝囉的這句話，聽起來頗有誘惑。可狄青終於挺直胸膛，正視唃廝囉道：「贊普，我絕沒有炸毀祭臺！我是無心之過，佛祖可容，我不認罪！」

話音未落，就聽一聲咆哮，氈虎已衝過來，手化成爪，一爪抓來！伴隨氈虎的一聲吼，殿外突然響起梵唱。

那梵唱突如其來，沒有了天籟清音的韻味，反倒帶種肅殺之氣。狄青饒是冷靜，也被那梵唱震得心神不寧。

殿中青燈閃爍，梵唱聲聲，佛龕神像在流動的燈光下，更是顯得詭異驚怖，好似就要活轉過來。

狄青剎那之間，已避開了氈虎的數抓，揚聲道：「贊普，作惡之人另有旁人，我等來此，本想與你聯手，共擊元昊，試問這種時候，如何會對佛子不敬？」

狄青聲音高亢，雖在梵唱聲中，依舊清晰可聞。唃廝囉靜靜地立在那裡，似乎沒有聽到。氈虎不為所動，他在梵唱聲中，似乎更得神力，攻得更猛，永不知疲憊的樣子。殿中風聲厲厲，殺氣重重，已如朔雪寒冬。

狄青已退到了那色彩斑斕的佛像之前，而氈虎嘯聲更淒，雙手錯亂抓來，已讓人分不清是手是影。這時梵唱陡急，氈虎怒吼高喊，遽然間身子急旋如陀螺般，瞬間旋到狄青面前，一爪抓下！氈虎雖是一抓，燈影下不知道幻化出多少爪影，讓人真幻莫辨。

狄青出刀。一刀橫斬，立在身前。

氈虎已抓不下去。他手雖硬，可刀鋒更冷，他抓得雖如閃電，但狄青的一刀如鐵盾高牆，他若抓下去，不但五指要斷，只怕連手臂都要賠進去。

善無畏已變了臉色，他看得出，狄青行有餘力。

氈虎怒吼聲中，就要縮避後退，準備發動再一次的進攻。陡然間，善無畏已道：「小心。」氈虎攻勢一凝，狄青已先一步發現有人接近。

那人竟是從空中飛落！

有人藏身梁上，在這時候陡然飛落，他用意何來？是敵是友？

狄青斜睨過去，就見到一人黑衣蒙面，已撲到氈虎的頭頂，叫道：「狄青，我來助你！」他話未說完，已出招，袖口飛出一道銀光，已擊中氈虎的肩頭。

血光飛濺，氈虎暴退。

狄青大驚，不知道這時候怎麼會有人幫他，這人是誰？這怎能叫做幫他？

那人一招得手，狄青怒吼聲中，再次出刀。狄青這一刀砍的不是氈虎，而是刺客。

他沒有這樣的幫手！

那人的一擊，更讓狄青身處嫌疑。狄青瞬間明白這人的用意，憤怒若狂，刀若電閃。可行刺那人竟似早有預料，一擊得手，已高高地躍到半空，先行避過狄青的一刀。狄青一刀砍空，眉頭更緊，總覺得這刺客的身形依稀熟悉。他見那人躍到高空，長吸了一口氣……

人不是飛鳥，那刺客躍起雖高，但離橫梁很遠，終究有落下來之時。狄青就準備在刺客下落之際，給刺客致命的一刀。不想那人才躍上高空，橫梁處陡然飛出一道繩索。刺客一把抓住繩索，只是一盪，就要躍上橫梁。狄青憤怒欲狂，不想刺客還有幫手，厲喝道：「留下！」他知道這人若不留下，他百口莫辯，手臂一振，單刀已脫手而出，向空中飛去。

橫行旋斬，睥睨悲歌。

那一刀斬出，若雷霆，似電閃，轟然而至，耀青燈陡亮，讓梵唱遽停。那一刀遽出，威勢無儔，就算善無畏都是臉色大變，不想世上竟有如此刀法！

刺客亦沒有想到狄青會如此行險，怪叫聲中，空中一扭，只覺得握著繩索的手臂一涼，身子欲墜。刺客的右臂已被斬斷，鮮血飛落。

轟的一聲響，刀勢不停，砍入佛殿的橫梁之上，煙塵瀰漫。那一刀不但斬了刺客的手臂，甚至深入橫梁，幾乎將橫梁砍斷！

一刀威力，竟至如斯！

刺客欲落未落之時，橫梁處有人飛起，一把抓住刺客的衣領。只是一盪，越過橫梁，撞破殿頂，揚長而去。梁上竟早有兩人埋伏，那兩人到底是誰？陷害狄青，用意何在？而炸毀祭臺，是否就是這兩人策劃？

狄青知道關鍵就在這兩人身上，才待追出，就覺危機陡近，一人已攻到了他的身側。是氈虎！只有氈虎才會在這時候，飛快地接近狄青。氈虎已受傷，可受傷的猛虎更是可怖，受傷的猛虎更是不可理喻。

狄青為氈虎出手，但氈虎並不領情。氈虎只知道，佛有令，要讓他殺了狄青。

狄青轉身、急退，身形一晃，已到了香案之前，可那虎一般的手爪已到了他的身前。狄青豎掌成刀，一掌切在了氈虎的臂彎，已迫開了氈虎的手臂。

就在這時，有梵唱再起，一聲音有如天籟傳來。那聲音只說了六個字……

般——若——波——羅——蜜——多！

那聲音似慢實快，轉瞬之間就已念完。可那梵唱字字如針，傳到狄青的耳邊，狄青眼角狂跳，心中一痛，手腳竟奇異地慢了半拍。

只是半拍，氈虎一拳就已當胸擊到。

那六字恁地有如此魔力？狄青大駭，還能及時立掌胸口，擋了氈虎一拳。那一拳如巨錘擂來，狄青饒是驍勇，也是胸口發熱，喉間發鹹，忍不住倒退了兩步。

他立足未穩，向善無畏望去，就見到他嘴唇嚅動，又念道：「般——若……」

這咒語竟是善無畏念出的，狄青心思飛轉時，目光從喃廝囉臉上掠過，陡然一震。喃廝囉臉上的光芒已去，他竟看清楚了喃廝囉的臉。

那是一張再平常不過的臉，但狄青曾經見過這樣的一張臉。這張臉上有著一雙不同尋常的眼。那雙眼有如三生凝眸期盼，好似三千癡纏牽絆……那雙眼也有著洞徹世情、銳利無雙的光芒……

喃廝囉竟是狄青在酒肆見過的那個普通人。一道白影從腦海中電閃而落，狄青悶哼一聲，心如刀絞。然後他就見到喃廝囉嘴唇嚅動，念道：「般、若、波、羅、蜜、多！」

那看似平淡無奇的六個字，陡然疊加在善無畏的咒語上。同樣的咒語，不同的語調快慢，同時而終，餘韻傳到狄青耳邊，已如利刃。狄青嘶吼一聲，眼角、嘴角狂跳不休，腦海中沉寂許久的往事竟繁遝而來，不能止歇。那片刻，他已如墜入夢中，難分真幻。

紅顏剎那，彈指成苦。此去絳河，相思無路。

狄青雙眼迷離，只見遠方的天空有千歌萬舞，其中有一女子，如羽如霓，翩翩起舞……一切不過是在閃念間，狄青追思往事，早忘了身前的大敵。可氈虎卻從未忘記自己的職責，一拳已重重擊在狄青的胸口。

砰的一聲大響，狄青狂噴鮮血，倒飛出去，重重地撞在巨佛之上，巨佛為之晃了下。狄青全身痠軟，見氈虎再次衝過來，一時間竟無力站起。就在這時，一人霍然擋在了狄青的身前，叫道：「等等！」那人白衣如雪，急衝而來，黑髮如瀑布般飛落，那人正是一直藏身在佛像後的飛雪。善無畏臉色微變，想要喝止，卻有了分猶豫。氈虎一抓，就要到了飛雪的喉間……

遽然間，大殿中傳來驚天動地的一聲吼，壓住了殿外梵唱，暗滅了殿中青燈。一人已在電閃之間，擋在了飛雪之前。

站出來的是狄青。

哧的一聲響，氈虎五指如刀，插入狄青的胸口！狄青再不閃躲，在氈虎停頓的那一刻，揮拳重重地擊在氈虎的肋下。氈虎狂吼聲中，整個人都被打得凌空飛起，空中急旋，等摔在地上之時，鮮血狂噴，已不能起身。狄青右手揮拳，左手卻緊緊地抓住飛雪的手腕。他抓得如此之緊，有如握住了今生之遺憾。他方才見到有白影從他身邊閃過，當年皇儀門前的一幕如電閃過……

往事如電，刻骨銘心！

他錯失了一次，又如何肯讓悲傷的往事重演？

在那一刻，他有如再次見到羽裳為他捨身跳下，一顆心絞痛不堪，不知哪裡來的力氣，讓他恍惚迷離的思緒清晰無比。就算無上神咒，亦是對他無可奈何。

他奮起、揮拳，擊飛了氈虎之際，已淚下回眸，望向飛雪喊道：「羽裳！」

就在這時，梵唱再起，天籟有天音傳來，「般、若、波、羅、蜜——多！」簡簡單單的六個字，帶著無窮的魔力和詛咒，擊在狄青的心頭。狄青心頭狂震，淚眼迷離，可陡然發現眼前並非羽裳，而是飛雪，思緒再次陷入恍惚之境。身軀晃了晃，一步邁出，不知為何，竟然踏在空處，急急墜落。

他怎麼會踏在空處？狄青不解，但他下意識地鬆開了手掌。

或許他觸怒神佛，忤逆天意，十惡不赦！在這梵唱清音、佛祖青燈的神力下，地獄之鬼已裂開十八層地獄的口子，要收他狄青入內。

既然不是羽裳，他就不想帶飛雪一同跌落。若是羽裳呢？他會不會也帶羽裳一同跌落？狄青不知道。

但狄青鬆手，飛雪卻是一把抓住了狄青的手腕，緊緊的，如同前世之癡纏，沉默無言中，跟隨狄青跌入了無窮無盡的深淵！

第九章 相依

砰的一聲響，狄青摔在實地之上，昏了過去。原來就算是地獄，也有到盡頭之時。他接連受創，又被無上咒語所束，內傷外創，憂悲怒驚，雖是體質健碩，但也無法承受這般磨難。只是昏迷前，狄青心中還想著，我若入地獄，還能不能和羽裳相見？

無邊的黑暗……無邊的沉寂……

狄青昏迷中，有時無甚反應，有時稍有感覺，有時候感覺自己口乾舌燥，偶爾間，有人在他口邊灌了些水。水黏稠、尚溫，入了腹中，給他幾分力量，讓他不至於沉淪到無窮無盡的黑暗裡。因此就算在昏迷中，他也感覺到身邊有人，讓他不至於孤單。黑暗中，他感覺那有如丹青水墨般的眼眸默默地凝視……雖沒有看到，但能感覺得到。是羽裳……還是飛雪？狄青不知曉。

迷迷糊糊中，聽到有人念道：「觀自在菩薩，行深般若波羅蜜多時，照見五蘊皆空，度一切苦厄……」聲音平靜，如梵唱清音。那聲音入了狄青的耳，非如利刃勁刺，只如和煦春風。

「我這是在哪裡？」狄青迷迷糊糊地想，感覺口乾如裂，忍不住道：「水……」有水滴落在他的唇邊，不多，但已可讓狄青恢復平靜。

「舍利子，色不異空，空不異色，色即是空，空即是色。受想行識，亦復如是……舍利子，是諸法空相，不生不滅，不垢不淨，不增不減……」

狄青聽到這幾句的時候，心中迷惑。他感覺到這好像是經文，但這時候，怎麼會有人念經給他聽？那經文平和寧靜，似帶著難測的神力，傳到狄青的耳中，讓他忘記了往事、忘記了悲傷，沉沉睡去。

陡然間，前方有團耀眼的光芒。是光芒！怎麼會有這麼強烈的光芒？光芒絢麗多彩，如銀河倒懸。光芒破開，是蒼茫的大地。大地之上，驀地現出燃燒的火山，熊熊大火燃得天霞如血。火山的巔頂，有兩人對立而站。那兩人是誰？我怎麼會到這裡？這是夢是醒、是真是幻？狄青已分辨不清。他竭力望去，只見到那兩人的側面，那好像是一男一女。男的鬢角霜白、容顏俊朗，依稀就是他狄青。

那男的如果是狄青，那他是誰？狄青想不明白。他用盡了全力去望那男子對面的女子，那女子……應該就是羽裳，但他只能看到背影。狄青詫異中帶著驚喜，想要奔去，但全身無力；想要叫喊，但無從發聲。就在此時，他見到那對男女跪拜在地，說道：「我二人不求同生，但求同死。生生世世，此情不渝！」

伴隨著那誓言，天籟似有歌聲傳來，「大車檻檻，毳衣如菼。豈不爾思，畏子不敢？」天有雨，澆不滅火山噴薄；天有雨，有如情人的淚滴。狄青聽到那歌聲，不由想起那噩夢般的夜，心中忍不住地痛，叫道：「羽裳……」可他的聲音實在太過微弱，微弱得就算自己都聽不到。陡然間有梵唱從天際傳來，「無罣礙故，無有恐怖，遠離顛倒夢想，究竟涅槃。」天地齊震，那火山霍然不見，那對男女也消失得不見蹤影。狄青大急，舉步要追，地裂而開，他猝不及防，倏然落入無窮無盡的黑暗，高呼道：「羽裳！」

那聲響嗡嗡嗚嗚，震盪在耳邊，伴隨著那聲喊的還有一聲梵唱……

「故知般若波羅蜜多，是大神咒，是大明咒，是無上咒，是無等等咒，能除一切苦，真實不虛。」

般若波羅蜜多！

狄青聽到這六個字，霍然睜開眼。眼前還是一片黑暗，但他終於記起了所有的一切。他被咒語所束，被氈虎所傷，飛雪出來救他。他精神迷離，誤以為是羽裳，這才奮然而起，擊退了氈虎。之後他好像掉入了一個地方……

「這是什麼地方？」狄青忍不住地問，頓了頓，又道，「飛雪，是你嗎？」

無盡的黑暗，無邊的靜寂，狄青雖竭力望去，可還是什麼都望不見，但他感覺到身邊有人。一個念佛經幫他安心的人，那人是飛雪，他感覺得到。許久，飛雪的聲音才傳來，「是。這裡是盧舍那佛像下。」她的聲音一如既往地平靜，但卻有些虛弱。

狄青喃喃道：「盧舍那佛像？這是什麼佛？」本以為飛雪不會答，沒想到飛雪低聲道：「盧舍那本是藏語，是智慧廣大、光明普照的意思。盧舍那佛意為報身佛，是修行圓滿、大徹大悟的表現……」她平靜的口氣中，似乎有分惆悵。

狄青不知道飛雪為何對佛經這般熟悉，更不解他們在盧舍那佛下是什麼意思。

飛雪似乎看出了狄青的心思，解釋道：「我們還在承天寺，只不過幾天前是在佛像的背後，如今是在佛像下面的洞穴裡。」狄青心頭一顫，才感覺身子虛弱不堪，輕飄飄地如在雲端。

「我們在這裡幾天了？」狄青問道。不聞回音，狄青突然恍然，「佛像下有機關，我們掉到機關裡了？」良久，飛雪才道：「這裡不是機關，是僧人修習的地方。你撞了佛像，開啟了入口，因此掉了下來。」

狄青忍不住問，「那……那你怎麼不出去？你……受傷了嗎？」他已經聽出飛雪的聲音雖平靜，但顯出弱象。飛雪再無言語，洞穴內驀地變得死一般沉寂。

狄青心中焦急，雖看不到洞穴內的情形，還是掙扎著站起，向飛雪的方向摸去，問道：「飛雪，你到底怎麼了？」陡然間，他的指尖觸碰到冰涼柔滑之物，立即意識到碰到飛雪的臉，連忙縮手道：「對不起。」

飛雪半晌才道：「我……沒事……這裡的僧人為堅修行之心，因此建了這個地方。只要一入其中，不到指定的時刻，任憑他有天大的神通也出不去。這裡的機關，是在外邊的。」

狄青心中懍然，吃驚道：「這麼說……若沒有人放我們出去，我們就要死在這裡了？」

飛雪沉默，沉默有時候，就代表著默認。狄青緩緩坐下來，這才感覺胸口針扎般地痛，同時額頭滿是汗水，周身虛弱不堪。他中了氈虎那一抓，傷勢嚴重，還能醒過來，已是奇跡。四下摸索，發現腳下是青磚地面，而四壁亦是如此。不用多久，他查完了周圍的環境，察覺身處在井狀的環境中。唯一的出口就在頭頂，但上方空曠如野，不知多高。飛雪沒有說錯，這是絕境，一個人落在其中，若沒有人在外開啟機關，任憑天大的神通，也無法再活著出去。狄青一生，從未有過這般絕望的時候。他現在除了等死，只能祈禱外邊有人路過，會放他們出來。但他是被唃廝囉關在這裡，佛像的機關又甚為隱祕，怎麼會有人路過放他們出來？

狄青坐下來，許久才問道：「飛雪，你為何來到這裡呢？」直到這時，他還能保持沉靜，就算他自己，都感覺到奇怪。

飛雪低聲道：「你知不知道，還有什麼分別呢？」她的語調中，亦是平靜。

狄青總感覺飛雪有些異樣，但並沒有多想。臨此絕地，他思緒紛遝，反倒清晰無比。他不怕死，但他真的有太多事情還要去做。他要去香巴拉，他要救富弼，他還有結盟吐蕃的職責，他肩負抗擊元昊的重任……他要做的事情，太多太多。唃廝囉怎麼會是酒肆的那個普通人？他的咒語恁地這般厲害？炸毀祭臺的是誰？目的何在？從殿梁下來的兩個刺客是誰？為何要陷害他狄青？

驀然間靈光閃動，狄青自語道：「是元昊，一定是元昊！只有元昊才會破壞承天祭，嫁禍於我。只有他才能從此事中獲益，破壞大宋和吐蕃的聯盟。」轉瞬有個更大的疑惑，這次出使吐蕃，本就是祕密行事，元昊怎麼可能這麼快知道消息呢？可若不是元昊派人來搗亂，還有誰會這麼做？飛雪不語，狄青心中突然有種害怕，怕飛雪就此去了，顫聲道：「飛雪……你還好嗎？」他邁前一步，感受著飛雪的動靜。

他身受重傷，飛雪也受傷了嗎？

飛雪低低的聲音道：「好。」

狄青邁前一步，顫抖地伸出手去，黑暗中想去握住飛雪的手。他和飛雪雖只是見過幾面，但感覺中，二人已如生死相依的朋友，他想知道飛雪的真實情況。可他怕唐突，找不到飛雪的手，正徬徨間，一隻冰冷柔軟的手握住了狄青的手。狄青一喜，問道：「你怎麼看得見我？」絕對的黑暗中，饒是狄青眼神敏銳，也是無法見到飛雪。但飛雪怎麼能這麼準確無誤地握住他的手？「你想看到，你就能看到！」飛雪還是一如既往的聲調。狄青握住飛雪的手，稍放心事，本還想問問她和野利斬天究竟有沒有找到香巴拉，為何到藏邊，和喻廝囉有什麼承諾，但話到嘴邊，已變成，「葛振遠以前見過你。」他鬼使神差地問出這一句，就忍不住想到葛振遠說的那個故事。

那個螢火漫天的夏晚……

「我還以為，你會問野利斬天的事情。」飛雪低聲道。

狄青苦笑道：「到了如今，問與不問還有什麼區別？不過有些事，我真的想問……我想問問，你當初見到那有病的婆婆，為何那麼傷心？當初對你心懷不軌的兩個惡漢，為何會發了瘋？飛雪，你能告訴我嗎？」

狄青詢問的時候只是想，「喻廝囉把我和飛雪關在這裡，到底是什麼打算？他若真想讓我死，把我困在這裡的時候，就可輕易殺了我。這麼說，他還不想殺我，他若改變主意，說不定會放我和飛雪出去？眼下只要有一絲生機，我也不能放棄！飛雪本是特立獨行的女子，意志堅定，她為何要在承天祭自盡？她若放棄了希望，那就出不了這裡了。我一定要讓她堅強下去！」正因如此，他才和飛雪談及往事。在他心中，若不是因為他，飛雪也不會落到這等處境，他就算性命不在，也要想辦法讓飛雪活下去。

飛雪默然許久，才道：「這世上有很多不能解釋的事情……」狄青正以為飛雪不想講，不想飛雪又說了下去，「比如說咒語……」狄青微懍，饒是他天不怕地不怕，想起了善無畏嚅動的嘴唇，想起梵唱圍繞，也是忍不住背脊發涼。

飛雪頓了片刻，又道：「藏傳三密，分為身、口、意三種。簡單地說，身密是結手印通神，口密是以咒語來溝通天地玄奧，意密卻是憑藉神識來修煉。都說精通三密者可印證大道，可以借天地神通。」

狄青親身被咒語所克，不得不信，遂猜測道：「善無畏、唃廝囉結手印、念咒語竟能讓我心神恍惚，難道說……他們真的可以借助神之力嗎？」

飛雪沉默半晌，「他們具體是什麼情況，我也不知曉。藏傳經論中常言，『佛說八萬四千法門，般若法門最為殊勝。』般若心經是般若經的心髓，而般若波羅蜜多是心經中記載的咒語，也是天地間無上的咒語……」狄青心道我問你往事，你為何要扯到藏傳經文上？但他的本意就是讓飛雪振作，既然飛雪有興趣談下去，他目的已成，也不打斷。飛雪話題一轉，說道：「善無畏、不空、金剛印三人都是以修身密、口密為主，不過他們難以修習意密。在藏邊，眼下能以意密修得神通的只有一人，那就是唃廝囉。」狄青回憶起唃廝囉的那雙眼，心中懍然。因為那雙眼彷彿可穿透一切，讓人無可遁形。

「在承天寺，你和氈虎對決。善無畏以無上咒語束縛你的形，而唃廝囉則以咒語擾亂你的神。」飛雪終於歎口氣道，「你那一戰，肯定是被唃廝囉勾起了傷心的往事，這才落敗，對不對？」

狄青一驚，半晌才點頭道：「是！」他這才明白，原來在酒肆、在承天寺想起羽裳是因為唃廝囉的緣故。

「意密雖神，但也要你自身有弱點供他利用。」飛雪道，「每個人都有弱點，有人癡、有人貪、有人易怒，唃廝囉就有一種能力，可將人的缺點無限擴大……你的缺點……」飛雪猶豫片刻，終於沒有再說下去。

狄青心道飛雪多半想說，我的缺點就是羽裳，唃廝囉就用咒語激發我的傷心往事……怪不得我兩次遇到唃廝囉，都不由想起羽裳，不能自拔。可我若沒有這個缺點，此生還有什麼意義？

飛雪再道：「當年那兩個無賴貪心，想取我的東西，我不過是讓他們的貪性無窮膨脹，他們無法承受，這才發瘋而已。」

狄青微震，才明白飛雪在說起往事時，提及藏邊三密的原因。難道說這個女子竟然有唃廝囉一般的手段？忍不住問道：「貪性無窮膨脹，也會發瘋嗎？」

飛雪淡淡道：「這何足為奇呢？你難道沒有見過許多人為了權錢，可以六親不認，那和發瘋有什麼區別？」狄青苦笑，感覺飛雪說得有幾分道理。

飛雪又道：「這世上有人運籌帷幄、決勝千里，有人一葉障目，不見泰山。每人舉止差別千萬，在於運，成於行，但成功與否，更多決定於本身意志的強弱。因為有些人意志強，甚至可以影響別人的行動，比如說唃廝囉，他只要一聲喝，不靠武力，就能讓十萬藏人生死相隨。有些人意志不堅，可輕易被人左右，比如說……大宋天子趙禎。」

狄青第一次聽人如此評價趙禎，一時無言。可在他心中，的確和飛雪一樣的想法。他雖與趙禎算是親密，但這些年不見，隔得遠了，反倒將一切看得清楚。

趙禎當年意氣風發，要學秦皇漢武，開創一代偉業，但無魄力變革祖宗家法，無用人之明，少能堅定意念，容易被兩府文臣左右。大宋在三川口、好水川慘敗，固然有太多的緣由，但趙禎用人不當，也有不可推卸的責任。

不再去想趙禎，狄青轉問道：「你如何讓他們的貪性無窮膨脹呢？」

「你帶著五龍，是吧？」飛雪問。

狄青並不隱瞞，點頭道：「是！」

飛雪緩緩道：「你自從得到五龍後，就有了一種神奇的力量，對不對？」

狄青手足都有些冒汗，顫聲道：「是。」他已感覺到，飛雪要告訴他一個切身的祕密，忍不住地緊張。在他看來，飛雪對香巴拉的祕密遠比所有人知道得要多。

飛雪似乎琢磨著如何措辭，「其實準確地說，五龍並沒有賦予你什麼神奇的力量，它只是將你自身的一種能力充分挖掘和發揮！同理而言，貪也是一種能力，當然可以加大發揮。」

狄青聽得瞠目結舌，第一次聽到有人這麼解釋五龍，一時間難以明瞭。飛雪似乎看出狄青的不解，悠然道：「你可曾聽說過佛教的六神通嗎？」

狄青搖搖頭，不待多說，飛雪像已目睹，說道：「六神通又做六通，是指六種超越人間而自由無障礙的能力，分為神境通、天眼通、天耳通、他心通、宿命通、漏盡通六種。世上俗人多以為無稽，但只有真正大智慧之人才能修到。據我所知，唃廝囉就擁有他心通之能！你擁有的五龍，你可認為……是神之物，能開啟人的六神通。」

狄青突然想問飛雪有沒有這種能力，因為他總覺得這沉默寡言的少女，好像有著洞徹世情的靈性，可他終於忍住。

飛雪忽然道：「你一定想問我有沒有這種能力了？」

狄青微驚，失聲道：「你怎麼知道？」

飛雪一字一頓道：「我就知道！」她的聲音中有種不容置疑的力量，讓人不能不信。狄青心思如麻，突然想起太多的往事。他記得葛振遠曾說過，飛雪當初在平遠砦，雖在馬車中，就知道他狄青受了傷。在京城時，飛雪雖是局外人，但明白狄青的心意，勸趙禎讓狄青去西北。這兩件事雖小，但現在想想，滿是詭異。原來飛雪真的有一種神通，可知道別人想什麼嗎？

四壁清冷靜寂，狄青呆坐那裡良久，突然想起一事，顫聲道：「飛雪，我能不能問你一件事情……」飛雪半晌才道：「你是想問香巴拉的事情嗎？」

狄青被飛雪猜中心事，又是莫名震撼，嗄聲道：「我求你告訴我，傳說的香巴拉……是不是真的。它真的能……」他緊張非常，問話時，一顆心幾乎停止了跳動。他怕飛雪不說，可又怕飛雪說了，更讓他失望！

無邊的黑暗，死一般的沉寂，彷彿有百年蹉跎般的漫長……終於有聲音傳來，「是真的。它真的能救得了你最愛的人！」狄青聽到這句話的時候，全身的血液都像向外流淌出去，可一顆心歡喜得幾乎要爆炸開來。他信飛雪！無條件地信任！可他隨即想到另外一個關鍵的問題，有些忐忑地問道：「飛雪，那你……能不能帶我去香巴拉？」

密室中，又靜了下來，狄青似乎聽到自己的心跳聲，怦怦有如擂鼓。

一聲幽幽的歎息傳來，飛雪終於道：「你現在能否活著出去都是不得而知……何必想那麼多呢？」狄青感覺被一盆涼水澆過來，渾身冷透！飛雪說得不錯，他和飛雪被困在這裡，元昊不需殺他，只要不管不問，他和飛雪就要無聲無息地死在這裡。

他本不怕死，可他才知道香巴拉確實能救羽裳，也知道飛雪能帶他前往香巴拉，他救楊羽裳有望，偏偏轉瞬就要死在這裡……狄青只覺黑暗冷酷四面漫來，一時間茫然無助，心中惶恐，放聲大呼道：「元昊，你放我出去！元昊，你放我出去！」他遽然斷喝，聲音嗡鳴，震得密室轟隆作響。可聲音過後，密室又呈死一般的沉寂。狄青想到楊羽裳獲救有望，可自己卻無能為力，悲血激盪，忍不住放聲再喊。轉瞬間，密室中滿是他的呼喝之聲。飛雪再無聲息，只聽著狄青在無助地呼喊。那平日指揮千軍的漢子的喊聲中，已有了深切的絕望之意。

不知許久，飛雪才輕聲道：「沒用的，你莫要喊了。」她一向平靜的聲音中，似也有了如水的波瀾，但波瀾轉瞬如流水般逝去。

狄青一怔，停止了喊叫。停下來那一刻，感覺嗓子針扎般地痛，胸口如火在焚燒，手扶冰冷的牆壁，嗄聲道：「飛雪……我們在這裡多久了？」他這才發現自己奇渴無比。

飛雪低聲道：「三天了……」她的聲音中已有了虛弱，沒有誰能抗得了無水的日子，飛雪也不例外。

狄青一震，突然想到了什麼，問道：「這裡沒水嗎？」見飛雪沉默，狄青不知為何，腦海中突然想起昏迷時的情形。

那時候，他昏昏沉沉，但確切地感覺到有人餵水給他喝。

「我昏迷的時候，你給我喝了什麼？」狄青忍不住問。

飛雪不語。那難言的沉寂中，狄青突然想到了極為可怕的可能，饒是他歷經生死，駭得身子都忍不住地抖個不停，如秋風中的落葉。

不聞飛雪的動靜，狄青急道：「你究竟給我喝了什麼？你呢？這幾日怎麼熬過來的？」他此刻才明白，為何飛雪說話的聲音如此低、這麼輕，飛雪肯定也渴，但她方才為何還說了那麼多的話？飛雪仍是無言，狄青內心激盪，驀地想起沙漠中，飛雪就將僅剩的一袋水留給了他！這次呢？狄青驀地伸手，黑暗中，一把就握住了飛雪的手腕。他看不到，但飛雪在哪裡，他感覺得到。他感覺飛雪身軀微顫，甚至感覺到飛雪皺了下眉頭，狄青急道：「飛雪……你究竟……」不等說完，他霍然意識到了什麼，鬆開了手，心悸不已。

「你……怎麼受傷了？」狄青顫抖問道，他這次握的是飛雪的左腕，握住的時候，察覺飛雪的手腕有傷口。「受傷很久了。」飛雪道，可語氣中帶了分不安。狄青腦海中電閃劃過，突然叫道：「不是，你手腕上是新傷！是刀傷！」他心情激盪，舉目望過去，目光已撕裂了黑暗，落在飛雪的手腕上。他看到了一道傷口。你想看到，你就能看到！

驀地想到飛雪方才所言，狄青無心思索自己為何能見到。舉目向飛雪看去，漆黑的密室中，他真的見到一張比雪還要白的面龐，一雙已開始黯淡的雙眸。那本已黯淡的雙眸，見到狄青望過來，陡然間有光芒一閃……可飛雪轉瞬垂下頭去。但在電光火閃間，狄青還見到飛雪盡失血色的紅唇。紅唇上已佈滿了白色的裂口，那是嚴重缺水的跡象。狄青不知道飛雪方才如何能忍住疼痛，說出那麼平靜的話來，嗄聲道：「你……為什麼……」陡然間省悟過來，狄青眼前發黑，霍然緊緊握住飛雪的手腕，失聲道：「你餵我的不是水，是血，是你的血！」

那一刻，狄青留意到唇邊鹹鹹的味道，陡然間明白了一切。他被氈虎重創在胸口，失血嚴重，他雖是體質健碩，但他眼下沒有道理比飛雪還有精神。這裡無水無糧，他能醒過來，唯一的解釋是，飛雪劃傷了手腕，滴血給他喝！飛雪的手冰冷依舊，可狄青心中如有火在燒。他握住飛雪的手，已淚下，啞聲道：「為什麼？為什麼？」

狄青真的不知為什麼！他從未想到過，除了羽裳外，還有第二個女子，會為了他，甘願捨棄自己的性命。一直以來，他就從未瞭解過飛雪，他和飛雪也不過見過幾次面。但他知道，這個平靜的女子身上，蘊含著山崩海嘯般的決絕。飛雪決定的事情，沒有人能阻撓。狄青從來不知道飛雪四處奔波是為什麼，也不知她為何到藏邊，更不知她為何捨卻自身，要救他狄青。他根本對飛雪一無所知，他唯一知道的是，他欠飛雪太多太多。見飛雪似已無力抬頭，狄青心如刀絞，忍不住抬頭望向上空，嘶聲叫道：「唃廝囉，你殺了我，放飛雪出去。這件事和她無關！」

無人應聲，密室死一般靜寂，狄青才待再喊，飛雪已道：「沒用的。狄青，你莫要喊了。」她聲音雖低，可傳到狄青耳邊，如炸雷響起。

狄青一震，緊緊握住飛雪的手，急聲道：「飛雪，你放心，我一定帶你出去。我一定帶你出去！」感覺到飛雪手掌冰冷，心中驀地驚恐萬分，只是想，「我真的能帶她出去嗎？」

飛雪目光閃了閃，低語道：「好，我放心。」

狄青見飛雪聲音中已難掩衰竭之意，突然下了決心，一口向自己的手腕咬去。飛雪既然可餵血延續他的性命，他為何不能？可他一口咬下去，卻碰到了飛雪的手。不知何時，飛雪已將手輕放在狄青的手腕上。狄青一怔，慌忙住口，不待多言，飛雪已道：「你知道我為何要救你嗎？」狄青雙眸含淚，搖頭道：「我不知道。」

飛雪凝望著狄青，那黑白分明的眼眸中，有著風過碧水般的波瀾，「你在承天祭救了我，我就要救你一次，這樣一來，你我就各不相欠了。」狄青哽咽無言。飛雪眼眸中似乎有神采一現，喃喃道：「在藏邊，有個傳說……說各不相欠的兩個人……來生……不會再見。」

狄青緊握飛雪的手，嘶聲道：「你錯了，我欠你太多太多！飛雪，我今生不能還你的，來生肯定要見你還給你。這次……若不是我，你何至於被困在這裡。」心中卻想，「難道說，飛雪不想再和我相見嗎？她……遇到我，從來就沒有碰到過什麼好事，也怪不得她不想和我相見。」

飛雪望著狄青，黑白分明的眼眸中，含意萬千，「你也錯了，若不是你在承天祭救了我，我早就死了。再說，這件事……本就是因我而起。」反握住了狄青的手，飛雪低聲道，「狄青，你能答應我一件事嗎？」

狄青沒有多想飛雪言語深意，只是咬牙道：「你說。」

飛雪雙眸中綻放出一絲神采，堅定道：「你答應我，從今以後，你我各不相欠了，好不好？」她軟語相求，眼中第一次露出了懇切盼望之意。

狄青搖搖頭，一字一頓道：「不行！」

飛雪眼中有分失落之意，緩緩地鬆開了手，閉上了眼眸。狄青一把抓住飛雪的肩頭，嘶聲道：「你莫以為我不知道你的心意，你不想我內疚，因此你才說和我各不相欠。你對我說了那些話，就是希望我能有希望活下去。但你說出了所有的一切，是不是因為你已準備放棄？」霍然抱住了飛雪，狄青已滿臉熱淚，嘶啞道，「飛雪，你既然知道別人的心意，可你是否知道我的心？我想讓你堅強地活下去，你能否知道？」

飛雪伏在狄青的肩頭，眼角已有淚水。良久，她才道：「我知道。」

狄青淒涼的心中有分喜意，扳住飛雪的肩頭，盯著飛雪的淚眼道：「那你答應我，不要放棄！我知道，你若不想放棄，肯定能活下去。」

飛雪蒼白的臉上，突然湧現一絲潮紅。見狄青目光灼灼，飛雪輕歎一口氣道：「好，我答應你。可是……」不知為何，淚水湧出，飛雪垂下頭，再不說什麼。

狄青知道飛雪的意思，飛雪就算答應他，此時此刻，二人又能活多久？黑暗、沉寂、絕望如潮水般漫過來……呼吸慢慢地微弱下去……不知何時，狄青也知道，再也堅持不了多久，他只是握著飛雪的手，靜靜地等待死神的到來。幽幽密室中，陡然傳來低低的歌聲……草傷秋、蟬如露，暮雪晨風無依住。英雄總自苦，紅顏易遲暮，這一身，難逃命數！那是飛雪的歌聲，狄青聽到「這一身，難逃命數」之時，心中滿是歉疚悲哀之意。他不悲自己要死，而悲連累了飛雪。

聽飛雪又唱，「玉門千山處，漢秦關月，只照塵沙路……」狄青傷情滿懷，不待說什麼，飛雪輕輕握住了狄青的手，低聲道：「狄青，我告訴你……一個祕密！」

第十章　絕　路

狄青不知道這時候，飛雪會告訴他什麼祕密。和香巴拉有關嗎？可眼下知道祕密有什麼用？徒增痛楚！飛雪緊握著狄青的手，語氣中帶著少有的緊張，道：「其實你……」話未說完，陡然住口，抬頭向上望去。

狄青不解，問道：「怎麼了？」忽然聽到頭頂咯的一聲響，上方暗處現出一個口子，竟有道光線照了進來。密室內陡然大亮，狄青忍不住瞇起了雙眼，瞥見飛雪沒有歡喜，反倒蹙了下眉頭。他們現在的處境不能再糟糕了，無論來人用意如何，總算是來了希望，飛雪為何反倒皺眉呢？狄青顧不得多想，眯著眼睛望向上方，來人究竟是誰？片刻後，上方竟順下一條繩索，轉瞬到了狄青的面前，一人壓低了聲音道：「狄青，抓住繩索，我拉你出來。」狄青心中奇怪，暗想這人要是唃廝囉所派，就不用這麼謹慎；可這人若不是唃廝囉所遣，還有誰知道他狄青在此呢？不過逃生機會就在眼前，狄青只想逃出去再說。奮起餘力先用繩子纏住飛雪的腰身，這平日輕而易舉可做到的事情，已讓狄青氣喘吁吁。

飛雪默默地望著狄青，突然道：「你和我一起出去。」

狄青道：「先拉你上去再說。」

飛雪決絕搖頭，突然低聲道：「你和我一起出去，好嗎？」她突然軟語相求，讓狄青難以拒絕。狄青只以為飛雪害怕，略作猶豫，將繩索在自己身上也纏了幾道。他拉拉繩子，示意綁好了繩索。上方那人拉動繩索，帶二人上行。那人拉著狄青兩人，並不費力，狄青知道這人應是技擊高手。從下面望過去，那人被光線所籠，狄青看不清他的面容，只見到那人肩寬背厚。

陡然想起了什麼，狄青低聲問道：「飛雪，你剛才要說什麼祕密？」二人繫在一根繩索上，面面相對，呼吸可聞。飛雪突然面色緋紅，移開了目光，平靜道：「哪有什麼祕密？」

狄青還待再問，二人已被拉出了密室。舉目望過去，見到那人身著黑衣，頭戴氈帽，臉蒙黑巾，遮擋住一張臉，只餘一雙眸子精光閃閃。那人見到狄青，低聲道：「跟我來。」

那人前頭帶路，狄青見他無意相幫，咬牙扶著飛雪踉蹌前行。一路上偶遇幾個番僧，均是昏迷不醒，狄青見了，知道多半是那人擊倒了這些僧人。出了佛堂後，那人東拐西繞，到了承天寺的後院。

這時東方曙青，原來已近清晨。承天寺再是莊嚴肅穆，僧人也要吃飯生火，因此寺院後也堆放著柴火，近後門處，停了一輛牛車，想必是運送柴火的。

那人低聲道：「躲到牛車上去，莫要露出頭來。」

狄青目光微閃，見那人並無伸手之意，也不相求，扶飛雪到了柴車之上，然後自己也翻上了柴車。等到了車上時，已疲憊得動彈不得。

那人拿了些枯草蓋在狄青、飛雪二人身上，上了牛車，脫了黑色的外套，露出裡面樵夫的裝束。一揚鞭，已驅車出了承天寺。狄青躲在車上，心中暗想這人顯然是用樵夫送柴的身分混入寺中，然後趁清晨防範最鬆懈的時候擊昏番僧，開啟了密室。此人對承天寺了若指掌，又認識他狄青，會是誰呢？車行轔轔，狄青手扶車板，透過枯草縫隙向飛雪望去。只見飛雪平靜依舊，又恢復了以往的淡漠表情。牛車出了承天寺，直奔城南，一路上倒是無驚無險。等出了青唐城後，那人並不停車，一直趕車南行，到了一處荒山下，徑直驅車上山。狄青暗自皺眉，不解這人究竟要去哪裡。

如今藏邊已到入冬時節，天青風硬，萬物肅殺。狄青死裡逃生，但心中總是有些不安，畢竟如何來看，救他那人都不像他的朋友。若是他的朋友，怎麼會如此待他？

山路漸變陡峭，牛車終於不能再行。那人跳下牛車，掀開了枯草，遞給狄青一個水壺道：「我知道你現在最需要的就是水！喝點水吧！」

狄青見那人仍舊用氈帽遮擋住半邊臉，忍不住問道：「閣下是誰？」他說話間接過水壺，卻不喝水，隨手遞給了飛雪，誠懇道：「飛雪，你先喝點兒水吧！」他雖虛弱，但更關心飛雪，見到飛雪面色比雪還要白，容顏憔悴，不由得一陣心痛。

飛雪並沒有伸手，看了眼狄青，又望望那戴氈帽的人，淡淡道：「有迷藥的水，我不喝！」

狄青一震，霍然轉頭望向了救他那人，凝聲道：「閣下究竟是何用意？」他眼下虛弱無力，那人要對付他，可說是輕而易舉。既然如此，那人為何還要煞費周折地在水中下了迷藥？

他感覺此事費解，但知道飛雪素來直覺甚準，怎會無的放矢？

那人身軀微僵，隨後哈哈一笑，已掀開了氈帽，露出戴著眼罩的一張臉。狄青見了，微微皺眉道：「飛……鷹？怎麼是你？你到底搞什麼名堂？」

救狄青那人，竟是素來神出鬼沒、就算元昊等人都無法揭穿底細的飛鷹！

飛鷹倨傲不改，目光灼灼，滿是高傲道：「若非是我，怎能救你出來？」

狄青知道飛鷹救他出來，也不見得懷有什麼好意，緩緩問道：「你救我出來，在水中下迷藥，又是什麼意思？」

飛鷹目光閃爍，突然長歎一聲道：「狄青，你真的信水中有迷藥？」

狄青淡淡道：「你如果把這水喝下去，我就不信了。」

飛鷹目光在飛雪和狄青間遊轉，突然哈哈一笑道：「水中的確有迷藥，因為你們現在太過虛弱，我只想讓你們好好地睡上一覺。」

狄青緩緩點頭，像是已接受飛鷹的解釋，「這麼說，你還是一番好意了。不過……你怎麼知道我被困在承天寺內呢？」

飛鷹微微一笑，鷹勾鼻子在陽光下隱泛寒光，「我早到了藏邊，聽說你壞了承天祭後消失不見，很是吃驚，我知道你不是這樣的人。我對承天寺多加留意，無意中從雜役口中得知你被關在地穴，因此才來救你。」

狄青喃喃道：「看來你對我的確很瞭解……只可惜，都說藏邊的佛子很是睿智，竟然不聽我解釋。」

飛鷹嘿然冷笑道：「你真以為他很聰明嗎？此人只是故弄玄虛罷了，其實他內心卑鄙不堪，更是狠辣非常，視人命如草芥！」

狄青輕歎一口氣，似乎很是贊同飛鷹的看法，「你來藏邊做什麼？」

飛鷹望了飛雪一眼，皺了下眉頭，半晌才道：「到了如今，我對你實話實說好了。我來藏邊，其實要向唃廝囉借一個東西。但這人簡直固執得不可理喻……非但不肯借我，還想讓人殺了我。」

狄青淡淡道：「那也得看你借什麼，你如果借他的腦袋，換做是我，也不會借的。」

飛鷹眼眸中厲芒一閃，嘿然道：「他要殺你，我救了你，你竟然不信我，反倒要幫他？」

狄青哂然笑笑，岔開話題道：「你究竟想向他要什麼東西？」

飛鷹猶豫片刻才道：「你不必知道那東西是什麼，只需知道，那東西是開啟香巴拉的關鍵所在！」

狄青心中微懍，凝重道：「開啟香巴拉的關鍵所在？你真的已找到香巴拉，還能想辦法進入香巴拉？」

飛鷹昂然道：「不錯，這世上只有我才知道香巴拉的真正祕密，也只有我，才有開啟香巴拉的資格！」

飛雪本一直沉默無言，聽到這裡，斜睨了飛鷹一眼，平靜道：「這也未必。」

飛鷹眼裡閃過一絲怒意，轉瞬隱去，似對飛雪有些討好地笑道：「爭執於事無補，狄青，我知道你也很想前往香巴拉。這樣吧，你我聯手對付唃廝囉，只要取回我想要之物，我就帶你前往香巴拉，這買賣可做得？」

狄青像是怦然心動，垂頭沉思半晌，「這個提議倒是不錯，我的確也很想去香巴拉。但我去香巴拉之前，必須去見唃廝囉一面。」

飛鷹滿是錯愕，怔道：「你……你還見他做什麼？」

狄青道：「我要見他，因為我和他之間有個誤會。若不消除的話，我無法安心。」他在密室中，渾然已忘記了一切，但一出密室，其實已立即想到大宋、吐蕃聯盟一事。如今富弼多半被囚，生死未卜，無論如何，他都要救出富弼再說。

飛鷹嘿然冷笑道：「你可知道，承天祭時，未經唃廝囉允許，擅自上臺只有死路一條？」

狄青搖搖頭道：「我不知道。」

飛鷹又道：「你可知道，唃廝囉已對你下了必殺令，驚擾盧舍那佛之人，也是必死無疑？你是否還知道，唃廝囉這人睚眥必報，對你成見已深，你屢次犯吐蕃人大忌，只要被藏邊吐蕃人見到，就必殺你無疑。你只要再入青唐城，就是步步殺機，說不定走不出十步！」

狄青盯著飛鷹，神色肅然，沉聲道：「我或許什麼都不知道，但我知道一點，我必須去見唃廝囉。」

飛鷹仰天大笑，聲動雲霄，那笑聲中隱約已有肅殺之色。笑聲才頓，飛鷹已喝道：「狄青，你其實心中根本沒有楊羽裳！你若想念楊羽裳，就不會屢次放棄大好的機會，推三阻四地不去香巴拉！」

飛雪聽到「楊羽裳」三字時，身軀顫了下，那黑白分明的眼眸，只望著青天蒼雲，似帶著分惆悵。狄青聞及「楊羽裳」三字，心中酸澀，「你錯了，心中有沒有一個人，不必總是掛在嘴邊。我心中有沒有羽裳，也無須向你證明！你若誠心與我合作，就讓我先見唃廝囉再說。」

飛鷹神色轉冷，譏誚道：「你想去送死，我可不想陪你。既然道不同，你請下車吧！」

狄青轉望飛雪道：「飛雪，我們走。」他才要掙扎起身下車，不想飛雪回道：「你要走就走吧，但我不會走。」

狄青怔住，不待多說，飛鷹已大笑道：「狄青，就連飛雪都看穿了你虛偽的面目，不肯和你一起了。」飛雪神色依舊，並不多言。但誰都看得出，她話已出口，就難以改變。狄青神色有分焦急，勸道：「飛雪，你聽我一句，跟我走吧？」

飛雪仍舊沉默，飛鷹一旁冷淡道：「你連心愛的女人都無法保全，明知有救治心愛女人的機會也不去爭取，誰能放心和你在一起？」

狄青聽飛鷹屢次提及楊羽裳，心中憤怒，霍然瞪著飛鷹道：「郭遵山，這世上並非所有人都如你這般不擇手段，有些事情是有些人必須擔當的！」話音落地，空山幽寂，內中隱露蕭冷氣息。飛鷹聽到「郭遵山」三個字，不由得倒退半步，嘴角微跳，眼中滿是詫異驚奇，半晌才道：「你……你方才說什麼？」

狄青神色肅然，冷望著飛鷹的一雙眼，一字字道：「我說的是，你飛鷹不要遮遮掩掩，我已知道你就是郭遵山！郭遵山，你不要真以為沒有人知曉你的惡事，也不要真把自己標榜得至高無上。你區區一個叛逆的盜匪，無惡不作，難道會有人放心和你在一起？」

飛鷹目光銳利如針，陰冷地望著狄青，許久才笑笑，問道：「你怎麼知道我就是郭遵山？」他這麼一問，無形中就已承認了自己的身分。

郭遵山本是禁軍，後變成陝西叛匪，怎麼會化名飛鷹縱橫大漠？他所欲何為？

狄青譏誚道：「你和我第一次見面時，就故弄玄虛，說和我曾經見過，要為郭大哥報仇。你只以為我早就忘記了你，可是飛龍坳一戰，經歷過的人怎會忘記？當年飛龍坳一役後，你和王則、張海三人離奇失蹤，再也沒有下落。不過數年後，你們反拜彌勒教，在教內祕密修習五龍、滴淚等經，蠱惑人心……」

狄青一口氣說出這些，心中卻想起郭逵當年所言，「郭遵山和張海在陝西造反了，他們現在聲勢不小，已是朝廷的隱患。大哥得知郭邈山他們造反，立即請命前往陝西平叛。」

往事如煙，煙消雲散，故人已逝如流水，但事蹟如刻在心間……很多事他其實知道，但並不想說出。可這時候，他不得不說。飛鷹目光更冷，已緩緩地握緊了雙拳。

狄青似乎沒有見到飛鷹眼中的殺機，繼續道：「後來你們勢力漸大，公然糾結流民造反，郭遵郭大哥前往平叛，你郭邈山雖不差，可還是不敵郭大哥！後來叛軍被平，你狡猾多端，卻逃得了性命。」

飛鷹目光中含意萬千，終究只是長歎一口氣，說道：「你說得不錯，我是不敵郭遵，可惜他……已死了。」他提及郭遵，不再有傷懷感激，反倒有分釋然。

他說要為郭遵報仇，不過是想拉攏狄青，讓狄青以為是和他同仇敵愾。如今狄青既然揭穿了他的用意，他也不必再裝下去。

「郭大哥去了，可我狄青還在。」狄青凝聲道，「你們叛軍事敗，葉知秋捕頭全力通緝你等，你和王則、張海等人轉為暗處活動。你一直不肯揭開面罩，就怕我知道你是郭邈山，引起葉捕頭的留意，對你行事不利。你有野心，知香巴拉有神奇的力量，這才刻意前往香巴拉。可香巴拉在沙州敦煌左近，被元昊重兵把守，你不要說入內，就算接近都是不能。因此你收服了石砣，伺機對付元昊，你當然知道，要去香巴拉，必先除去元昊。你聯繫野利旺榮，騙我說要為郭大哥報仇，設計刺殺元昊，不過是方便你自己行事！但你沒有想到，元昊遠比你想的要強，竟能平定反叛，讓你無功而返。你口口聲聲說能去香巴拉，但元昊一天不死，你根本就無法接近香巴拉，你有什麼能力帶我前往？」

飛鷹靜靜地聽完，喃喃道：「狄青，我還是低估了你，沒想到你知道的遠比我想的要多得多。」

狄青目光滿是譏誚，嘲諷道：「我還知道更多的事情，你要不要聽聽？」

飛鷹目光一寒，陰沉道：「你還知道什麼？」

狄青冷漠道：「我還知道，你早就想殺我的。」

飛鷹滿是不屑，哈哈大笑道：「我要殺你，早就動手了，何必等到現在呢？」

狄青突然伸手入懷，掏出一面令牌，亮給飛鷹道：「你可認識這令牌嗎？」那令牌是黃銅所製，中間是銀白色，而銀白色中，又畫了三個小圓圈。

飛鷹目光微閃，故作漫不經心道：「這是什麼東西？」

狄青道：「這是彌勒教徒的令牌。我方才已說過，拜彌勒教的都祕密修習所謂的五龍、滴淚等經，而這塊令牌，就叫滴淚令！」

飛鷹攤攤手掌，若無其事道：「這和我有什麼關係呢？」

狄青又道：「當初我奉旨回京，途遇殿中丞包拯，他負責調查汾州任弁勾結彌勒教徒一事，卻被彌勒教徒追殺。我本擒住車管家等人，搜出這令牌，但有人突出，殺人滅口，還要刺殺於我。而在這之前，我的包袱曾被人翻動，我曾百思不得其解，不明白這般高手想從我的包裹中搜尋什麼，如今我終於想通，那人想從我的包裹中搜尋五龍！」

飛鷹雙眉一軒，只是冷哼一聲，並不多言。

狄青繼續道：「那人喬裝成客棧夥計，武功高明。我左思右想，覺得那人如果不是你郭遜山，多半就是張海、王則二人中的一個。你們圖謀我的五龍，將同伴殺人滅口，不用問，也是和香巴拉有關了。既然如此，你說這令牌是否和你有關呢？」

飛鷹眼珠轉轉，歎口氣道：「這或許是我的手下無心所為，我並不知情。」

狄青目光如針，釘在飛鷹的臉上道：「或許那次殺我和你無關。但我在承天寺失蹤，番僧遵喎厮囉之令，對此事祕而不宣，就算我的手下都不能找到我，你憑什麼從個雜役口中就得知我的下落？唯一的解釋就是，你當時就在承天寺內，而且就在殿內橫梁之上！那刺客陷害於我，和你又有沒有關係呢？」

飛鷹看了飛雪一眼，仰天打了個哈哈，握拳的手背上青筋暴起。

狄青長舒一口氣，最後下了個結論，說道：「因此我可以斷定，收買呷氈背叛唃廝囉的是你！炸毀承天祭臺的人也是你！在爆炸後，煙霧繚繞中，刺我一劍的，就是當初要殺我的那個夥計，從橫梁上躍下的刺客肯定也是你的手下，而救走那刺客的人，不用說了，就是你飛鷹——當年的禁軍、後來的陝西大盜郭邈山！」

狄青一口氣說出這些，微有氣喘。飛鷹默視狄青良久，這才拊掌讚歎道：「這些事情，若不是飛雪對你說過，只是你自己猜出，那你實在太聰明了。」

狄青冷冷道：「天網恢恢，疏而不漏。郭邈山，你騙得了我一時，騙不了我一世！」

飛鷹輕淡道：「你這個聰明人本不該在這時候揭穿我，你一定要說，其實不是說給我聽的……」斜睨了飛雪一眼，飛鷹淡淡道：「你揭穿我的底細，其實不過想讓飛雪明白我的面目，讓飛雪離開我罷了！」

狄青也不否認，轉視飛雪道：「不錯，我就是想告訴你，飛鷹並不是一個值得信任的人。」

飛鷹突然放聲大笑，笑聲激盪，滿是殺意。等笑聲止歇後，他才道：「可惜你一片心機用錯了地方，你根本不知道飛雪和我的關係，她怎能因為你的幾句話，就跟隨你離去？」

狄青只是望著飛雪，神色中滿是期冀。他正如飛鷹所言，不想飛雪再跟隨飛鷹，因此才揭穿了飛鷹的底細。但見飛鷹自信躊躇，一時間也無法確信飛雪如何選擇。

飛雪終於開口，言語淡淡如風，「那也說不定的。」

飛鷹一愕，訝聲道：「你莫要忘記你我的約定！」

飛雪向狄青望去，黑白分明的眼眸中又是霧氣朦朧，「狄青說出你的祕密，你定要殺他了？你若殺他，我就和他一塊逃。」

她說得矛盾，為何飛鷹殺狄青，她才要和狄青一起？難道說飛鷹不殺狄青，她還是要和飛鷹一路？狄青困惑，一時間捉摸不透飛雪的用意。

飛鷹神色一冷，眼中突有嫉妒之意。只是一擺手，不遠處的石後已走出兩人，一人斷了條手臂，臉上如火燒般，紅一塊黑一塊。另外一人是個跛子，走路時一肩高一肩低。

那兩人走到飛鷹身旁，並肩而站，顯然和飛鷹早就認識。

狄青望著那臉上如火燒的人，問道：「王則？」那人是飛鷹的手下，他當初在沙漠時，曾見過此人。那人滿是怨毒地望著狄青，咬牙道：「是！」

狄青緩緩道：「王則，你當初喬裝成客棧夥計刺殺我和包拯，後來在沙漠中，我總覺得你有些熟悉，可你對我故作不識，心機可謂深沉。不過你百密一疏，忘記了隱藏真實面目，你的面容太特殊了，我就是從你的這張臉追查到你是王則。既然知道你是王則，自然就想到飛鷹是郭邈山了。」轉望另外一個微跛的人，狄青道：「這位應該就是張海了？」

那人只是冷哼默然，並不多言。飛鷹心中微懍，不想狄青竟如此執著地挖出了他的底細。他在算計狄青，狄青也在留意著他！

王則恨恨道：「可再深沉也比不過你。狄青，斷臂之仇，今日你只有用命來還。」他這麼說，無疑因為他就是從殿頂飛下的刺客。

狄青面對三人，竟還是神色自若，「王則，你裝作和我合謀，刺傷氈虎，陷我於不義，所有的一切，不過是你咎由自取！」

飛鷹雙眉一揚，眼中殺機已現，「狄青，你是個聰明人，卻做了件不聰明的事情。你若不揭穿我的底細，我和你還有合作的可能。可到現在，你只有一條路可走！」

狄青笑笑，轉望飛雪道：「我既然只剩下一條路，你是否跟我一起走？」

飛雪一直悠遠淡漠地聽著，彷彿局外人一樣，聞言也笑了。她驀然一笑，如春暖花開，百花嬌豔。她只是平靜而又堅決地說道：「我和你一路！」

狄青精神一振，自忖方才的一番話終於有了作用。飛鷹已變了臉色，冷哼道：「狄青，你自尋死路……難道還要旁人陪葬嗎？」

「你錯了！」狄青微笑道，「死的不一定是我。」

飛鷹見狄青竟還能坦然自若，不由眼露狐疑之意。他知道狄青絕非虛張聲勢之輩，可這時候，狄青有什麼能力抵抗他們三人？他就是想不通，因此猶豫不決，王則已喝道：「狄青，你莫要大言不慚，今日只我一人，就能要了你的性命。」他才要上前，驀地止步，眼中已露出驚恐之意。

不知何時，狄青手中已握了一物，那物如小孩拳頭般大小，黝黑並不起眼。但這時狄青拿出那東西，豈能無因？

「不知道你們可認識這東西？」狄青淡淡道。

飛鷹望著那物，目光閃爍，良久才道：「霹靂？」

那兩個字如同響雷般炸在眾人的耳邊，王則雖恨狄青，聞言也忍不住倒退兩步，神色緊張。霹靂！狄青手上的東西竟是霹靂！狄青拿的竟是郭遵曾動用過的霹靂！當年三川口一戰，宋軍雖敗，但霹靂之威，亦讓夏軍鐵騎膽戰心驚！

飛鷹等人均知道當年一事，見狄青手握霹靂，不由得臉上變色。

狄青含笑道：「飛鷹，你果然有些眼力，這就是大內武經堂研製的霹靂！時隔多年，威力更勝當年。這枚霹靂的威力，你們要不要見識一下？」

飛鷹眼皮一跳，轉瞬冷笑道：「你早已手足無力，拋不出太遠。霹靂一出，你也難免死在霹靂之下。」

「是嗎？」狄青淡淡道，「我是不怕死的，你怕不怕？」

飛鷹心中微懍，知道狄青並非大話欺人。狄青有拚命的勇氣，可他飛鷹還有野心壯志，怎肯輕易就死？

張海本一直沉默，聞言低聲道：「飛鷹，他只有一枚霹靂，誘他擲出就好。」張海頗有計謀，當初在叛軍中任軍師一職，已看出狄青的弱點。

飛鷹點頭，自恃武功，才待飛撲過去，狄青已搶先喝道：「著！」他喝聲一出，已奮然站起，手臂一揮！飛鷹三人均是懍然，畏懼霹靂的威力，不敢直衝而上，閃身到了一旁。不想狄青手臂一震，袖口有匕首飛出，刺中駕車那牛的臀部之上。

那牛受痛，霍然驚走，沿著山嶺斜斜奔下。一路狂奔，借山勢而下，轉眼就已奔出數丈距離，將飛鷹等人拋開。飛鷹又驚又怒，不想狄青以進為退，竟要逃走。他身形一展，已衝到半空，就要追下山去。王則、張海二人亦是一樣的想法，緊跟飛鷹衝了過去。不想三人才一縱起，就有一物落在地上，轟的一聲炸響，震耳欲聾，碎石飛沙隨即飛起，中間還有鐵針射出。那爆炸地點正在飛鷹等人落腳之處，三人大驚，空中騰挪躲避，等落在地上時，雖未大傷，可也狼狽不堪。就這一會兒的工夫，牛車已奔出十數丈遠，順坡而馳，更見快捷。

飛鷹心想今日不殺狄青，日後他若報復，定為大患。驚牛失血，絕奔不了多久，只要一到山下，車速就會緩下來，我等只要跟隨其後，定能取他性命。一念及此，已帶王則二人奔下嶺來。他當初救狄青出密室，還想利用狄青，那時故意不扶狄青，就是想看看狄青還餘幾分實力。當初見狄青早就筋疲力盡，已放下戒心，只想帶狄青到這荒山野嶺後，任意擺弄，哪裡想到狄青亦用地勢，反逃出他的包圍，不由得心中大悔，恨當初為何不直接殺了狄青，帶走飛雪？他冒險潛入承天寺，其實更大的原因是因為飛雪！

這時紅日已破晨雲而出，殺氣卻冷了一山的蕭瑟。幾人一車追逐不多時，柴車順勢而下，已漸漸行遠。

飛鷹正自焦急，突聽砰的一聲大響，牛車遽然四分五裂，車上的狄青和飛雪在慣性之下，已跌了出去。原來驚牛狂奔，慌不擇路，竟撞上山腰的一塊大石。那一撞之力，重逾千斤，車轅不堪承受，立即折斷。狄青沒想到這種變化，只來得及一把抓住了飛雪。二人被慣性所帶，飛出車外，向山下滾去。

狄青滾得七葷八素，心中歉然。方才他若不是執意要帶走飛雪，飛雪亦不會遭此厄運。他是在救飛雪，還是在害飛雪？

思緒飛轉之際，天昏地暗。狄青只見一棵大樹倒旋，兜面撞來。狄青大叫聲中，已緊緊摟住了飛雪，護住了飛雪的周身。

砰的一聲大響，狄青背心重重撞在樹上，全身欲裂，可滾落之勢終於停頓下來。狄青顧不得自身，叫道：「飛雪，你沒事吧？」低頭望去，只見那秋波盈盈的眼眸中，帶著一分淚影……

飛雪凝望狄青，天翻地覆的驚變也不能改變她的平靜，可狄青的一聲問候，已讓她淚眼迷離。

狄青望著那若有情、似無意的眼眸，心中惘然，想起那汴京陋巷、斜梅清雪……

他已分辨不出，他救的是飛雪，還是羽裳……

可無論如何，他總要逃脫飛鷹的追殺，再說其他。狄青全身欲裂，扶著飛雪掙扎著站起，陡然間天昏地轉，噴了口鮮血，頹然倒下！

他這幾日內，先受重創，後忍饑挨餓，全憑無上的毅力和決心才堅持下來。剛才被大樹一撞，外創全裂，內傷盡發，饒是鐵打的身軀也無法撐住。

跌落塵埃之際，狄青下意識地鬆開了飛雪的手。

在思緒中，他覺得已連累飛雪太久，他不想再拖累飛雪一塊倒下。可在內心深處，他又是多麼不捨鬆開那執著的手掌？

當年他無法抓住，可多年過後，他已決意鬆手。

但他鬆開手掌，卻發覺是飛雪在拉著他。飛雪那纖弱的身軀也已搖搖欲墜，但那纖細冰冷的手掌卻牢牢地抓住狄青，不捨如雪戀東風。

二人再次滾倒，倒地剎那，狄青腦海中有電閃而過，承天寺的一幕終於出現在眼前……

當初他跌落密室之時，也已鬆開手掌，他本不想拖飛雪進入無盡的深淵。飛雪就如今日一樣，牢牢地抓住他的手掌，陪他死也好，活也罷，不離不棄。

飛雪為何這麼做？她真的淡漠生死？還是……

狄青惘然陣陣，摔倒在地後，再無力站起。

這時有呼喝聲傳來，「他們在這裡！」聲音中滿是喜意怨毒，狄青已聽出那是王則的聲音。狄青竭力逃奔，不想功虧一簣，終究還是要斃命在此。

狄青、飛雪滾下山來，飛鷹立即命王則、張海分頭搜進，王則最先發現狄青的行蹤，心中大喜。他恨狄青斬了他的手臂，幾步縱躍，已到了狄青近前，獰笑道：「狄青，你還是逃不出老子的手掌心！」

他刀已揚起，就要斬下……

狄青不望王則前來，無視刀鋒凄冷，只是望著那雙霧氣朦朧的淚眼，心如絞裂，嘶啞道：「飛雪，我對不起你……」那一刻，時光若轉，白影倏落，化作眼前那不捨如夢的臉。

那臉上已有七分塵土、三分憔悴；那雙眼，不再平靜如水，隱泛波瀾，藏著前世今生……

飛雪望著狄青，嘴角突然泛起一絲笑意，笑意化了雪，融了冰，亮了一冬的寒意，她無視劈落的單刀，已縱身擋在狄青身上，輕聲說道：「這樣也好！」

第十一章　贊　普

紅日高升，長刀已落。金黃的光線下，刀鋒上滿是肅殺之氣。單刀劃痕，帶出一抹冰冷的弧線，已堪堪斬到飛雪的脖頸。

狄青不想飛雪如此，大驚道：「不！」他怒吼聲中，奮力反身而上，擋在飛雪的身上。王則刀勢不停，不管這一刀砍的是飛雪還是狄青！就在這時，半空哧的一聲響，一物銳利如冰，已打到王則面前。王則大驚，顧不得再砍狄青，封刀急擋。

郭邈山、王則、張海三人當年均是禁軍，隸屬郭遵手下。這三人本來武技尋常，因遭奇事，武技上才突飛猛進。郭邈山得益最多，成為三人之首。王則武功雖稍遜郭邈山，卻也高明，遠非尋常盜匪可比。

那一物來得突然，但王則竟也擋得住。噹的一聲脆響，那物打在刀背上，激出一絲火光，斜飛出去，插在樹上，顫巍巍地抖動。

那是把飛刀。

是誰擲出的飛刀？

王則不待再望，就感覺頭頂寒風凜冽，有人從樹上飛落來襲。他縮頭急退，單刀反撩而上。只聽噹的又是一響，兩刀相撞，火花四耀。

火花閃爍間，王則斜插而上，直撲狄青。他已看清樹上那人身材單薄飄忽，有如蝙蝠，手持一把薄刃單刀。他不理偷襲那人是誰，只想先殺狄青，再論其他。

樹上躍下那人驀地出手攻擊王則，竟被王則擋開，大是詫異，卻已落到了王則身後。

王則判斷準確，眼看就要衝到狄青身前，不想人影一晃，一人已擋在了狄青的面前。王則怒極，一刀三斬，分襲來人的肩、胸、肋下三處。他虛晃一招，只等對方閃避，再施斃命一擊。不想那人根本無視刀鋒，就那麼直接地衝過來。

嚓的一聲響，單刀入肉，已砍在那人的手臂。不料那人手臂一轉，挾住了刀鋒，已和王則面面相對。

王則聽到鋼刀劃骨的咯咯響聲，也見到來人死灰般的一張臉，背脊發寒。他從未見過這般不要命的人物，也未經歷過如此窘境。不待反應，就感覺小腹一痛，一根銀絲已鑽入他的腹中，纏繞著他的腸子。王則撕心裂肺地痛，忍不住狂叫一聲，揮肘擊去。那人手腕一絞，倒翻而出，落地時，臉色更灰，可手中的銀絲之上，還勾著一截帶血的腸子。王則手捂小腹，踉蹌後退，眼中滿是難以置信的表情。

這時飛鷹、張海趕到，見狀大驚，扶住了王則，向狄青的方向望去，見到一道煙花沖天而起，閃耀半空。有兩人並肩而立，擋在狄青身前。

狄青見那兩人趕到，終於舒了一口氣，來人正是他手下的十士中人。面如死灰那人，就是死憤之士的領軍之人李丁；而從樹上躍下那人，正是寇兵之士的頭領張揚。

飛鷹心中微懍，不解狄青的手下為何能找到這裡。狄青似乎看出了飛鷹的困惑，緩慢道：「你肯定奇怪他們如何能找來？」

飛鷹忍不住問道：「他們怎麼知道你在這裡？」

狄青有些喘息道：「你若是想殺我，在承天寺內本是最好的機會。但你太過貪婪，總想著或許能利用我，因此將我帶到這裡。但我被困承天寺，我的兄弟恁久不聞我的消息，自然知道我出了事，怎會放棄尋找我？」

飛鷹冷冷道：「可那密室除了我之外，別人不可能找得到。」

狄青微笑道：「不錯，他們的確找不到，但肯定會守在承天寺外打探消息。你救我出來，只以為我無力逃走，並沒有留意到，我在出寺後，就留了信物在路上……」

「他們發現信物，就能追蹤前來？」飛鷹有些恍然，恨恨道，「所以你不怕和我翻臉？你就沒有想到過，他們可能不能及時趕到嗎？」

狄青一字一頓道：「我信他們！」

陽光灑落，落在狄青幾人的身上，暖暖得有如兄弟間信任的友情。李丁的肩頭還在流血，臉色更灰，腰板挺得更直。他素來作戰不要命，可就因為不要命，他才每次都能活下來。王則比他強，但已被他重創。張揚站在那裡，還是輕飄飄的沒有分量般，但臉上的決絕之意，比山還要重。誰都看得出來，為了狄青，他不惜拚命。飛鷹傲視天下，橫行大漠，素來不把旁人看在眼中。此刻狄青無能站起，李丁受傷，張揚瘦小枯乾，他本不放在心上，但見這三人神色堅定，一時間竟不能上前。

半晌後，飛鷹這才冷笑道：「狄青，他們就算找來又能如何？就憑這兩人，你以為就能擋住我殺你？」

狄青咬牙站起，和李丁、張揚並肩而立，緩緩道：「不是兩人，是三人！」

飛鷹向張海使了個眼色，示意張海牽扯住李丁、張揚二人，他全力來搏殺狄青。見張海點頭，飛鷹身軀微躬，殺氣盡出，不等舉動，陡然向西北角望去。一人腳步輕若狸貓般行來，已離眾人不遠，見飛鷹看來，說道：「不是三人，是四人！」

那人背負長劍，身形如劍，轉瞬已立在狄青的身邊，正是戈兵！

飛鷹微懍，不想狄青的幫手來得如此之快，暗自皺眉。突聞身後不遠處有些動靜，扭頭望去，見到一塊大石上不知何時站了一人，雙手籠袖，怒目瞪著他道：「不是四人，而是五人！」

那人正是暴戰，亦是勇力之士的頭領。

暴戰聲音才落，一人又笑道：「不是五個，而是六人。」一人從暴戰站立的大石後閃身而出，面帶笑容，卻是韓笑。

飛鷹眼皮一跳，不想狄青轉眼間就多了五個幫手，這五人看來均非等閒，更要命的是為了狄青不惜捨命，他要再取狄青的性命絕非易事。

韓笑不理飛鷹，遠遠向狄青抱拳道：「狄將軍，死憤、陷陣、勇力、寇兵、待命五部其餘人手即刻就到，請將軍指示。」

飛鷹眼珠一轉，傲然笑道：「你莫要大言欺人、虛張聲勢。我想……你們再不會有人趕來了。」他知道又中了狄青的詭計，原來狄青方才向他解釋，不過是拖延時間，等人到齊而已。飛鷹盤算這五人的實力，感覺這韓笑最弱，眼下狄青根本不能出手，他和張海聯手，只要能斃了李丁四人，就能殺了狄青。他和狄青已撕破臉皮，更忌憚狄青報復，有這機會，當然不肯輕易放過。

韓笑微微一笑，邁出兩步，從懷中掏出個竹筒道：「就我們五個，要殺你已不是難事……」

飛鷹嘿然冷笑，心中困惑。他雖狂傲，卻更多疑，本有些輕視韓笑，可見韓笑胸有成竹的樣子，反倒一時間拿不定主意是否立即動手。韓笑臉上的笑容更濃，一揚手上的竹筒道：「飛鷹，你可知道我手上拿的是什麼？」

飛鷹望著那竹筒，狐疑道：「不過是個竹筒罷了。」

韓笑微微一笑，傲然道：「霹靂千里，天搖地動。暴雨無蹤，鬼神皆驚！不知這兩句話你可曾聽過？」

飛鷹見韓笑面對他竟然還坦然自若，心中越發地謹慎，皺眉道：「這是什麼屁話，我沒有聽過。」

韓笑道：「不是屁話，而是實話。這兩句話說的是宋廷大內武經堂所製的兩種利器——霹靂和暴雨！霹靂的威力，想必你已知道，不過暴雨到底有什麼用，我想你很快就能知道了。」

飛鷹想起霹靂的威力，早就心驚，望著那竹筒，遲疑道：「你手中就是暴雨？」

韓笑點頭道：「不錯，這裡面裝了九九八十一枚銀針，只要一按機關，就能如暴雨般射出。不過這針和雨不同，雨過無痕，這針不但可以留痕，還能打入肉內，釘到骨頭裡面，暴雨一出，方圓數丈的人畜一個都躲不開，你信不信？」

飛鷹嘴角抽搐，見那筒口朝向自己，又見韓笑拇指微屈，像要按下去的樣子，不由倒退了一步。張海見狀，也跟著退了一步，臉現懼意。

韓笑還是笑容滿面，盯著飛鷹道：「方才我本可趁你不備使用暴雨，但我們是狄將軍的手下，不屑暗箭傷人！飛鷹，今日我就和你獨戰，你若能避開暴雨，我這條命，就送給你！」他說罷上前一步，單手平舉竹筒，喝道：「來吧！」

飛鷹又退後一步，見李丁等人均不出手，似乎對韓笑極為放心，心中更是忐忑。見韓笑笑容不減，隱泛殺機，思緒飛轉，忖度雙方的形勢，終究不想冒險，身形一轉，又離開韓笑數丈，這才喝道：「狄青的手下堂堂正正，我飛鷹也不會暗箭傷人。狄青，我等你傷好，再與你一戰。」說罷和張海帶著王則大踏步地離去，轉過山腳，消失不見。

李丁等人見飛鷹離去後，紛紛聚到狄青身畔，關切道：「狄將軍，你怎麼樣了？」

韓笑見狄青、飛雪嘴唇乾裂，早就遞水糧過來。狄青、飛雪飲過水後，吃了點兒乾糧，精力稍復。韓笑認出飛雪是在承天祭的那女子，很是詫異，但不便多問什麼。

戈兵一旁道：「狄將軍，究竟怎麼回事？飛鷹為何要追殺你呢？」

狄青看了飛雪一眼，見她默默地坐在樹下，也不知道想著什麼，將事情大略說了一遍。眾人均怒，戈兵一旁憤然道：「這等叛逆之徒，狄將軍為何不讓我等聚而殲之？」原來方才狄青雖未多說，但一直打手勢讓眾人莫要輕舉妄動，戈兵等人這才沒有出手。

韓笑的笑容有些苦澀，「戈兵，你不知道，郭邈山早就今非昔比，再加上個張海，非同小可。狄將軍不讓我們動手，是怕我們擋不住。」

李丁和寇兵互望一眼，都面露慎重之色。適才二人聯手突襲，才能重創了王則，但知道若真要面對面交手，不見得能奈何王則。郭邈山是叛逆的領軍之人，武功自高，再加上個張海，若是出手，眾人不見得真能救得了狄青。

戈兵皺眉道：「加上暴雨也不行嗎？」

韓笑還拿著那個竹筒，聞言丟到一旁，苦笑道：「哪有什麼暴雨？若真那麼厲害，我早就用了。這只是我隨手撿到的竹筒，你們不會真以為我有那麼正氣吧？」

眾人一怔，這才明白韓笑是虛張聲勢，暗叫好險。暴戰一旁擔憂道：「沒有暴雨，那狄將軍就有危險，我們眼下怎麼辦？要不要趕緊躲一躲？」

韓笑沉吟道：「飛鷹不知虛實，若暗中留意我們，見我們行色匆匆，只怕會有疑心。既然如此，兵不厭詐，我們暫時就在這裡休息，讓狄將軍恢復些體力再說，飛鷹見我等有恃無恐的樣子，必定不敢再來。我已傳下消息，我們聚在青唐左近的十士，很快就能前來，只要他們趕來，就不怕飛鷹生事，到時候再轉移地方也不算遲。」

眾人紛紛點頭，覺得可行。狄青也同意韓笑的建議，突然想起一事，問道：「現在富大人如何了？」

韓笑幾人面面相覷，戈兵喏喏道：「狄將軍，你先休息吧，其餘的事情以後再說。」

狄青心頭一沉，凝望韓笑道：「你現在就說！」

韓笑側望飛雪一眼，見飛雪神色淡漠，一時間也搞不懂她和狄青的關係，壓低聲音道：「在吐蕃人眼中，毀承天祭乃十惡不赦之罪。狄將軍和這位姑娘參與其中，引藏人憤怒，認為是我朝對他們不敬。唃廝囉下令將富弼關押在牢，聽說已修書質問我朝……」見狄青沉默，韓笑安慰道：「狄將軍不用著急，富大人暫時不會有事，你先安心養傷再談其他。」

狄青心中擔憂，仰望青天，忍不住想到，當初郭遜山也不過是泛泛之輩，為何能有今日的能耐？郭遜山刻意破壞承天祭，究竟用意何來？他想向唃廝囉借什麼東西？他和飛雪……究竟有什麼瓜葛？想到這裡，狄青向飛雪望去，見到飛雪也正望來，心頭一顫。

飛雪喝了水，吃了些乾糧，精神已好轉很多。她雖看似纖弱，卻如堅韌的竹子，恢復的速度遠比常人要快，見狄青望來，飛雪起身走過來道：「我要走了。」

狄青微震，失聲道：「你去哪裡？」

飛雪凝望著狄青，雙眸中又是迷霧重重，良久，她才道：「你我本不是一路人。你要去的地方，和我去的地方，並不相同。」她轉身要走，狄青突然叫道：「飛雪……」

飛雪身形凝住，並不轉身，平靜道：「你雖救了我幾次，但我也救過你。你我從此各不相欠了，我不會感謝你。」

狄青望著那瘦弱的背影，一字字道：「但我會感激你！你本已決意和我一路，這會兒為何要走？」這時冬日高升，照在飛雪的身上，拖出個長長的影子。有風起，衣袂飄揚，狄青見不到飛雪的臉色，捉摸不透飛雪的心思，緊張地等待飛雪的答案。他既然知道飛雪是破解香巴拉的關鍵人物，當然希望她留下來。可他不想飛雪就這麼離去，也是擔憂飛雪才從密室逃脫，身子虛弱，難耐藏邊的苦寒。許久，飛雪才道：「有些人可以和你一起死，但不能陪你一路走！」狄青心亂如麻，根本不懂飛雪的心思，他也從未懂過。

「你想留下我，是想讓我帶你去香巴拉嗎？」飛雪突然問道。

狄青一顆心提了起來，顫聲道：「是！」

飛雪道：「但我不會帶你去。」狄青一怔，滿是失落，忍不住道：「為什麼？」飛雪望著遠方，半晌才道：「不為什麼。」她言罷，舉步向遠方行去，走得雖慢，但其意堅決。

韓笑等人見狀，均要阻攔，狄青卻是擺擺手，示意手下莫要阻攔，揚聲道：「飛鷹可能還在左近，你自己小心。」飛雪頓了下，終於沒有回話，不多時已去得遠了。

狄青一直望著飛雪的背影，只見那纖弱的身形終於融入廣袤的天地間，若有悵然。飛雪雖不帶他前往香巴拉，但他心中並沒有絲毫怨懟。在他的心中，總覺得飛雪行事，自有道理，雖讓人難以揣摩，但對他總是沒有惡意。正沉吟間，又有十士人手陸續趕到。這次狄青和富弼祕密出使吐蕃，表面上雖只是幾人，可早命十士中的精英強將暗中配合。來的雖不過十數人，均是武技高強，眾人聲勢大壯，再無畏懼。

狄青休息了一天兩夜，雖傷勢未好，但精力已恢復了五成。到天明時分，想富弼還在牢獄，再也等不及，當下找韓笑等人前來道：「我必須先救出富大人。」

韓笑等人面面相覷，戈兵開口道：「狄將軍，富大人被囚在青唐城的王宮內，那裡戒備森嚴，我等不易接近，根本不知道眼下情況如何，以我們目前的人手，要救富大人很不容易。」

李丁等人都是深以為然，憂心忡忡。狄青笑笑，遠望蒼天白雲，終於下定決心道：「我準備去見唃廝囉，求他放了富大人。」

眾人一驚，韓笑的笑容都有些勉強，說道：「狄將軍，我們破壞了承天祭，在藏人心目中，實在是十惡不赦。你又傷了氈虎，和吐蕃人積怨已深，此時去見唃廝囉，他怎麼會放過你？這件事，需要從長計議！」

暴戰、張揚均是勸道：「韓笑說的極是。狄將軍，你身負抗擊元昊的重任，眼下傷勢未癒，絕不能再以身犯險。」

狄青見眾人神色迫切，半晌才望向李丁道：「李丁，你的傷勢可好了？」見李丁點點頭，狄青又問：「當初王則來殺我，你為何寧可負傷，也不退避呢？」

李丁素來沉默寡言，不像韓笑、戈兵二人和狄青親近，聞言咧咧嘴道：「我沒有把握攔住他！」他不再多說，可眾人都知道，李丁不閃，是怕王則傷了狄青。十士中人，表面上和狄青或近或疏，但均是慷慨激昂的俠士，知道狄青的重要，個個不惜捨命來救狄青！

狄青神色感慨，環望眾人道：「我知道，你們為了我，不會退，你們的情誼，我狄青銘感在心。同理而言，有些事情根本沒有選擇，也無從退讓。毀承天祭一事本因我而起，牽扯到我朝與吐蕃的和睦，必須由我去解決。我雖有過錯，但是無心之過，我想誠心去道歉，唃廝囉衡量輕重，應該不會為難我們。這個結，愈早解開愈好，再拖延的話，不但富大人有危險，還可能危害大宋和吐蕃的交往，既然如此，我今日就一定要見唃廝囉！」

眾人見狄青意志甚堅，知道不能再勸，紛紛道：「那我等跟隨狄將軍去見唃廝囉！」

狄青搖搖頭道：「我們不是去交手，用不了這麼多人。這樣吧，戈兵，你帶人手護送我喬裝進城。韓笑，你跟我一起去見唃廝囉，這樣可好？」

韓笑微微一笑道：「屬下遵命。」

眾人知韓笑雖不會武功，可為人精明，見他這時敢陪狄青同行，都是心下欽佩。當下眾人略作收拾，前往王宮。此刻正值午時，贊普王宮高牆聳立，朱門如血。陽光高照在宮殿的琉璃金頂上，映得整個王宮金碧輝煌、肅穆威嚴。接近王宮時，戈兵、李丁等人在遠處候著，狄青和韓笑逕自行到宮前。見狄青、韓笑靠近，早有兵士上前喝問道：「什麼人？」

狄青抱拳施禮，沉聲道：「大宋涇原路副都部署狄青，請見贊普！」

那兵士聽聞狄青的名字，吃了一驚，不由得退後兩步，拔刀而出。宮前眾兵士見狀，紛紛持兵刃上前，將狄青、韓笑二人團團圍住。

狄青神色不變，仍舊抱拳施禮道：「狄青請見贊普，煩勞通稟！」

眾兵士互望一眼，神色驚疑不定。半晌的工夫，才有一領隊之人道：「你們看著狄青，我去向贊普稟告。」說罷急急向宮內奔去。

只聽一聲磬響，隨即有號角長鳴，遠遠傳開。

等了許久，方才那領隊之人才快步回轉，喝道：「贊普有令，讓狄青入內晉見。」

狄青邁步前行，韓笑才待跟隨，那人喝道：「贊普只讓狄青一人入宮。」韓笑一怔，心中焦急，暗想狄青傷勢未癒，就這麼進入王宮，若吐蕃人翻臉，哪有活著出來的希望？狄青轉念間，卻想吐蕃人若真翻臉，加上個韓笑也沒用，遂向韓笑道：「那你就不用跟來了。」說罷逕自跟隨領隊向宮內行去。

韓笑無計可施，只得回返去見戈兵等人。眾人聽韓笑所言，均是心焦，有力無處使，只能焦灼地在宮外等待。

贊普王宮，巍峨磅礴中見細微曲徑，若沒有人帶路，入內之人多會迷失其中。宮內梵音陣陣，檀香渺渺，讓人聞了，為之精神舒暢。藏邊雖是苦寒之地，但宮內植被繁多，青蔥脆綠，滿是勃勃生機。時不時有鐘磬之聲傳來，如天籟清音，發人警醒。宮牆厚重，每道宮門均是圓拱之形，一入其中，只感覺四處高大巍峨的宮殿氣勢逼人，壓迫人身心收斂，心存敬意。狄青不知過了多少宮闈，換了多少領路之人，這才到了一座宮殿前。這時冬日正懸，天空澄藍，那宮殿金頂紅牆，在黃澄澄的陽光映照下，散發著瑰麗而又柔和的光芒。

像夢境，像仙境……既宏大，又壯麗！

一道白玉階直鋪向殿中，玉階盡處，有高臺玉座，一人端坐其上，衣著莊嚴，頭戴金冠。狄青遠遠望見，看不清那人的面容，但已知道，除了唃廝囉，宮中不會再有第二人有這般威嚴肅穆。

領路的喇嘛也不多話，伸手向前方一指，雙手結印，緩緩地退後。狄青心中詫異，不想這樣就能見到唃廝囉。高大威嚴的宮殿中，只有唃廝囉一人。難道說唃廝囉竟有無上神通，對狄青絲毫不屑？還是唃廝囉早就知道，狄青根本無動手之能，這才放下戒心？抑或是，這看似高貴華麗的白玉階臺上，有如承天寺一般的機關密室，讓人一足踏上，永劫不復？

狄青心思念轉，終於踏上白玉階，走入了宮殿。他別無選擇。

無陷阱、無機關、無險惡，狄青就那麼地走近唃廝囉面前不遠。

狄青止步，深施一禮道：「贊普，大宋涇原路副都部署狄青前來請罪。」

唃廝囉人在高臺，凝望狄青，依舊是霧氣朦朧的臉，依舊是洞徹世情、銳利無雙的一雙眼……

不知多久，唃廝囉才開口道：「飛雪呢？」

狄青一怔，不想唃廝囉一開口就會問飛雪，猶豫片刻才道：「她走了。」

唃廝囉淡淡道：「狄青，你可知飛雪為何不敢和你一起前來呢？」

狄青不解唃廝囉為何會有這麼一問。前來王宮之前，他想到了千般解釋，但只是這麼一問，他就已不知如何回答。他根本對飛雪一無所知！

「我不知道。」狄青艱難道。他知道現在的每句話，都關係到邊陲安寧，不敢怠慢。

唃廝囉銳利無雙的眼中突然閃過絲光輝，「狄青，你可知道承天祭為了什麼？」

狄青想了許久，才回道：「想贊普為民祈福，這才以血祭天？」他忍不住抬頭向唃廝囉望去，雖望不清唃廝囉的臉，但已望見那眼中的譏誚，猶豫片刻又道：「具體如何，在下實不知情。」

唃廝囉好似笑了，但又無聲息，半晌後才道：「狄青，你可知道，飛雪為何要赴死？」

狄青只能搖頭道：「我不知道。」

唃廝囉聲音突轉森然，凝聲道：「你這也不知道，那也不知道，但卻在承天祭之上，貿然出現，阻飛雪自盡，擋我祭天，傷我手下，勾結飛鷹，毀我寺廟，壞我威信？」

大殿瞬間清冷，就算冬日暖陽，都無法照入殿中，化解唃廝囉語氣中的冰森之意。

狄青默然半晌，開口道：「在下知錯。但請贊普寬恕，只因在下本無心之過。飛雪是我的朋友，屢次救我性命，我驀然見她自盡，情不自禁，這才出手阻攔。事後的一切，雖因我而起，但應是飛鷹蓄意所為，在下對天立誓，絕無半分破壞承天祭之心！」

「情不自禁？」唃廝囉喃喃自語，突然問道，「那你是否知道，飛鷹這次毀壞承天祭，是和飛雪合謀發動的？」

那聲音如雷霆般在狄青耳邊轟響。是飛雪和飛鷹合謀破壞了承天祭！

狄青一驚，失聲道：「這……這怎麼可能？」他心緒煩亂，真的沒想到飛雪竟然也和爆炸有關。可轉念一想，飛雪、飛鷹本是認識的……飛鷹來到藏邊，飛雪接踵而至。難道說，這二人來藏邊本是同一目的？

驀地想到密室中曾聽飛雪說過，「這件事……本來就是因我而起。」當初狄青聽到這句話的時候，並沒有多想，可如今回憶起來，才發現飛雪的言語中大有深意！

唃廝囉目光銳利，盯著狄青道：「飛鷹一直向我索取入香巴拉的關鍵一物，但被我拒絕。他並不死心，這才利用飛雪騙我。飛雪前來找我，說甘心自盡為我祭天，我信了她，她卻早就想在祭臺爆炸時竊取入香巴拉之物！」

狄青臉色發青，半晌才道：「飛雪她……」他真的想為飛雪辯解兩句，但他能說什麼？他也不知道唃廝囉為何要對他說這些。良久，他才問道：「你為何信她？」

唃廝囉緩緩道：「因為這世上，恐怕只有她才能幫我了。」

「她能幫你什麼？」狄青皺眉問道。

唃廝囉臉上霧氣好像突然散了去，露出了一張極平常的臉，可轉瞬之間，那張臉又是朦朦朧朧。在那電閃之間，狄青留意到唃廝囉的表情很是唏噓，就聽唃廝囉道：「她能幫我找到一個人！」

狄青大是奇怪，怎麼也不能把承天祭和找人聯繫在一起。見唃廝囉不再說下去，狄青只能問：「飛鷹要求的那物是什麼？」

唃廝囉道：「就是祭天的法器！」

狄青一懍，想到了那四個番僧抬的那個箱子模樣的東西，也明白了飛雪為何要參與進來。承天祭雖說不禁各國人前來朝拜，但沒有誰能不經佛子允許，擅自上臺。飛雪以獻祭為名接近唃廝囉，無非是想趁亂拿取祭天的法器。但那法器那麼重，飛雪怎能取走？

唃廝囉似乎已看出狄青的疑惑，接著說道：「法器雖重，但他們只需取走上面的一物即可，我無法使用法器，他們就可以和我再談條件！」

狄青心中一沉，覺得唃廝囉說的很有道理，這麼說……不待多想，就聽唃廝囉道：「結果你貿然衝上來，看似救了飛雪，實則破壞了他們的計畫。飛雪不會感謝你！」

狄青心中滿是苦意，想起飛雪臨別時，的確說不會感謝他，原來飛雪竟是這個意思。這本是一個局，他看似救了飛雪，卻害了飛雪；他出使吐蕃，卻得罪了唃廝囉。他歷盡艱辛，死裡逃生，卻發現做的所有的一切，根本沒有任何意義！

高臺上的喚廝囉已問道：「狄青，我現在只想問你一句。如果有機會再重來一次，你知道所有的一切，還會上祭臺救飛雪嗎？」

話已落地，心卻懸起。

狄青聽到喚廝囉這麼一問，愣在那裡。如果再重來一次的話，他是否會選擇出手？他是否會不顧一切地出手，得罪佛子、得罪吐蕃人、得罪飛鷹，破壞飛雪的計畫，做件毫無意義的事？這本是不用選擇的一句話！喚廝囉為何要這麼問？

往事如霧，一幕一幕……

不知為何，狄青想起了密室的幾日，心中沒有後悔，沒有遺憾，甚至沒有痛恨和埋怨，他只是望著喚廝囉，平靜地說道：「我會出手！」

第十二章　多　磨

唃廝囉人在高臺之上，本是智珠在握的樣子，聽狄青這般說，也不由微怔，轉瞬問道：「你可知道你在說什麼？」

狄青昂首挺胸，望著唃廝囉道：「贊普，狄某本出身行伍，少讀書，很多事情是不懂的。我不知道承天祭的意義何在，但我想祭天貴在心誠。若不誠心誠意，蒼天恐怕也不會感到你的真心。飛雪並非真心獻祭，於事無補，我若知道，定當出手阻攔她。在下雖冒犯了神靈，但屬無心之過，蒼天浩瀚，神靈有容，絕不會因此小事而執著怪罪我等！」

唃廝囉眼中閃過分笑意，淡淡道：「你這麼說，是不是暗示我，我若再怪罪你，就是胸襟不夠了？」

狄青忙道：「狄青不敢。」

唃廝囉似有感慨，輕聲道：「你說的其實很有道理。有些時候，聰明人之間，不用多說什麼。但這世上，聰明人並不多的。你們的莊子都說過，『入其俗，從其令。』也就是常說的入鄉隨俗，有些規矩，你就算知道不妥，卻也無法改變。你就算明知不對，可也一定要給所有人一個交代！」

狄青不想唃廝囉雖在藏邊，卻很是博學。唃廝囉知道莊子說的話，狄青可不甚了然。但他知道唃廝囉的言下之意還是暗示他破壞了規矩，就要受到懲罰，唃廝囉雖在藏邊稱王，但一樣要遵循規矩，不然何以服眾？狄青想到這裡，說道：「贊普，狄青有錯，甘願受罰！」

唃廝囉凝望狄青許久，似在沉思，又像是出神，許久後，突然道：「我給你講個故事如何？」

狄青大是困惑，不懂唃廝囉的用意。實際上自從他入宮後，就從未猜中唃廝囉的心思。本來按照狄青所想，他過錯多多，此番入宮請罪，喚廝囉、善無畏等人定會嚴加懲罰，就算劍拔弩張、諸多為難，甚至不能見到喚廝囉都是情理之中。但他偏偏輕易就見到了喚廝囉，偏偏喚廝囉好像沒有什麼責怪之意。喚廝囉問飛雪，解釋飛鷹的陰謀，和他談莊子，談的事情件件讓他出乎意料。這時喚廝囉又要向他講故事？喚廝囉到底想做什麼？

狄青心中困惑，但想著聽故事總比挨鞭子要強，微笑道：「那在下洗耳恭聽。」

喚廝囉目光掠遠，望向了蔚藍的天空，若有所思道：「很久……很久以前，那時候……你我還沒有在這個世上的時候，有一對情侶因為不得已的原因，被迫分開，從此後人海茫茫，天闊地遠，再也不能相見。」

狄青大是詫異，搞不懂這個故事用意何在，忍不住聯想到自己和羽裳的處境，不由惆悵。喚廝囉續道：「那……女子吧……可以認為是女子吧……她一心想要找到心愛之人，因此歷盡艱辛，數十年如一日地找尋伴侶。他們之間雖沒有約定，但她知道，伴侶肯定也不會放棄尋找她！」

狄青甚是奇怪，不明白喚廝囉說的「可以認為是女子吧」是什麼意思。男就是男，女就是女，喚廝囉為何不能肯定？但他好奇心起，靜等喚廝囉的下文。

喚廝囉接著道：「那女子找了許多年，卻全然得不到伴侶的下落，不由大失所望。她不良於行，只能託旁人去尋覓，後來她遇到一人，那人叫做段思平。那女子許以重利，助他立國，請他幫忙尋找伴侶……」

狄青聽到這裡，很是驚奇，暗想這女子恁地有這般神通，可以幫助旁人興國？這女子若真有這種能耐，肯定天下聞名，她的伴侶若不是死了，怎麼會尋找不到她呢？段思平？狄青總覺得這名字有些耳熟。

聽喚廝囉又道：「段思平答應了那女子，只要那女子能幫他立國，他就定能找到女子的心愛之人。可直到段思平死去時，還沒有完成女子的心願。」

狄青心頭莫名一酸，不由想起他和羽裳今生今世，能不能再見一面呢？

久久不聞喲廝囉再說下去，狄青忍不住問道：「贊普，後來如何呢？」

喲廝囉沉默半晌才道：「然後那女子……就一直在等，而段思平終究沒有實現承諾，因違背盟誓，不得善終。而他親手打下的王國，雖還存於世上，但不得血脈傳承，反被兄弟篡位，直到如今。」

狄青腦海中有電閃而過，突然記起段思平是誰！心中滿是驚奇，狄青訝然道：「贊普，你說的段思平，難道是大理的開國之君？」

如今天下分契丹、宋、夏、吐蕃、大理數國。大理國地處偏疆，一直與世無爭，可說是五國之中紛爭最少的國度。大理立國，尚比宋朝趙匡胤稱帝早了二十多年，而大理的開國之君，就是龍馬神槍段思平！段思平身為開國之君，又因大理尚佛，身負的傳奇故事，甚至比趙匡胤還多。大宋太祖趙匡胤和兄弟憑雙棍四拳打下宋朝四百軍州，而傳說中段思平則是得天賜神槍龍馬，縱橫南詔，所向披靡，打下大理疆土。

當年趙匡胤睥睨天下，南征北戰，滅後蜀後，宋大將王全斌曾請求進攻大理，幫趙匡胤平定南疆。那時段思平已過世，但餘威尚在，聽說趙匡胤知道手下大將請命後，一是因正在對付北方契丹，二是因擔憂大理段氏的強悍、南詔蠻夷的麻煩，因此拿玉斧在天下疆土的地圖上，沿大渡河畫了一線，說什麼，「此外非吾有。」而趙匡胤給群臣不攻大理的解釋是，「德化所及，蠻夷自服！」

自此後宋朝謹守祖宗家法，大理、宋朝互不相犯，維繫多年的和平。而大理開國之君段思平，更是因宋太祖揮玉斧一事被中原人知曉。

狄青雖少讀書，但也知道段思平，可他怎麼也想不到喲廝囉說的故事竟和段思平有關！轉念又想，聽說段思平死後，本傳位給兒子段思英，不過段思英屁股還沒有坐熱，就被叔叔段思良逼得退位為僧。剛才喲廝囉說，「段思平違背盟誓，不得善終，王國雖存於世上，但不得血脈傳承。」多半就是說這件事了。

喲廝囉聽狄青這般詢問，望著狄青的眼神突然很有些古怪，像是詫異驚奇，又像是遺憾悵然。

狄青見喚廝囉如此，困惑道：「贊普，我可是問錯了？」

喚廝囉沉默片刻，搖頭道：「你沒有問錯，多半是我……想錯了。你說的對，我說的故事中的段思平，就是大理的開國之君。」

狄青大惑不解，不明白喚廝囉前面半句話是什麼意思。見喚廝囉並不解釋，只好問道：「贊普，恕在下駑鈍，你突然提及段思平的往事……究竟……」他欲言又止，言下之意就是，這和我有什麼干係呢？

喚廝囉微微一笑，「很多事情看起來並不相干……但你以後仔細再想想，就知道有沒有關係了。」他著重說到「仔細」二字，手一揮，有道白光從手上放出，說道：「這本書，你可看看。」話音未落，那道白光已到了狄青的面前。

狄青目光敏銳，發現那道白光是冊薄薄的書。

手腕一翻，狄青輕易地接住了那冊書，觸手微涼，這才發覺那本書冊竟是用白金所製。而那書冊的封面上，用黃金鑲嵌了四個大字——金書血盟！那四個字的旁邊，又有幾個小字，寫的是，「通海節度使段思平親立」。狄青見那書是由一頁頁薄薄的白金裝訂，用黃金鑲字，一本書可說是價值連城。突然想到當年郭遵曾給了他一封信，信上寫的是，「要去香巴拉，必尋迭瑪！」那封信亦是白金為底，黃金嵌字，不由錯愕，暗想郭遵的那封信，難道是從吐蕃送來的？抑或是，從大理而來？顧不得再想，狄青已翻開書頁，見書頁第一頁的內容，陡然一震，臉色青白，幾乎將那書丟在了地上。第一頁書頁沒有文字，只是畫了一尊佛像……佛像細腰婀娜、瓔珞莊嚴，只是臉部一片空白。這佛像，狄青見過的！書上畫的竟是無面佛像！這佛像，狄青曾在真宗玄宮見過，在夢中見過，不想今日又能得見。難道說，這無面佛像，真的有什麼來源，不然何以大宋真宗和大理王段思平都有記載？狄青心中一陣惘然，忍不住向喚廝囉望去。喚廝囉只是道：「你先看下去吧！」

狄青捧書的手都有些顫抖，翻到第二頁，見上面仍繪製一幅圖像。那圖像畫了兩人對立，一人是那無面佛像，另外一人是個將軍模樣的人。那將軍單膝跪地，對那佛像神色甚恭。這兩人之間，放著個玉盤，玉盤上有殷紅的一灘血跡。那將軍伸出左手，食指滴血，嘴唇塗紅。

書頁上雖只是一幅圖畫，但栩栩如生。狄青顧不得去想白金底面上如何能做出這種生動的圖來，只是想，按照喃廝囉所言，段思平曾向那女子立下承諾，這本書如果是段思平親自所做，這應是一幅定盟的圖示。

古人歃血為盟，以滴血抹唇代表信守諾言、真心不二之意。不過段思平應該是向那女子立誓，怎麼變成對個無面佛像歃血為盟呢？難道說，喃廝囉說的那女子就是這無面佛像？心帶疑惑，見那幅圖下面有一行小字——歃血為誓，對天起盟。若有異心，江山成空！

狄青皺了下眉頭，又翻過一頁，見上面密密麻麻地寫著幾行字，「余本南詔之臣，官拜通海節度使，得國主器重，心懷感恩。然則奸臣當道，先有鄭買嗣為亂，後有趙善政不忠，再加楊干貞為禍，紛亂頻頻，民不聊生。余有志救民於亂世，今餘歃血為盟，若能成事，定遵承諾，永不背盟！」

喃廝囉似乎知道狄青對往事並不知曉，解釋道：「南詔本唐時之國，控雲南周邊之地，由蒙氏當權統領各族。段氏一直都是南詔重臣，後來南詔衰落，有鄭買嗣滅蒙氏皇族八百餘口，自立為王，稱為大長和國。趙善政本大長和國清平官，也就相當於現在宋朝的宰相，夥同東川節度使楊干貞殺了鄭氏家族，又立大天興國。不過後來楊干貞又廢趙善政，自立為帝。段思平是逼死了楊干貞後建立的大理。」

喃廝囉寥寥數語，已勾勒出南詔的興衰起伏。

狄青望著那金書，彷彿見到殺戮血氣蔓延，兵戈烽煙彌漫。他又翻了一頁，見那頁寫道「興聖元年，得天助神力，不可思議。」

這頁不過簡簡單單的幾個字，狄青見了心中一動。又翻了一頁，見上面寫道：「興聖二年，得神槍龍馬，人心歸順……神女果不欺余。」

狄青不知道神槍龍馬到底有何神奇，但想段思平要著重記上一筆，肯定有奇異之處。而書中記載的神女，應該就是唃廝囉所說的那個女人。

神女？這女人究竟有何神力？

狄青已覺得書中記載和自身會有關係，不由怦然心動，繼續翻下去，發現書中多記載段思平的片段神奇往事。

從書中記載來看，自從段思平對那無面佛像歃血立盟以後，的確事無不順，所向披靡。發生在段思平身上很神奇的一件事是，有牧童在山中放牧，曾聽牛馬說話，說什麼「思平為王，思平為王」。當初南詔君臣崇佛，見出此異相，不由轟動一時，這件事為段思平後來的民心歸順奠定了極好的基礎。

後來段思平勢力漸大，得百姓擁護，又順利地與滇東烏蠻三十七部聯盟。之後更神奇的一件事是，段思平攻打楊氏皇城時，途遇險關闊水，有重兵阻擋去路。這時河中有神女出現，指點迷津，同時天降大霧，段思平趁機渡水，大獲全勝，一戰消滅了大義寧國楊氏的主力軍隊，進而消滅楊氏力量，稱帝立國。

狄青看到這裡，心中暗想自古以來，開國君主為樹威信，多會神化自身。書中記載的兩件奇事，或許是段思平暗中操縱，故弄玄虛來鼓舞士氣也說不定。但如果這本書是段思平親自撰寫，並不流傳的話，段思平就沒有道理再寫假的事情上去，這麼說……書中記載的奇事可信度很高了。可段思平親手立的金書血盟怎麼會落到唃廝囉手中？而唃廝囉給我看這本書，又用意何在呢？

狄青這時已翻到書的最後一頁，驀地眼前血紅一片。狄青微驚，定睛望去，才發現書中最後那頁並非白金之色，而是赤紅的血色。而那血色中，現出幾個黑色的大字，「盟誓未竟，子孫有驚。為免大禍，避位為僧！」狄青怔怔地望著那幾個字，一時間不解其意。等合上了金書，狄青彷彿粗覽段思平的生平，若有所悟，更多的卻是困惑。

唃厮囉見狄青看完金書血盟，這才道：「段思平死後，終究沒有完成盟誓。這才為子孫立下訓示，若有大禍，就要退位為僧，懺悔過錯來躲避禍事。大理國君王多有不愛江山愛為僧之人，多半是由於祖宗的這個警訊。」

狄青交還了金書，問道：「不知贊普對我講這個故事，又是什麼用意呢？」他心中隱約已有答案，但並不能確定。

唃厮囉凝望著狄青，目光極為複雜，良久才道：「我……只想告訴你，有時候就算歃血為盟也不見得能成事，有些誓言，本不用什麼盟誓的。」話題突然一轉，唃厮囉道，「狄青，你此次到青唐，所為何來？」

狄青總覺得唃厮囉更有深意，但聽唃厮囉詢問出使一事，暫時壓下了疑惑，精神一振，說道：「在下奉大宋天子之命，前來與贊普商議分路出兵、共擊元昊一事。若贊普能出兵攻打夏國西南瓜、沙、涼等州，大宋可出兵進攻夏國的銀、洪、宥等地，相互呼應，可讓元昊首尾難以兼顧，遏制住元昊南侵東進之大計。」

唃厮囉悠然道：「你認為我會出兵嗎？」

狄青略作沉吟，說道：「我認為贊普不會放過這個機會。」

「為什麼呢？」唃厮囉不緊不慢道。

狄青回憶當初元昊所言，沉聲道：「因為在下曾聽元昊說過，贊普一直想找他的麻煩！贊普更想奪回瓜、沙兩州！此事本是互利之事，想贊普不應錯過。」

唃厮囉似乎笑笑，喃喃道：「元昊曾說過？不錯，他應該是最瞭解我的人。」遠望殿外，唃厮囉目光中有分奇怪的韻味，說道：「你想必已知道，我要奪回瓜、沙兩州，就是為了要去香巴拉吧？」

狄青微震，不想唃厮囉直言不諱，只好點點頭。

唃厮囉淡然道：「這世上的人要去香巴拉，或求財，或求勢，或求長生不死，或求基業千秋。當然也有如你一樣，是為了心愛的女人。」狄青臉色微變，不解唃廝囉為何知道此事。難道說，唃廝囉真如飛雪所言，有他心通的神通，望他一眼，就知道他傷心的過去？聽唃廝囉又道：「所有人要去香巴拉的目的，終究不過三個字：有所求。但我要去香巴拉的目的，和所有人都不同的！」

狄青大惑不解，心道唃廝囉若真無所求，為何不惜開戰，也要執意奪回瓜、沙兩地呢？

唃廝囉口氣中有分唏噓之意，「其實多年以前，我就曾派不空去見太后，準備行你今日的建議。那時元昊羽翼未豐，又方被我大敗於宗哥河，士氣正低，可說是我們千載難逢的好機會。無奈太后無心用兵，導致事有不成。如今大宋三川口、好水川兩番慘敗，這才觸動戒心，想要和吐蕃聯手，可時機已過，夏人勢力正鋒，再要開戰，肯定要多用數倍的氣力。」

狄青若有所憾，一旁道：「亡羊補牢，猶未晚也。還請贊普放下往日糾葛，以大局為重。」

唃廝囉沉默片刻，歎口氣道：「我可以放下，可這次雙方聯手能否成行，還是未知之數。」

狄青不解道：「難道說在藏邊，還有什麼人能阻撓兩國聯盟嗎？」

唃廝囉避而不答，說道：「幾日前，我早已上書給你朝天子談及結盟一事，想請你親自領軍和我軍並肩作戰，攻取瓜、沙兩地，想必再過些時日，你們朝廷就會有回信了。不如這樣，狄青，你暫時留在青唐，等候消息，不知你意下如何？」

狄青喜出望外，不想唃廝囉居然如此開明，很多麻煩的事情並不多談。轉念又有些奇怪，暗想自己當初被困在密室中，生死一線，唃廝囉為何還會上書讓大宋派他狄青領軍？唃廝囉是早知道他能出來，還是另有圖謀？

事到如今，狄青不想節外生枝，回道：「如此也好。只是不知富弼富大人現在何處？」他來王宮本來就是為了營救富弼，見唃廝囉很好說話，忍不住詢問。

唃廝囉道：「富大人就在宮中，你出殿後，自然有人領你前去見他。」

狄青行禮退出大殿，見殿外不遠處站著一人，神色紅潤，短鬚根根如針，正含笑望著他。狄青見到那人，又驚又喜，急走兩步道：「王神醫，怎麼是你？」

狄青做夢也沒有想到，站在殿外的那人竟是京中神醫王惟一！

自從京中一別，狄青已和王惟一多年不見。本以為王惟一還在汴梁大內，哪裡會想到他竟然來到這苦寒的藏邊。王惟一怎麼會來到青唐城？又如何能入吐蕃王宮呢？

王惟一似乎看出狄青的疑惑，含笑道：「我帶你去見富大人，我們邊走邊談。」

狄青見王惟一很是輕鬆的樣子，也放鬆下來，跟隨王惟一離去。

所有的事情，出乎意料地順利，反倒讓狄青心中有種不安。可他究竟不安什麼，一時間也難以想個明白。

唃廝囉還是坐在高臺上，望著狄青離去，若有所思。一人從偏殿轉將出來，說道：「贊普，你真的相信狄青是無心之過？你真的就想這樣放過狄青？」

那人容顏蒼老，聲音嘶啞低沉中帶著神祕的力量，正是唃廝囉手下的第一神僧——善無畏！

善無畏顯然早在偏殿，聽到了唃廝囉和狄青之間的對話。

唃廝囉道：「顯而易見，狄青性情中人犯無心之過。當初我在酒肆之時，曾聽他向段思廉詢問承天祭一事，很顯然，狄青對承天祭一無所知。既然如此，他上祭臺只為救人，並非存心搗亂。飛鷹當初不過是栽贓嫁禍，我們不必將此事放在心上了。」

善無畏神色肅然，略有不滿道：「但承天祭神聖不可侵犯，狄青就算無心，也要受罰！」

唃廝囉輕聲道：「你難道忘記了，我們將他關在密室中，就是在懲罰他？他能逃離密室，就說明佛祖認為他命不該絕，饒了他的過錯。」

善無畏雙手結印，語調幽沉道：「佛子，你雖將狄青關在絕境。但你早知道，飛鷹會返回，是不是？因此你對承天寺不加防備，顯然就是想借飛鷹救出狄青，這樣一來，你日後對旁人也能有個交代？」

唃廝囉臉上的迷霧終於散盡，露出那平凡的一張臉。若說方才他讓人看不清表情，此刻的他，平靜若水，更是讓人捉摸不透心意。

「你只說對了一半。飛鷹肯定會回轉，他要救的是飛雪，而不是狄青！這世上活著的人，只有三個人知道香巴拉真正的祕密，那就是我、元昊和飛雪！我和飛雪總算還有一個共同的目的，就憑這點，我就不想飛雪就那麼死去。飛鷹不能從我和元昊口中得知一切，當然要利用飛雪破解香巴拉之謎，因此必定會回來救飛雪，而飛雪定會順便救出狄青。」

唃廝囉說及飛雪會救狄青時，言辭鑿鑿，不容置疑。若狄青在的話，多半會奇怪唃廝囉為何這般肯定。

唃廝囉又道：「我困狄青在密室，並非是想對誰有所交代！我想讓你們知道，狄青死裡逃生，仍能不顧性命，回到青唐城找我化解矛盾，只憑這點，狄青就是個值得我們信任的人。再說元昊勢強，我們要保藏人平安，就要與宋廷和睦相處維繫均衡之勢，既然如此，我們更需要狄青來維繫和宋廷的關係。」

善無畏沉默下來，一雙手緩緩地扭動變換，臉上的蒼老之意更濃。

不知許久，殿外有兵士匆匆忙趕來，說道：「啟稟贊普，段思廉求見。」

唃廝囉搖搖頭道：「不見。」

那人微怔，但聽佛子之令，正要退下，善無畏已道：「等等。」扭頭望向唃廝囉道：「贊普，段思廉是大理皇族，既然真心請見，贊普何必拒人千里呢？」

唃廝囉淡淡問道：「你可知道他要見我有什麼用意呢？」

善無畏神色錯愕，沉吟半晌才道：「他既然迫切想見佛子，想必是有求於佛子。如今大理國是段素興當權，此人荒淫無道，本是段思良一脈，而段思廉是段思平的後人。當年段思良叔篡侄位，逼段思平後人退位為僧，但段思平在大理有著極高的威信，聽說他的後人段思廉在大理頗得百姓擁護，是以引發段素興的猜忌。段思廉前來青唐，一方面是觀禮，另一方面多半也想請佛子出手助他驅逐大理王段素興，重奪帝位。佛子若真能幫段思廉重掌皇權，能和大理聯手，豈不好處多多？」

唃廝囉靜靜聽完，哂然一笑，搖搖頭道：「我倒不能苟同。大理素來與世無爭，才能保今日安寧。段思廉雖有野心取代段素興，但絕沒有野心一統天下。他大理內事，自有大理人解決。大理國遠在邊陲之地，我等貿然扶助段思廉，事敗徒惹非議，事成得不償失。一些錢財身外之物，要之何用？段素興荒淫無道，自有大理人去收拾，我不想參與其中，因此不見段思廉。想段思廉若真聰明，也不會再來相求了。」

善無畏問道：「難道說佛子把對抗元昊的希望，全部放在宋廷上？」

唃廝囉笑笑，感慨道：「以勢交者，勢傾則絕。以利交者，利窮則散！唯有以真心相處，方是永久之道。元昊擊不敗我，故施展懷柔手段，幾次要和我們聯手併吞大宋。但以勢稱雄，終究有勢敗之一日，因此我根本不會與他聯手，只要靜待他失勢就好。大宋目光短淺，以利交人，無論對契丹還是夏國，均想以利求和，殊不知貪欲無窮，溝壑難填。大宋文臣安逸驕奢太久，只圖享樂，缺乏進取之心，遲早會因利而和，因利而辱！我本對與宋結盟已沒多少希望，但這次再次和宋廷示好，只為一個狄青。不過狄青能否左右趙禎的主意，趙禎能否有決心對抗沉屙多年的傲慢與成見，均是未知之數。我為求藏人平安多福，只要斡旋其中即可，倒也不用大動干戈，若能真如狄青所言，攻取沙州，完成我的一個心願，實為上上之策。但我只怕……宋天子優柔寡斷，這次聯盟，終究還如鏡花水月罷了。」

說罷幽幽一歎，望向殿外。不知何時，烏雲已上，掩住了蔚藍的天。殿外有雪落，洋洋灑灑，原來，冬早至，萬物蟄伏。

雪在飄，點綴蒼松青青。狄青跟隨王惟一在宮中行走，見王惟一對宮中路徑頗熟，不由得大是奇怪。王惟一一邊前頭帶路，一邊說道：「我知道你有很多問題，不過先等見過富弼再說吧！富弼這幾天憂心忡忡，頭髮都白了不少呢！」說罷嘴角露出絲微笑。狄青壓住了困惑，跟王惟一來到一間樓閣前。閣中廳堂上，正坐著一人，面容忠厚，呆望眼前的茶杯，眉頭緊鎖。聽有腳步聲傳來，抬頭望過來，見是狄青，愁眉盡展，起身迎過來，急道：「狄青，究竟怎麼回事？」

那人正是富弼。狄青見富弼絕非階下囚的樣子，真的很奇怪唃廝囉的處理方法，說道：「富大人，你受苦了。」

富弼苦笑道：「我倒沒受什麼苦，只是擔心你。你出去那晚，突然有兵士前來，說你擾了承天祭，贊普讓我入宮。我不能反抗，跟隨兵士入宮後，贊普見我一面，說讓我不必著急，只要你回來，一切無事。我無處走動，和談的事情也無從說起，幸好王神醫在此，安慰我說不會有事。」

狄青見富弼對很多事情並不知情，遂將發生的事情刪繁就簡地說了一遍。

富弼聽狄青這些日子頗有曲折，時而皺眉，時而沉思，等狄青將唃廝囉的處理意見說過，富弼振奮中又有些奇怪，不想事情竟這般解決。不過這樣來說，他總算不辱使命，長吁了一口氣，說道：「既然如此，那我們就等候聖上的旨意好了。」

狄青安慰了富弼，又請王惟一幫忙傳話給韓笑等人，說一切順利。等傳令後，這才跟著王惟一到了唃廝囉給他安排的住處，坐下後未及開口，王惟一已問道：「我託郭遵給你帶的那封信，你究竟收到沒有？」

狄青微愕，轉念想到了什麼，失聲道：「要尋香巴拉，必尋迭瑪！原來那封信是你給我的？」

王惟一奇怪道：「是呀，當然是我給你的信，郭遵沒有說嗎？」

狄青心中微酸，回憶往事，黯然道：「當初軍情緊急，郭大哥只託人把信轉交給我，但沒有多加解釋。想必他想等戰後再和我詳說，沒有想到……」

王惟一歎口氣道：「將軍難免陣前亡，郭遵雖死，但讓天下人敬仰，不負平生。一人能如此英勇一生，遠勝我等了。」

狄青聽王惟一口氣中有感懷，也有蕭索，似乎意興闌珊，忍不住問道：「王神醫，你怎麼會來到這裡呢？」

「莫叫我什麼神醫了。」王惟一擺擺手，苦笑道，「我來到藏邊，才知道我這個神醫一點兒都不神，這世上……有太多不可思議的事情。」

王惟一說話間，望著廳外天空飛雪，洋洋灑灑，緩緩道：「我為什麼到藏邊，說來話長。郭遵知道我來藏邊，讓我順便幫忙打探香巴拉的事情。」

狄青聽及往事，心中又是酸楚，又是感動，半晌才道：「我欠郭大哥太多了。」

王惟一笑笑，又歎道：「郭遵這人施恩不望報，何止是你欠他呢？其實我到藏邊，有幾個原因……」說話時，他眼中突然有分驚恐之意。狄青瞥見，心中懍然，才待詢問，王惟一已神色如常，低聲道：「其中的一個原因是，我是受贊普邀請，這才來到青唐城的。」

狄青錯愕不已，問道：「唃廝囉為何會找你到藏邊？他認識你嗎？」心中暗想，這只是其中的一個原因？那別的原因是什麼呢？

王惟一神色有些神祕，支支吾吾道：「他……他其實……」突然搖搖頭道：「狄青，我不想騙你，具體原因十分曲折，但我已答應了贊普，不會洩露此事，因此我不能說的。不過你放心，我做的都是無愧良心的事情。」

狄青有些好奇，但見王惟一為難，也不追問，換個話題道：「贊普讓你到藏邊做什麼，不知能否說說呢？」

王惟一這次倒爽快道：「他知道我對醫術還算有些造詣，因此請我來青唐，研究伏藏之密。」

狄青一震，聽葉知秋說過伏藏的事情，忙問：「你可研究出什麼結果了？」

王惟一神色苦澀，搖搖頭道：「這事和藏傳三密一樣地不可思議，我進展甚微。不過在我看來，其實每個人都算是個伏藏！」

狄青難以理解，喃喃道：「每個人都是伏藏，這怎麼可能？」

王惟一正色道：「人體本身就是個奇妙的世界，潛能無可限量。自古以來，無論佛、道中人，均致力於自身潛能的挖掘，想要溝通天外，達到證道成仙的結果。其實從這方面來說，藏密和佛道的看法類似。藏傳三密中，咒語看似玄妙，在我來看，應是利用幾個字的聲音震盪啟開體內各處血脈玄祕，取得不可思議之力。當然了，人體修習不同，咒語效果也差別很大，而結印想必是利用肢體動作，活絡身體，達到和咒語類似的效果。至於意密，卻是玄之又玄。你知道迭瑪的意思了吧？」

王惟一說起藏傳三密，倒是口若懸河，想必這段日子中，頗有專研。

狄青點點頭，沉吟道：「葉捕頭曾和我說過，迭瑪就是伏藏，負責記憶天神留下的經典、咒語之類。」

王惟一望向蒼穹，沉思許久才道：「我當初也是這麼認為，可後來發現可能有些偏差。當然了，我的看法也不見得是正確的。《內經》有云，『人與天地相應，與四時相副，人參天地』。《靈樞》亦是這般看法，認為『人與天地如一』，其實在我們醫者看來，人體規律與天地變化等同，是以才用五行歸納人體的奧祕，但其中的玄奧，已非五行能簡單說明。我瞭解了藏傳三密後，突然想到，天神其實沒有留下什麼經典、咒語於人體，而是這些東西一直都存在於天地之間。所謂伏藏，不過是經過特定的激發，透過意念到達天地間經典所存之處，取得部分而已。」

狄青已聽得瞠目結舌，半晌才道：「王神醫，你是不是想說，這蒼穹間本有很多東西，只有透過特定的手段修習密法的人，才能調用意識，一窺這些東西？因此每個人都是伏藏，關鍵是如何能獲得開啟之法？」

王惟一聞言，振奮不已，一拍大腿道：「著呀。你說的和我想的不謀而合！」

狄青振奮道：「但怎麼獲取開啟之法呢？」

王惟一感慨道：「這個開啟之法，藏傳佛教中，就用三密來實現，而佛道中，自有密法，就非我等目前所能夠知曉的了。贊普找我來，其實就是琢磨這個方面，若能成行的話，只怕世間就要換個另外的面貌了。但人腦玄奧，研究困難，我很難再進一步。」轉瞬好像想到什麼，王惟一壓低了聲音，有些詭祕道：「你以前雖不差，但不經飛龍坳一戰，未得五龍，肯定不會到今日的境界，對不對？」

狄青困惑道：「我有今日的武功，和五龍的確大有關係，但和飛龍坳一戰有什麼關係呢？」

王惟一笑笑，低聲道：「怎麼會沒有關係？你當初被多聞天王一刺，那根刺深入你的腦海，已改變你腦內的結構。在我看來，並非所有人都能感受到五龍的神奇力量，但你感受到了……」

狄青恍然道：「我能有今日的體質，是因為我腦部結構已變，才能從五龍得益？」說到這裡，狄青倒不知道應該感謝夜月飛天呢，還是憎恨此人？

王惟一點點頭，輕舒一口氣道：「不錯，這就是我的結論！這也是一個開啟方法，但這種方法生死攸關，卻沒有誰敢這般嘗試，並非所有人都如你一般好運的。」

狄青回憶往事，覺得王惟一說的很有道理，也解釋了為何有人見到五龍，一無所獲，為何有人能被五龍激發。突然想到了什麼，狄青道：「真宗也感受到五龍的神奇，難道說他的腦部構造也迥乎常人嗎？」

王惟一道：「這個說不定，腦海奧祕，我等不過管中窺豹罷了。但我想，五龍的激發，和腦海、環境、意志都有關聯，因此有人感受得多，有人感受得少。當初先帝思子成狂，又加上一番狂熱，在月明之夜感受到五龍的神奇不足為奇，因為傳說中，每次月明之夜都是天地神機開啟之時。太后對五龍冷漠，加有抗拒之意，因此雖接觸到五龍……可從未得到五龍的祕密。」

提及到太后時，王惟一臉色變了下，眼中又有些恐懼之意，突然問道：「狄青，聽聞太后仙逝時，你還曾見過她？」

狄青不解王惟一為何突然提及此事，點頭道：「是呀，我當時奉旨回京，就是因為太后想見我一面。」

王惟一四下看看，裝作漫不經心的樣子，問道：「太后臨終前，可有異樣嗎？」

狄青有些奇怪道：「有什麼異樣呢？不過太后……的確老得厲害。」他不說還不察覺，一說起來，就感覺太后雖也是年紀不小，但那時候的確遠比年齡還要蒼老。轉念一想，太后當初好像指著自己的身後說什麼，「我明白了，你好……」太后沒有說下去就死了，當初狄青只是想著太后說的「五龍本香巴拉之物，可是你一定要……」究竟是什麼意思，哪裡會留意到很多？他知道太后指的不是他，現在回想起來，他身後好像是閻文應和趙禎。

陡然間心頭顫動，狄青已想到太后要說什麼。太后既然知道五龍是不祥之物，她說的可能就是和郭大哥一樣，「五龍本香巴拉之物，可是你一定要丟了它！」這麼說，八王爺說的要找到地圖恐怕就是八王爺自己的意思了。

狄青想到這裡，悵然所失，暗想太后當年的言下之意究竟是什麼，根本不可能再有人知道了。當初他傷心驚詫，除了有關香巴拉的事情外，並沒有多想別的事情，現在驀地想起當初的情形，才發現太后駕崩果然有些異樣。太后是悲憤而死嗎？趙禎在靈柩前好像哭得有些異樣……念頭一轉而過，狄青見王惟一低下頭來，端起茶杯。

只聽茶杯咯咯作響，狄青發覺王惟一的手在發抖，不由關切道：「王神醫，你沒事吧？」王惟一一震，差點兒打翻了茶杯。手忙腳亂間，抬頭望向狄青道：「我沒事，我會有什麼事？狄青，我估計不會再回汴京了。」

狄青不懂王惟一為何變得這麼慌張，皺眉道：「你是御醫，難道想此生就在藏邊研究什麼伏藏嗎？」

王惟一笑容苦澀，岔開話題道：「狄青，你和天子的關係很好是吧？」

狄青道：「很好說不上。以前不知道他是皇帝，倒是和他很親近，不過自從太后仙逝，我回汴京的時候，他對我雖不差，可伴君如伴虎，在他身邊，我總覺得不安，我還是覺得在邊陲自在。」他想起趙禎當初發怒，逼他娶妻一事，暗自皺眉。他當王惟一是朋友，因此才不藏心事。

王惟一目光中有分憂慮，支吾道：「是呀，伴君如伴虎。你做的是對的，離天子遠些，小心些總是沒錯。你別以為自己以前和天子不錯，就肆無忌憚，你記得我說的話呀！」

狄青感覺王惟一語帶懼意，一時間難以捉摸王惟一和趙禎之間發生過什麼事情。

王惟一卻已道：「晚了，你也累了，早點兒休息吧！」說罷起身離去，臨走前，自言自語道：「我曾經……給太后看過病……然後在你回返京城前，就到了藏邊。」不等狄青再問，王惟一已去得遠了。蕭蕭冷風中，王惟一衣袂飄動，背影顯得有些發抖。狄青望著王惟一的背影，若有所思。

接下來的日子裡，狄青只能等待。轉眼近一個月的工夫，宋廷還沒有消息回傳，狄青和富弼都有些焦急，暗想和談成事，正合趙禎所望，若有消息到了京城，趙禎應立即派人敲定此事才對。雖說藏邊距離汴京千里迢迢，但趙禎若真抓緊此事，八百里加急的話，宋廷的消息早就應到達了。

這一日，富弼和狄青面面相對，富弼皺著眉頭，見四下無人，對狄青道：「狄將軍，你不覺得有些不妥嗎？或許是我以小人之心度君子之腹，按理說，唃廝囉若真派人前往汴京，我朝早就會派人正式敲定此事，為何到如今，還沒有任何消息傳來？」

狄青也是皺著眉頭道：「你是說，唃廝囉根本沒有派人前往汴京嗎？那他用意何在？」

富弼百思不得其解，擔憂道：「唃廝囉到底想著什麼……我眼下暫時看不出來，但我總覺著這次聯盟，只怕……」話未說完，韓笑趕到。

這些日子來，狄青、富弼二人得唃廝囉特許，可隨意在宮中走動，但二人都怕另生事端，倒是規規矩矩地留在宮中。狄青傷勢早已痊癒，命韓笑有事就入宮找他稟告，唃廝囉也不阻攔。

狄青從韓笑口中得知，當初韓笑的確找到了葉喜孫，可後來驚變迭生，葉喜孫又消失不見。狄青唯有苦笑，心道自己和葉喜孫真的無緣。

韓笑到了狄青的身邊，低語了幾句，遞給了狄青一封書信。

狄青展開書信看了半晌，眉頭鎖緊。富弼見了，忙問：「狄將軍，可是邊陲有了戰情？」富弼心中甚至猜想唃廝囉並不想和宋廷聯盟，只是想拖住狄青。若元昊趁這時攻打西北，那可大事不妙。

狄青搖搖頭道：「西北暫無戰情，元昊也沒有出兵的打算……」他欲言又止，眼中也有分困惑之意，又道：「我已派人查明，唃廝囉的確早已派了使者到達汴京。但不知為何，朝廷遲遲沒有給予答覆。」

富弼暗叫慚愧，心道書生百無一用，自己只知道猜度，原來狄青早就懷疑此事，命人著手調查了。狄青雖在吐蕃王宮中，但對外邊的事情，還是瞭若指掌。

堂外有吐蕃侍衛前來道：「富大人，狄將軍，贊普請兩位大人前去。請跟我來。」

狄青和富弼互望一眼，心道這些日子來，唃廝囉一直沒有再正式地和他們談什麼，這次相約，有何事情要談呢？

二人帶著疑惑到了那金頂白玉的大殿內，唃廝囉還是坐在高位之上，旁邊立著善無畏。狄青眼尖，已見到殿下坐著一人，微禿的頭頂，面帶菜色的臉，不由又驚又喜。

那人竟是种世衡！种世衡怎麼也來到了這裡？難道說天子傳旨命种世衡來此？

狄青先向唃廝囉施了一禮，側望种世衡，目光中隱有詢問之意。种世衡見了狄青，輕輕咳嗽幾下，臉上也有喜容，可眼中卻有愁意。狄青見狀，心中微沉，感覺事情不妙。

唃廝囉已道：「种大人，你把事情對狄青說說吧！」

狄青從唃廝囉的語氣中聽不出什麼，只能轉望种世衡，忐忑道：「种大人，可是聖上派你來的？」見种世衡點點頭，狄青不等欣喜，就聽到种世衡說出個五雷轟頂的消息。

「聖上有旨……說大宋、吐蕃一向交好，這種情況永世不會改變。至於聯盟出兵進取西夏一事，以後就莫要提了。」

狄青眼前發花，身軀晃了晃，強自鎮定下來，感覺聲音都不像自己的了，澀然問道：「為什麼？」种世衡見狄青如此，心中也是難受，暗想狄青歷盡艱險，好不容易有了擊垮元昊、搶佔沙州的機會，可這機會竟如浮萍泡沫，很快就破滅。「因為不久前，就在贊普派出使者時，元昊也同時派出使者到了汴京，自陳不是，請與大宋議和。」种世衡無奈道，「狄青，朝廷厭戰，文武百官聽元昊主動請求議和，紛紛要求聖上莫要興兵。」

狄青上前一步，瞪著种世衡，嘶啞著嗓子道：「可元昊狼子野心，這次和談，極可能包含禍心。那盟約不過一紙，要撕就撕，你怎能不明白這個道理？」心中卻想，「宋軍才有起色，難道轉眼又要回到以前的地步？元昊這招頗為毒辣，我們本已請唃廝囉出手，朝廷若是答應了元昊，反覆不定，再想和吐蕃聯手，換做我是唃廝囉，恐怕也不會再相信宋廷了。元昊野心勃勃，志在一統天下，怎會真心議和？元昊不滅，遲早會在西北再度興兵來犯，吐蕃袖手旁觀，那時候，我等不又要陷入無窮無盡的鏖兵之中？」可心中更大的一個悲慟是，他遲遲未往沙州尋找香巴拉，是因為那裡有元昊重兵把守。他全心希望能帶兵擊潰那裡的守軍，再入香巴拉，但如此一來，他入香巴拉的希望豈不成了夢幻泡影？

种世衡見狄青有失常態，略有尷尬，低聲道：「狄青，我明白這個道理。可我明白有什麼用？」

狄青身軀微顫，已恢復了常態。心思轉念間，向唃廝囉望去。

唃廝囉人在高位，倒還是平靜如常。狄青心中暗想，當初唃廝囉曾說，雙方聯盟能否成行，還是未知之數。難道說他早就知道宋廷會如此嗎？一橫心，狄青沉靜下來，施禮道：「贊普，這等變數，在下並未想到。」

唃廝囉悠然道：「那你現在決定怎麼做呢？」

狄青道：「在下想先回西北，上書對聖上說明利害之處，說服聖上和贊普聯盟，還請贊普信我。」

种世衡一旁低聲道：「狄青，你不用上書了，既然沒有戰事，聖上就不用你領兵了。如今朝廷提升你為團練使，下旨讓你返京。你可以直接和天子面談了。」

狄青一怔，不想變遷如此突然，問道：「那西北涇原路誰來防衛？」他官階本是秦州刺史，如今變成團練使，官階又升了一級，但不掌兵權，權位已明升暗降。狄青早非懵懂的少年，知道聖上此舉是告訴他不要多疑，調他入京是對他好。

种世衡苦笑，低聲道：「你也知道，大宋更戍法是祖宗家法，素來不會讓哪個將領久在一地。你在西北許久，聲望日隆，朝中那些文臣都認為不妥，因此才調你回京，我也換了地方。至於誰來防守涇原路，唉，是誰又有什麼區別呢？」种世衡言語中也有不忿之氣，意思就是大宋始終換湯不換藥。他雖是低聲說話，但不避唃廝囉，說罷又是劇烈地咳嗽幾聲。他用手帕掩住了口，咳嗽完後收了手帕。

狄青思索下一步如何來走，並沒有留意种世衡的小動作，考慮再三，決絕道：「那我就赴京面聖，請天子定奪！」抬頭望向唃廝囉，狄青誠懇道，「贊普，在下當回京面聖，還請贊普再給些時間。」

唃廝囉沉默許久，這才說道：「我信你狄青，但這世上，狄青畢竟只有一個。好，我答應你，只要你領軍，我隨時與你合作。」

狄青大喜，並未多想唃廝囉的言下之意，抱拳道：「好，一言為定。」他這時只想回轉京城，對天子分析邊陲的形勢，並沒有留意到种世衡臉上掠過一絲陰翳，有如寒冬鉛雲，帶著那麼幾分沉重之意。

第十三章　變　革

雪漸漸地融了，冰慢慢地消了。冰雪消融，化入春江之水。春水悠悠東流，過關山邊塞，似乎一夜間，春風就綠了黃河兩岸，那股綠意激得萬物勃發，順江水而淌，充斥了京城。經過一冬的蟄伏，汴京大城輝煌更勝，絲毫看不到西北的兵戈烽煙。狄青立在宮門外，見不遠處樹上枝頭新綠，早鶯爭暖，眉頭輕輕地蹙起。

又等了一炷香的工夫，宮內有一人快步走出，到了狄青身前，低聲言道：「狄將軍，聖上身子不適，不想見人。」那人叫做閻士良，眼下是大內第一總管，和狄青見過幾次面。閻士良本是閻文應的義子，當年閻文應一直追隨趙禎，可說是勞苦功高。太后仙逝，羅崇勳死後，閻文應順理成章地成為大內第一人。閻文應一直和郭皇后並不和睦，後來趙禎廢郭皇后，范仲淹等人反對，閻文應卻堅決地站在趙禎這邊，支持廢了郭皇后。郭皇后最終還是被逐出皇宮，出家為尼。

不過後來聽說郭皇后染恙，曾寫首情詩給趙禎。趙禎見信後，追憶往事，對郭皇后有些歉然，聽說趙禎有意再召郭皇后入宮。不過郭皇后提出條件，「若再受詔，必須百官立班受冊。」趙禎考慮期間，贈藥給郭皇后服用。

那藥是閻文應送去的。郭皇后服藥後，第三日就暴卒。所有人都懷疑閻文應和郭皇后不和，認為閻文應怕郭皇后回轉宮中對付他，因此下藥毒死了郭皇后！有人懷疑，但敢質疑的只有一人，那就是范仲淹！范仲淹那時才回京城，見群臣無聲，上書直言，認為郭皇后之死，閻文應有不可推卸的責任。范仲淹言辭激烈，慷慨激昂，讓朝廷震動，甚至呂夷簡都壓不住此事。最後趙禎終究因郭皇后一事，將閻文應貶逐嶺南，而閻文應未到嶺南，就死在了路上。往事如霧，雲中出入……狄青遠在邊陲，零星地聽說一些往事，也知道趙禎逐了閻文應後，對閻士良並不怪責，甚至提拔閻士良為大內第一人。

聽閻士良說趙禎不適，狄青皺了下眉頭，心中暗想我回到京城已半月，半月前聖上就推託身子不適，到現在還沒有好轉？我已經打聽過，聖上早朝如舊，不像有病的樣子。這麼說……他暫時不想見我？或許他已下定決心和西夏和談，因此不想我進諫，以免彼此尷尬？狄青再次奉旨，千里迢迢地回到京城，只為見趙禎再談和吐蕃人聯盟一事，不想他官職雖高了，見皇帝反倒沒有以前那樣容易。看到閻士良也有些為難，不便點破真相，只是道：「那請閻大人代狄青向聖上問候一聲，有勞了。」

閻士良滿臉賠笑道：「好，一定，一定。」

狄青無奈，只能回返郭府。他回到京城後，一直還在郭家居住。物是人非，郭逵長高了許多，也壯了很多，見到狄青回來後，號啕大哭。狄青心中難受，好生安慰了郭逵。郭逵不再習文，專練武技，幾乎天天聞雞起舞，和狄青對練。郭遵戰死後，趙禎心痛不已，厚賜郭家，郭逵因此早被提拔到三班之列。狄青卻知道郭逵志在邊陲，想抗擊西夏為大哥報仇。狄青有感郭遵的恩情，對郭逵照顧有加，心道反正無事，就悉心和郭逵切磋武技。這刻趙禎既然不想見他，狄青就想回去見郭逵。

狄青行在路上，突聞長街盡頭銅鑼聲響，兵士開道，有一金頂小轎行過來。行人見狀，知道轎中多半是皇親國戚，紛紛退讓一旁。狄青也閃身到路邊，靜待轎子通過。這時天空一聲燕鳴，狄青抬頭望去，見有新燕銜泥徘徊，貌似孤單，心中想到過幾日，要去楊伯父那兒看看了。他回到京城後，一直沒有再前往楊府，聽說楊念恩最近生意做得不錯，也就不再前往叨擾。都說睹物思人，他狄青戎馬多年，從未有一日忘記羽裳。一想到楊府，就想到那蟹殼風鈴、那眼兒媚、那本沾滿歡笑淚水與如煙往事的《詩經》……

狄青望著那燕子，眼簾微潤，正悵然間，那轎子已到了他的身旁，緩緩地停下。狄青略有驚奇，聽那轎中有人開口說道：「狄將軍，一別經年，一向可好嗎？」

轎中人聲音輕柔，狄青聽了依稀耳熟，卻想不起此人是誰。

沉默半晌，轎中人笑道：「狄將軍，我是常寧。」

狄青恍然，終於記起轎中人是誰，忙施禮道：「臣狄青，參見長公主。」當年他回京城，趙禎曾想留狄青在身邊，就要將妹妹常寧公主許配給狄青，卻被狄青斷然拒絕。狄青後來雖有歉然，但已淡忘此事，不想常寧竟還記得他，居然還和他打招呼。

常寧公主似乎幽幽地歎了口氣，說道：「許久不見，狄將軍看起來還是一如往昔。」見狄青不語，常寧公主問道：「適才我見狄將軍愁眉不展，似有心事，不知能否和我說說呢？」

狄青苦笑道：「臣奉旨回京，本有急事要見聖上，不想聽閻士良說，聖上身子不適……是以憂心。」他說得含糊，掩蓋了真實的心意，同時言語試探，想確定趙禎是否真的病了。

轎中的常寧沉默了半晌，這才道：「原來這樣呀，那我有些無能為力了。不過狄將軍也不用過於憂心，想你鏖戰西北，一心為國，此心天日可見，很多人不會忘記你的。我還有事，先走一步了。」言罷，轎子抬起，慢悠悠地離去。狄青搖搖頭，才待舉步，突然感覺有人在留意他，

狄青側望過去，見到路邊站著兩人，一人是個盲者，手拿兩塊梨花板，另外一人是個姑娘，捧著曲頸琵琶，梳著兩條長辮。望著狄青的是那個姑娘。狄青見到那姑娘，就有些眼熟，再望見那盲者，就記起那盲者姓江，那姑娘叫做露兒，他曾在安遠砦見過這爺孫兒。見露兒想說話卻又不敢，狄青大踏步地走過去，主動招呼道：「江老丈，露兒姑娘，怎麼到了京城？」

露兒又驚又喜，不想狄青還記著他們，羞澀道：「狄將軍，真的是你呀，不想你也到了京城！自從安遠大捷後，就一直沒有聽說過你的事情，我們是從安遠說書到了京城，你……傷好些了嗎？」

狄青一笑，「早過了半年，怎會不好？你們在京城可過得慣？需要幫忙嗎？」他見露兒適才有些膽怯地

望著他，只以為這爺孫有什麼為難之事。

盲者早聽到狄青的聲音，一直喏喏不敢出聲，聞言迭聲道：「過得慣，過得慣，不需要麻煩狄將軍了。都是這丫頭，隔著好遠就說你在附近，老漢我還不信，沒想到真碰到了將軍，老漢可真是幸運。對了，我們還有事，前幾天有個公子賞臉，竟給了百兩銀子，讓我們在這酒樓說書十天……說的是狄將軍的故事。」

狄青倒有些尷尬，道：「那……不錯呀！江老丈，我就不打擾你們說書了。」說罷轉身要走，露兒叫道：「狄將軍，你不上去聽聽我們說書了？」

狄青臉有赧然，道：「你們以說書為生，怎麼說我都沒有意見。但我臉皮再厚，也不好意思聽了。」

盲者呵呵笑了起來，拉了一把孫女道：「那……狄將軍，我們就去說書了。你請去忙吧！」

狄青當下告辭，大步離去。

露兒嘴已噘起，一跺腳，惱怒盲者道：「爺爺，你怎麼能這樣呢？我們好不容易才能再見狄將軍一面，你好像要攆人家似的。」盲者手中梨花木敲了下，發出聲脆響，可人卻滄桑道：「露兒，你長大了，也應該懂事了。狄將軍肩負重任，戎馬倥傯，肯定事情很多，他能記得我們，過來和我們說兩句，主動幫我們，已是我們前生修來的福氣。他的憂愁比誰都多，我們就算不能幫他，可也不能總纏著人家，給人添麻煩了。他是將軍，是天下無雙的大英雄，我們是說書的，和他湊不到一塊的，你應該懂得的。」

露兒漲紅了臉，咬著唇，半晌才賭氣道：「我懂，我比誰都懂。我從未想過要嫁給他，你別多想，我只想好好看清楚他，多記住他說過的話，然後說給你聽。你若真的明白事理，那以後就不要總向我追問狄將軍的相貌。」說罷一甩辮子，進了酒樓。

盲者苦笑不語，不多時，露兒又跑回來，噗哧一笑，拉住盲者的衣袖，說道：「爺爺，上樓吧！那公子還沒有來。」

盲者搖搖頭，和孫女進了酒樓。露兒上樓時問：「爺爺，那公子一出手就是百兩銀子，每次來聽說書，又總有幾個人護衛，你猜他是誰呢？」

盲者皺眉道：「管他是誰，他這麼喜歡聽狄將軍的事蹟，當然就是好人。他有多少人護衛有什麼關係，我們說的內容問心無愧就好。」

說話間，二人走上酒樓的二樓，早有酒樓老闆迎過來，招呼道：「江老漢，今天來得早呀！這邊坐……」酒樓中早坐滿了食客，見盲者前來，紛紛招呼道：「江老漢來了，今天準備說些什麼呢？」

原來這幾天有位公子頗為闊綽，給了江老漢百兩銀子，就說狄青的事情，連說十日。酒樓的食客有免費的書聽，當然紛紛趕來佔座，一時間酒樓生意大好，老闆自然對這爺孫兒倆很是客氣。江老漢坐下，露兒調了下弦，就有人催促道：「江老漢，快說吧……今天是不是要說安遠大捷了？」

盲者笑道：「今天說的正是安遠大捷，不過正主還沒有到，各位看官還請稍等。」眾人都知道盲者等著付錢的那位，嘟囔道：「這人素來準時，不知今日為何來遲了？」話音才落，樓梯處有腳步聲響起，眾人都道：「來了，來了。」

露兒舉目望過去，見到先有兩人並肩上樓，目光灼灼，四下望望，這才請後面的那公子上來。那公子低著頭，匆匆而走，到了雅間坐下，有個侍從陪著他，為那公子滿了酒，珠簾垂落。然後那侍從尖聲道：「好的，可以開始了。」

每次那公子來，都會到雅間休息，隔簾聽江老漢說書，行事有些古怪。眾人見怪不怪，不以為異，都道：「好了，開始吧！」

盲者一笑，敲下梨花板，清了下嗓子，沙啞著先唱道：「塞下哀雁唱離苦，千里落日孤城兀。將軍百戰驚風塵，賢者十年履霜露。」

露兒跟著彈著琵琶，錚錚嗡嗡，樂聲中滿是蕭索愁苦。樂聲方歇，露兒已道：「爺爺，你今日說的是安遠大捷，為何先說這四句呢？」

盲者道：「凡事有因才有果，有果必有因，這說書也是一樣，開始總要點點緣由。老漢我這四句中，說的是西北邊陲的情況，也說了兩個人。」

露兒故作沉思狀，突然拍手道：「是了，當初西北三川口、好水川兩戰後，西北堡砦無不自危，羊牧隆城孤城突兀，堅守許久，大宋兵士不知死傷多少，就像那失去親人的孤雁般。爺爺，你這詩的前兩句就是說的這種情況吧？」

酒樓食客聞言，或羞愧、或切齒，盲者歎道：「不錯，我說的就是這種情況。就在我大宋人人自危之際，有兩人挺身而出，擋夏軍虎狼之兵，救西北百姓於水火。」

露兒又笑拍手道：「我知道了，你說的將軍百戰驚風塵肯定是說狄青狄將軍。我在邊陲見過狄將軍，適才……我在樓下還見到他了。」說罷臉上又是高興，又是驕傲。眾人譁然，紛紛向閣樓的欄杆處湧去，差點兒擠裂了欄杆，都叫道：「在哪裡？在哪裡？姑娘指給我們看看。」原來京城中人雖多聽說過狄青的事蹟，但見過狄青的人並不多，一聽狄青就在樓下，忍不住想要看看狄青的真實面目。

露兒苦著臉道：「早走了，他是個忙人。」她有些黯然，並沒有留意到簾內那公子對身邊的侍從道：「狄青這些天如何了？」

那侍從恭聲道：「狄青今日又請見聖上，但我依聖上的心意，把他擋了回去。」

那公子只是「哦」了聲，聽簾外有人道：「狄青有什麼好看的？無非是一個鼻子兩個眼睛罷了。」那人肩寬背厚，身著長衫，坐在那裡頗有威嚴。聽露兒不服氣道：「狄將軍的確也是一個鼻子兩個眼睛，但比閣下要俊朗多了。」

眾人聞言哄堂大笑，那人聽露兒諷刺，霍然站起，喝道：「你說什麼？」

露兒稍有畏懼，但無論如何，都不能容忍別人小瞧狄青，昂頭道：「我說的是實情，我見過狄將軍兩次，見他額頭有疤，臉頰有刺青，鬢角已白，雖看似滄桑，但我知道他是天底下最英勇俊朗的男人。誰問我都這麼說！」

簾內的公子聽了，喃喃道：「聽她這麼說，倒是的確見過狄青。不想狄青鬢角已白了，我和他，也有數年未見了。」

侍從道：「是呀，狄青滄桑許多。許是塞下風沙多磨，讓人老得快些吧？」

「塞下不好，為何狄青總留戀在邊陲呢？」那公子喃喃自語，聽簾外要打起來的樣子，皺眉道，「讓江老漢說下去。」侍從一聽，尖聲叫道：「莫要吵了，若不聽書，就請下樓吧！」

眾人紛紛道：「是呀，聽書聽書，不想聽就下去。」

那長衫漢子見眾人都對他不滿，冷哼一聲，自語道：「我還真想聽聽狄青有什麼能耐。」聲音雖不服，但畢竟不再挑事。那盲者已圓場道：「露兒，那你說說，我這詩的最後一句說的是誰？」

露兒也不再爭吵，想了半晌才道：「『賢者十年履霜露』莫非說的是范公嗎？不過這和履霜有什麼關係呢？」

盲者臉上現出分光輝，說道：「不錯，我說的就是范公。范公這幾年坐鎮西北，和狄將軍一文一武，相得益彰，實乃大宋西北的中流砥柱。聽說范公不但文采好，還彈得一手好琴，但生平彈琴，只彈一曲，就叫做《履霜》。范公沉浮多年，終日如履薄霜，不改氣節，老漢我可是敬仰得很了。」眾人也都露出贊同之色，就算那長衫漢子，這次也沒有說什麼。

簾內那公子道：「范仲淹最近如何了？」

那侍從道：「他和富弼、韓琦、夏竦等人均從邊陲調回了京城，目前正在等聖上的吩咐。其實聖上要知道范仲淹、狄青的事情，大可找他們或找群臣詢問，何必在這裡聽人說書呢？」

那公子微微一笑，說道：「旁人所言，未免偏頗，只有這等人所言，方能說出百姓的喜好。朕銳意變革，當然要兼聽多方的言論，這才能有所決定。」

原來那公子不是旁人，正是大宋當朝天子趙禎！趙禎早沒有了當年的青澀無助，神色間，威嚴無限。那侍從就是宮中第一太監閻士良，聞言稱頌道：「聖上英明。」還待再說什麼，趙禎已道：「聽書吧！」閻士良立即垂手在側，不再多言。

簾外盲者這時已說起了安遠大戰。等說到狄青連斬兩將，被夏人詭計重創落馬時，眾人都是擔憂萬分，露兒接腔道：「爺爺，狄將軍重傷，那可如何是好？」

盲者道：「狄將軍重傷，被封砦主搶回了營砦。夏軍見狀大喜，一直隱藏在夏營中的夜叉部第一高手，虛空夜叉嵬名虛趕快來搦戰，只想撿個便宜，在營前罵戰。狄將軍才一回營，就已蘇醒，聞有敵來挑戰，當下再次上馬，喝道，『狄青可以死，不能不戰！』」

盲者說的最後一句話，夾雜著梨花木的擊打之聲，鏗鏘有力。眾人熱血上湧，都道：「狄將軍果然是真英雄。」趙禎聽了，想起當年的往事，唏噓道：「這個狄青呀，真的變了很多。」

簾外的盲者又道：「狄將軍當時重傷在身，別人都在擔憂狄將軍的生死。但狄將軍聞敵前來，奮起再戰，出砦只是一個回合，就斬了嵬名虛，喝令宋軍反擊。安遠砦的宋軍那一刻，就感覺周身都充滿了勇氣，當下和狄將軍追殺出去。那氣勢，如洪水暴發，竟然又衝垮了靈州太尉竇惟吉的兵馬，狄將軍一馬當先，又斬了竇惟吉。沿途堡砦軍士聞言，紛紛跟隨廝殺，轉眼就匯聚了數萬兵馬，一直殺到三川口，收復了大宋的失地！」

盲者說得唾沫橫飛，聽者無不眉飛色舞、揚眉吐氣。只有長衫之人冷笑道：「狄青重傷之下，還能追出幾百里地去，有誰能信呢？」

盲者一怔，轉瞬站起來道：「老漢當初就在安遠，親耳聽說此事，怎會有假？」盲者說書，當然也不詳盡，事實上狄青是詐傷拖延時間等待反擊的機會，但盲者並不知道真相，為說狄青的英勇，當然直接就讓狄青重傷之下奮起反擊，大快人心。盲者這般說書，不覺得有什麼不對，自古說書，只求流暢轉折，細節自不必深究。方才露兒和那長衫人爭吵，盲者心中還怪孫女多事，這會兒聽那人質疑自己說的真實性，忍不住滿臉通紅，額頭青筋都暴了出來。

那長衫之人冷笑道：「你就算當時在安遠，難道就不能說假話騙人了？反正我不信狄青這麼厲害，若真的見到他，倒想和他較量一下。」

眾人都怒目而視，但見那人野蠻，不敢多言。突然有一人道：「憑你這點兒本事，還要找狄大哥較量？我在狄大哥手下走不了三招。曹英，來、來、來，你若能在我手下過三招，我叫你祖宗！你若接不下來，趁早滾他娘的，別總找軟柿子捏，徒惹人恥笑！」

眾人正怒極，見有人出頭，不由振奮。那人方才一直都在角落靜靜地聽書，旁人也沒有留意，這刻長身而起，眾人才發現此人鬍子拉碴，雙眸炯炯，雖似憔悴，但站在那裡，卻有著說不出的高傲之意。長衫那人就叫曹英，聽有人叫出他的名字已是一驚，扭頭望見那人，神色微變。眾人只以為曹英要上前交手，不想他只是一跺腳，灰溜溜地下樓去了。趙禎隔簾望見那人，嘴角浮出絲微笑，神色中有分感懷，喃喃道：「郭逵不辱其兄的威名呀！」

站出那人正是郭遵的弟弟郭逵！流年如箭，當年那嘻嘻哈哈的少年，經時光洗練、傷別之痛，已遠比尋常少年成熟得要早。郭逵這些年來，勤修武技，極為刻苦，在禁軍營中早打出了名頭。曹英也是禁軍中人，見是郭逵，自知不敵，又知此人得天子器重，不能得罪，只能離去。

眾人見郭逵趕走曹英，又喜又佩，露兒抿嘴一笑道：「每次有人辱罵狄將軍，都有人站出來維護，看來公道自在人心。這位公子，你高姓大名，不知能否告訴我們呢？」露兒心中只想，這人稱呼狄青為狄大哥，看來和狄青很是親近。知道他的名字後，定當為他宣揚。

郭逵猶豫片刻，搖搖頭道：「在下無名小卒，路見不平而已。我還有事，告辭了。」他倒是說走就走，轉眼下了樓，不知去向。他其實知道露兒的用意，但心想我雖然尊重狄大哥，但我是郭遵的弟弟，自會憑自己的雙拳闖出一片天空，才不辱大哥的威名，既然如此，何須借用狄大哥的名頭？

眾人一陣唏噓，再議論片刻，三三兩兩地散了。趙禎讓閻文應又給了江老漢百兩銀子，讓他在這裡再說十天，可不必說給他趙禎聽了。江老漢雖覺得奇怪，但這種條件沒有道理拒絕，和露兒歡天喜地地走了。趙禎又飲了會兒酒，有宮人急急上樓，對閻士良低語幾句。閻士良聽了，對趙禎道：「聖上，夏竦入宮請見。」

趙禎點點頭，起身下樓，在幾個侍衛的衛護下向宮中走去。才過了幾條街，前方不遠處突然閃出一人，攔在路上。眾侍衛微懍，已手按刀柄，擋在趙禎的身前。趙禎卻已見到那人正是郭逵，喝退了侍衛，問道：「郭逵，你做什麼？」他因郭遵的緣故，很器重郭逵。

郭逵單膝跪地，雙手抱拳道：「聖上，臣有一事請求。」

趙禎和顏悅色道：「你有什麼事，起來說話吧！」

郭逵緩緩站起，問道：「臣不解聖上為何一直不見狄青，只是請說書人講書來瞭解狄青的事情？」

閻士良喝斥道：「聖上行事，何須話於你知？」

趙禎一擺手，止住了閻士良，淡淡道：「你早知道請江老漢說書的是朕，因此特意在酒樓等朕？是狄青讓你來的？」

郭逵搖頭道：「狄青不知道我來。這件事，是臣自作主張。聖上，狄青忠心為國，回到京城只為國事，不知聖上為何一直避而不見？」

趙禎避而不答，道：「朕還有事，你回去吧！」說罷舉步離去。

郭逵撞了一鼻子灰，見趙禎臉沉似水，不敢再勸，訕訕地閃身到了一旁。見趙禎離去，郭逵無計可施，回到郭府後，見狄青正坐在庭院中，望著空中飛燕，過來打招呼道：「狄二哥……今天沒有見到聖上嗎？」他不對狄青說見過趙禎一事，因為覺得沒有必要。

狄青搖搖頭，收回了目光，起身拍拍郭逵的肩頭道：「今天還打嗎？」他回到京城後，一直和郭逵切磋武技，知道郭逵已如寶劍磨礪，鋒芒漸出。

郭逵不等回話，八王爺府的趙管家走進庭院，道：「狄將軍，八王爺有請。」狄青微怔，他回京城後，少聯繫他人，也一直沒有去見八王爺。他感覺心中有愧，因為他一直沒有實現承諾。

郭逵哈哈一笑，道：「狄大哥，你去見八王爺吧，我今天有些累，想休息一天了。」心中暗想若經八王爺請見聖上，也有些希望。哼……若幾天後，聖上還不見狄大哥，我定當再次請見聖上，說說這件事。

狄青到了王爺府後，見八王爺還是坐在堂前屏風旁喝著茶，衣著乾乾淨淨。

這些年來，所有的一切都在變，好像只有八王爺和他的那個屏風沒有變。但狄青眼尖，已看到八王爺容顏顯得老了些，臉上的皺紋更深刻些。

見狄青前來，八王爺只是擺擺手，示意狄青坐下。本來麻木的臉上，終於擠出分笑容，他對狄青的感情，似乎也沒有變。

狄青坐下，有些慚愧道：「伯父……我進不了香巴拉……也一直救不了羽裳。」

八王爺有些意外道：「進不了香巴拉，這麼說……你知道香巴拉在哪裡了？」
狄青點點頭道：「從各種跡象來看，香巴拉就在沙州敦煌左近，而且很可能就在那沙漠之下！」
八王爺長舒了一口氣，「原來你也知道了，我找你來，本是要說這件事的。」
狄青一怔，問道：「伯父，你如何得知這個消息的？」
八王爺神色間有些疲憊，緩緩道：「我這幾年來，不停地派人前往沙州找曹姓後人詢問，這才得到的這個結論。聽你也這麼說，看來香巴拉的確在沙州了。可眼下就算知道香巴拉所在，卻不能方便行事，那裡有元昊重兵把守。賢侄，你這次回京，急著找聖上有什麼事？」
狄青將要和吐蕃聯盟、共擊西夏的事情簡略說了一遍，又道：「伯父，若真能如此，一方面可遏制西夏的囂張，亦能讓我們方便去尋找香巴拉，本是一舉兩得之計。可聖上一直託詞不肯見我，伯父，你能否帶我去見聖上？」八王爺眉頭緊鎖，手指輕叩桌案，見狄青神色中有些期冀，半晌才道：「你我都有一個共同的心願，就是救回羽裳，按理說我是義不容辭。」狄青心頭一沉，感覺八王爺話中有話，八王爺歎口氣道：「眼下西夏求和，西北終於有了喘息的工夫。聖上一口氣從西北抽調回范仲淹、韓琦、夏竦幾人，又把你召回京城，你多半認為聖上對你避而不見，是因為下定決心和西夏議和，不想你提及和吐蕃聯盟一事了？」
狄青詫異道：「難道不是這樣嗎？」
八王爺搖搖頭道：「事情並沒有你想像的那麼簡單，賢侄，你多半並不知道，在你征戰西北之時，范仲淹、龐籍、韓琦等人已多次上書回京，指出眼下大宋弊端，認為不改無以強兵，不改無以興國。如今先有郭邈山、王則等人作亂，引發全國各地流民造反，又因對西夏作戰不利，聖上有感大宋內憂外患，銳意變革。」
狄青不解道：「那這是好事呀，和聖上不見我有什麼關係？」
八王爺歎口氣道：「可能是好事吧，不過這麼一改，已動搖了當朝呂相的地位。你也知道，呂夷簡獨攬大權多年，風聞聖上變革，要除去他的相位，呂夷簡如何能坐以待斃呢？前段時日，在你前往吐蕃之時，呂夷簡特別建議天子任命鄭戩為陝西四路經略安撫使，前往陝西查地方官員的作為。」

「這個鄭戩是誰？」

「鄭戩是天聖年間的進士出身，和范公還有些親戚關係，也算個忠臣，為人剛正，以往也和呂夷簡在公事上諸多衝突。」八王爺道。

狄青有些困惑，又問，「如果鄭戩真的如此，有何不妥呢？」

八王爺輕歎一口氣道：「賢侄，你領軍是好的，但太不明白朝中的險惡。你真以為呂夷簡是好心？鄭戩剛正不假，但為人太過刻板認真，他一直和呂夷簡交惡，這次得呂夷簡推薦去陝西，當會兢兢業業地做事，不授之以柄。因為鄭戩知道，此事絕不能營私，若因此被呂夷簡抓住把柄，只怕更要牽扯到范公。但鄭戩如果一認真，西北就出問題了。我知道范公和他的好友滕子京素來成大事不拘小節，為求抵抗夏軍，因此在公使錢方面使用很有問題。」

狄青倒知道公使錢一事。公使錢算是宋廷獨有的官給，也算是地方的小金庫，負責地方靈活開支，性質上，類似大內的內藏庫。西北積極備戰募兵，若等朝廷調撥錢糧，肯定無法及時供應，因此范仲淹、滕子京、种世衡等人，均是巧用公使錢來保證狄青的用兵所需。這件事本問心無愧，但畢竟違反宋朝的規矩，若真的查起來，很多錢的去向難以深究，難免有貪污的嫌疑。

狄青想到這裡，皺眉道：「外敵未去，夏人虎視眈眈，如今合議未成，呂相就要對自己人下手了嗎？我覺得呂相為人尚可，范公也說過，呂相處事果敢，難道不知變法的益處？」

八王爺哂然道：「呂夷簡當然也知道變法對國家的益處，但他已位居兩府第一人，變法對他並沒有益處！此人權欲之心極重，只管自己的地位，哪管西北的死活？」狄青已從八王爺所言猜到了什麼，試探道：

「伯父，你是想說，聖上變革，要重用范公等人，呂相為保官位，因此要借鄭戩查西北公使錢一事攻擊范公嗎？」心中卻想，這和聖上不見我有什麼關係呢？

八王爺臉色凝重，半晌才道：「若只是這點事情，倒還好了。但現在朝中有傳言，范公和你在西北擁兵自重，祕密訓練十士，有造反自立為王的念頭！」

狄青霍然站起，臉色鐵青道：「哪有此事？我為何要造反？我這就去請見聖上。」狄青心中震駭莫名，從未想到會有這種傳言，他對自己倒無所謂，但只怕連累了范仲淹。

八王爺忙擺手道：「賢侄，你莫要激動，你聽我說。這種傳言事情可大可小，你要化解並非難事。但你一衝動的話，只怕壞事。」

狄青鎮靜下來，緩緩落座，問道：「依伯父所見，我該如何處理此事？」

「想清者自清，我信賢侄是忠心為國的。其實聖上對你也是很有好感，甚至可以說，你是聖上最信任的人，你若留在聖上的身邊，以如今的官階，假以時日，遠比去西北作戰要升得更快。聖上召你回京，不再讓你領軍，這自立為王的謠言不攻自滅。你留在聖上的身邊，就算西北有些問題，只要有聖上開口支持你，還有誰能奈何得了你呢？」

狄青沉吟許久，才道：「我明白了，聖上一直不見我，一是不想我再提聯盟吐蕃一事，另外是不想我再去西北了，是不是？」

八王爺笑笑，欣慰道：「你終於明白了。」

狄青澀然一笑，起身道：「多謝伯父提醒，我還有事，就先回去了。」他告辭離去，心事重重，並沒有留意到八王爺望著他的眼神變得有些奇怪。

狄青心緒繁遝，回到郭府後，數日閉門不出，也不再去請見聖上。郭逵見了，忍不住地擔心，但他也是無計可施。如是又過了幾日，京中似乎還是波瀾不驚，郭逵卻有些按捺不住，這一日，才要出府去見聖上，突然在門前遇到閻士良。

閻士良見到郭逵，開門見山道：「狄將軍可在府上？」

郭逵又驚又喜，忙問：「閻大人，可是聖上想見狄大哥了？」

閻士良搖搖頭道：「不是聖上想見，而是曹皇后想見狄將軍，特派我前來，請狄將軍入宮。」

郭逵怔住。

第十四章　抉　擇

狄青聽閻士良說曹皇后要見他，也是忍不住詫異。他知道趙禎廢了郭皇后，就立曹氏為后。曹皇后是大宋開國將領曹彬的孫女，聽說賢良淑德，就算范仲淹都對此女頗為嘉許。但狄青和曹皇后根本沒有絲毫瓜葛，曹皇后找他做什麼？

狄青帶著疑惑入宮，到了皇后所居的寶慈宮前。時隔多年，大內早已抹去當年一把大火的痕跡，但那把大火連燒禁中八殿的情景，還留存狄青腦海。寶慈宮本是當年的崇徽殿改建，這宮中的很多大殿，早就換了新顏，狄青想到這裡時，忍不住向皇儀門的方向望去。宮門深重，煙柳依依，那一望，望不盡深宮幽怨。只見有春鶯鳴叫，電閃般地穿梭在空中，狄青腦海中又有道白影掠過，神色悵然。

有宮女前來道：「皇后在宮後的御花園，請狄將軍過去一見。」

閻士良知趣地告退，那宮女領著狄青走花徑，過長廊，轉過一座假山後，前方現出一廣闊的花園。這時春意已濃，繁花似錦，綠意油油。有草氣清新撲面，讓人身在其中，神清氣爽。那領路的宮女一路行來，總是忍不住地偷望狄青幾眼。狄青早有察覺，並不在意。實際上，他就算不是狄青，也是個極有魅力的男子。多年的滄桑加上俊朗的容顏，讓他早有迴乎常人的魅力。

到了御花園前，早有幾個宮女立在園前，見狄青前來，秋波忍不住地漫將過來，悄然指點，掩口嬌笑。

有宮人唱喏道：「狄將軍到。」

這時園中有幾人在一片青綠中站起來，向這面張望。園子四周有幾個宮女正在擔水，聞言也都放下了水桶，向狄青望過來。狄青這才留意到，這御花園有些名不副實，因為園中少種花草，多是新綠的穀物，那園子的盡頭，種著幾排桑樹。

狄青是在鄉村長大，倒是見多了這種架勢，心中很是奇怪，心想若不是自己知道是在宮中，還會以為到了菜園呢！御花園怎麼會種滿穀物桑樹？

這時有個宮女前來道：「狄……將軍，皇后找你過去。」那宮女話語吃吃，臉上羞紅，竟不敢直視狄青。

狄青順著那宮女指的方向望過去，見菜園中立著一女子，正向他望過來。那女子粗布羅裙，輕飾薄粉，面容姣好，額頭微有汗水，見狄青遲疑走過來，微微一笑。

狄青到了那女子面前，見那女子手上還拿著鋤頭，不由訝然，半晌才施禮道：「臣狄青，參見皇后。」

他真不能相信皇后會鋤地的，難道說皇后受罰？可見眾人其樂融融，又不太像被罰。

曹皇后輕聲道：「狄將軍免禮。」似乎看出狄青的困惑，曹皇后笑道：「我在宮中無事，就帶她們種植穀物，種桑養蠶，一來也算做些事情，若能有點收成，可以給我們這些人提供些糧食、衣物，那就是更好了。」

這時有宮女提水走到皇后的面前，突然腳下一軟，那桶水就要潑了出去……

狄青手一伸，輕易地挽住水桶，道：「這些活兒，交給雜役去做不就好了？」

曹皇后微笑道：「這些事情，本來就是我弄出來的，交給他們，不是又增加他們的負擔？」拿瓢要舀水澆苗，狄青道：「臣現在無甚負擔，這澆水的事情，先交給臣吧！」

曹皇后嫣然一笑，遞過鋤頭道：「那就煩勞狄將軍翻土鋤草了。」

狄青也不推辭，當下接過鋤頭。他久在鄉間，雖說年少頑劣，畢竟也會為大哥減輕負擔，農活端是沒少做過。這些認苗除草、鬆土提水的事情，做起來比上陣殺敵還要游刃有餘。

曹皇后跟在狄青的身旁，不時地灑水澆苗，這時紅日高升，耀在青苗嫩葉的水珠上，亮晶晶的一片。園中春風和煦，滿是明媚。

曹皇后突然道：「狄將軍可知我找你何事嗎？」

狄青嗅著泥土的芬芳，宛如回到年幼在農間的光陰，一時間忘卻了所有的煩惱，那時候只在想，若我不惹事生非，說不定就到不了京城……我若一輩子都在鄉間，那會是苦是樂呢？可若碰不到羽裳……不再想下去，聽皇后詢問，狄青搖搖頭道：「恕臣駑鈍，不知皇后召臣來此的用意。」

曹皇后笑容和善，伸手指了下周圍道：「她們久聞將軍之名，想見狄將軍很久了。」

狄青微怔，四下望去，見到御花園周圍，不知何時，早站滿了宮女。見狄青望過來，均是掩嘴而笑。不知是誰鼓起掌來，眾人應和，一時間園中掌聲一片，紅顏綠草，相映成輝。

狄青有些茫然，錯愕道：「皇后，這是……」

曹皇后微微一笑，等掌聲停歇後，這才解釋道：「這些丫頭，平日在宮中無事，這幾年多聽狄將軍大名，一直想見你一面。這次聽狄將軍回到京城，就纏著我，讓我想辦法請狄將軍前來。我抵不住她們的軟磨癡求，又因還有一事要向狄將軍詢問，這才請狄將軍來宮中。還望狄將軍大人大量，莫要見怪。」

狄青有些赧然，暗想這個曹皇后可比原先的那個郭皇后容易相處許多，這些宮女敢開這種玩笑，若是碰到那郭皇后，還不被五馬分屍了？他素來不拘小節，施禮道：「臣不敢。」

曹皇后笑道：「她們鼓掌，不只是因為狄將軍征戰疆場，百戰百勝，還因為狄將軍俊朗滄桑，遠超乎她們的想像，更是因為……」瞅瞅狄青手上的鋤頭，頓了下，這才盈盈笑道：「更是因為狄將軍對農家事情這般熟悉，為人質樸率直，真是萬中無一的好男兒，怪不得常寧前幾日對我提及將軍之時，滿是推崇。」

狄青聽曹皇后這麼說，微有臉紅。聽曹皇后提及到常寧公主，心中一動，隱約想到些什麼。

這時御花園外一聲唱喏道：「聖上駕到。」就聽腳步聲起，趙禎金冠龍袍，已到了御花園內。

眾宮女忙伏地跪拜，曹皇后向狄青使個眼色，快步迎過去，斂衽為禮道：「參見聖上。」狄青落後幾步，遠遠單膝跪地，行軍中之禮道：「臣狄青……參見聖上。」

趙禎目光從狄青身上閃過，神色中像是微有意外，擺手道：「不必多禮，都起來吧！」眾宮女起身，垂手肅立，不敢再放肆。狄青見趙禎神色威嚴肅穆，喜怒不形於色，心中暗想趙禎也變了，變得威嚴了，也難以捉摸了。

等皇后、狄青起身後，趙禎笑道：「皇后，你找朕前來御花園，有何事情呢？」

曹皇后一指園圃，笑盈盈道：「聖上，你看看，這些穀物如今都長得很好，當初還有你的一份功勞呢！」

趙禎樂呵呵道：「是呀，初春的時候，你一定要拉朕來種地，我也出了份力，不過更多都是皇后你的功勞了。你說讓宮中節衣縮食，多補西北征戰所用，朕覺得很有道理。」

狄青聽了，心中微暖，暗想這個曹皇后身在深宮，竟還能牽掛西北將士，實在讓人感激。

趙禎話題一轉，望向狄青道：「皇后，可你找狄青來，有什麼事呢？」

曹皇后道：「我找狄青來，其實……是想詢問國舅一事。」

狄青心頭一震，才想起來曾經見過曹佾，而曹佾就是曹皇后之弟——當朝國舅。趙禎皺了下眉頭道：「國舅還沒有下落嗎？」

曹皇后笑容斂去，隱有擔憂之意，蹙眉道：「聖上，國舅已很久沒有消息傳回來了。他和那些侍衛，好像憑空失蹤了一樣！」

狄青一驚，忙問：「皇后，國舅失蹤了？」他和曹佾曾有約定，對曹佾這人也是頗有好感，知道曹佾有事，很是關切。

這時早有人在花園擺下了座位，趙禎和曹皇后相攙落座，招呼狄青道：「狄青，你也坐吧！」

狄青猶豫片刻，不想違背趙禎的吩咐，終於坐了下來。

眾人見了，心中都想，傳言中，聖上對狄青如待兄弟般，今日一見，果然不假。要知道就算兩府中人到了宮中，有些人都沒有這賜座的禮遇的。

曹皇后愁容不展，望著狄青道：「狄將軍，國舅的事情，想必你也知道些。當初高平砦外，你算是最後見到他的人。自那天後，國舅只傳過一次消息回來。那時候他已過橫山，到了西夏境內。自此以後，他就再沒有消息傳回來。他帶了幾十個侍衛，也沒有一人回轉，我只怕他有事了，這才找你過來問問。」

狄青吃驚道：「我和國舅自從高平砦一別後，就再也沒有見過面了。他帶著幾十個侍衛，就算遇到夏軍，也不應該沒有一人回轉呀！」見曹皇后憂心忡忡，狄青安慰道：「說不定……國舅自有打算，皇后不必太過憂心。」

曹皇后眼中盈淚，悲傷道：「都已過去兩年了，還是音信全無，只怕……我就怕他已出事，那幫侍衛怕擔責，這才不敢回來告訴我們。國舅素來命苦，難道說……他真的……」本想說難道曹佾死也不能再見家人一面，甚至屍骨都不能回鄉，驀地悲慟上湧，伏案啜泣起來。

趙禎忙起身到了曹皇后身邊，輕拍曹皇后的背心，安慰道：「皇后莫要哭了，如今都是猜測，國舅不見得有事了。」

狄青見曹皇后抽泣不止，很是傷心，說道：「皇后，臣在邊陲時，手下有一部消息很是靈通。若臣回到邊陲，定會讓他們全力查尋國舅的下落，給皇后一個交代！」

趙禎聞言，忙道：「是呀，狄青的建議不錯。」突然想起了什麼，道：「不過嘛……狄青，你把誰能做事告訴兵部就行，朕會下旨，讓兵部處理此事好了。」

狄青心頭一沉，趙禎這麼講，莫非就是不想讓他狄青再回西北嗎？可他依舊神色不變，說道：「臣出宮後，馬上去辦。」

曹皇后抬起頭來，雙眸淚痕未乾，感激道：「多謝狄將軍用心了。不過……你回轉京城，是有要事吧？耽誤你做事，我總是心有不安。」

狄青忍不住向趙禎望去，見趙禎正巧望來，沉聲道：「臣奉旨回京，月餘來一直請見聖上，隨時準備再赴西北。不過這段日子聖上好像身子不適，一直沒有見臣。還不知聖上召臣回來，有何吩咐呢？」

趙禎乾咳幾聲道：「狄青，你在西北，朕其實很掛念你。當初傳言說你死在平遠砦，朕幾乎落淚……」說話間，神色滿是感慨。

狄青見趙禎真情流露，回憶往事，也是有些唏噓，感激道：「煩勞聖上牽掛，臣愧不敢當。」

趙禎擺擺手道：「狄青，朕一直拿你當兄弟，可你好像對朕倒有些疏遠了。朕當年派你到西北，累及你幾乎送命，每念及於此，心中難安。不過這次好了，西夏求和，西北不會再有戰事，狄青，朕希望你，以後就留在京城吧！」

狄青大急，想起八王爺所言，知道這時再請赴西北，肯定惹趙禎不悅。但他無法不說，起身施禮道：「聖上，臣認為，西夏元昊野心勃勃，此次議和，絕無誠心。想當年元昊之父德明也曾奉表求和，但還不是被元昊撕毀協議？西北邊防絕不能鬆懈，誤了進取西夏的大好機會。」

趙禎臉色倏然陰沉，冷冷道：「狄青，你可知道，朕前幾日方接到一封密信。你想知道內容是什麼嗎？」

狄青暗自心驚，搖頭道：「臣不知。」

趙禎從袖中取出一封奏摺，放在桌面上道：「前幾日，捧日、天武四廂都指揮使葛懷敏有密報，說手下曹英曾聽有人在酒樓賣唱，大肆宣揚你的功勞，收買民心！」

狄青懍然，知道收買民心一事可大可小。聽趙禎口氣森然，更是不安。

趙禎又道：「其實早在去年，就有人密告說你桀驁不馴，私自募兵，以下犯上，對韓琦等朝廷重臣公然不敬。狄青，這些罪名，你讓朕如何處置？」

御花園內春風帶寒，有烏雲捲了天日，整個園子都暗了下來。

眾人見趙禎動怒，均是為狄青擔憂。狄青卻昂起頭來，只是說了五個字，「臣問心無愧！」

趙禎臉上怒意一閃，曹皇后見了，一旁忙岔開話題道：「聖上，聽說最近廣西儂智高親來京城，求聖上出兵攻打交趾，不知聖上如何定奪的？」

曹皇后只想轉移視線，不想趙禎仍不肯錯開話題，冷冷道：「儂智高父子自恃地處偏遠，以功自矜，當初不聽朕的旨意，如今有難才想求朕，那已經晚了！」

狄青雖在西北，但也知道儂智高的事情。儂智高為廣源州人，是廣西的蠻夷首領。宋初時，儂氏家族和宋廷交好，得宋廷支持，在廣西頗有威信。儂氏家族到了儂智高之父儂全福之時，已成廣西豪強，勢力頗雄。

儂全福當年對宋廷畢恭畢敬，但盤踞廣西多年，又因廣源州地產黃金，儂全福依仗地利，開發金礦，富強一時。儂全福勢力益大，對宋廷慢慢驕奢起來，劉太后當權時，儂全福竟自封為「昭聖皇帝」。但宋廷先有契丹脅迫，後有西夏李家父子為禍，一時間管不了儂家父子，任由儂家坐大，但宋廷和儂氏由此交惡。

宋廷雖無力出兵，但儂全福自封為王，惹怒了大宋南方的交趾。本來儂氏在廣西，夾在大宋和交趾之間，一直對大宋和交趾雙向稱臣，進貢財物，可儂全福稱帝後，對宋、對交趾一樣地傲慢。交趾王惱怒，對儂全福興兵，幾年前擒住了儂全福。儂智高雖多方營救，但交趾王還是斬了儂全福。儂智高大怒，數次對交趾用兵，但少有作為，如今又向宋廷求助，只想借大宋之兵以報父仇。

趙禎談及此事時，明說儂智高，卻是暗自警告狄青莫學儂智高自恃身在邊陲，矜功自大！狄青經多年霜雨，如何聽不出趙禎的言下之意，一時間心中茫然失落。

趙禎見狄青不語，只以為他服軟，心中暗喜，放緩了口氣道：「狄青，其實朕是信你的。但只有朕信你，百官不信，朕也不好一意孤行。這次西夏遣使臣沒藏訛龐來議和，看起來其意甚誠，西北交兵多年，百姓受苦厭倦，議和一事，本是順應行事，你若喜歡的話，我可讓你負責議和一事。」

狄青知道趙禎是給他臺階下，意思就是，把議和的功勞白送給狄青。可一想到如煙往事，想到郭遵、王珪、武英等人，一咬牙道：「聖上，臣不贊同和西夏議和。」

趙禎心中惱怒，一拍桌案，站起來道：「狄青，你說什麼？」

狄青心中無愧，並無畏懼，說道：「聖上，請容臣說完。」見趙禎面沉似水，也不表達心意，狄青硬著頭皮道：「聖上，臣征戰西北，也曾親自刺殺元昊，因此見過元昊。元昊此人素有野心，一直以來想要盡取關中，一統天下，絕不滿足眼下的成果。眼下元昊求和，依臣之見，原因有三……」

趙禎冷冰冰道：「有哪三個原因呢？」

狄青留意到趙禎的不悅，還堅持道：「第一個原因就是元昊以退為進，眼下我朝西北將士百姓已眾志成城，他難有可乘之機。他當然知道大宋更戍法的弊端，是以等大宋這批將領離去後，再等機會出戰。」狄青知道這麼說，無疑是在質疑大宋祖宗家法，但早已橫心，又道：「第二個原因就是，連年征戰，邊陲榷場不開，宋軍漸強，夏軍已得不償失，又不能打通關中一線，這才暫緩攻勢，以議和來調整策略，只要時機一到，肯定就是他們再次出兵之時。而第三個原因就是，臣已得到消息，契丹不知為何，與元昊交惡，已有移兵西進的架勢，元昊只怕雙向受敵，難以支撐，這才想要議和。聖上，對付元昊的狼子野心，只有窮追猛打，全力剿滅一途，不能等其休養生息，再次壯大。臣已說服吐蕃贊普唃廝囉，他已應允出兵。就算契丹並不出兵，只要吐蕃對西夏用兵，我朝再出兵進攻，就算不能殲滅西夏，最少也能盡取橫山一脈，橫山蜿蜒千里，地勢扼要，不亞於幽雲十六州。只要能取橫山，我朝進攻退守盡占地利，西北可定。」

見趙禎還是不語，狄青自薦道：「聖上，臣處嫌疑之地，但問心無愧，請命再戰西北……」

趙禎臉色陡然一沉，喝道：「夠了。狄青，如今百姓日苦，滿朝文武同意議和，你竟敢抨擊祖宗家法，獨唱反調？難道你真的認為文武百官，均不如你一個狄青？你說瞭解元昊此人，是不是就在諷刺朕和百官有眼無珠，不辨是非？」

狄青不想長篇的論戰言辭，趙禎竟聽出反調，不由錯愕，強自道：「聖上，你聽我解釋……」

「不用多說了，退下！」趙禎聲音中滿是森然。

狄青還待再說，突見曹皇后向他使個眼色，又見趙禎怒氣正沖，心中歎息，施禮道：「臣告退。」他轉身出了御花園，心中滿是惆悵，暗想趙禎不解邊陲之苦，不知元昊之心，決意議和，那他狄青該如何是好？

趙禎見狄青離去，還是怒氣不息，重重再拍桌案，恨恨道：「朕若不是念及和狄青的交情，今日只憑他辱祖宗家法一事，就要治他的罪過！」

曹皇后一旁站起，親自為趙禎滿了杯茶，低聲道：「其實幾年前，官家不就說過，祖宗家法也不儘然，更戍法弊端重重，這點官家早就知道呀！官家曾有意變法，不就是要針對以前傳下的缺點？狄青說出了官家的心思，那很好呀！為何狄青談及此事，官家這麼大的反應呢？」

趙禎鼻孔直冒冷氣，道：「朕說可以，他說就不行！這些日子，已有不少臣子說狄青的是非，更有人說狄青升遷過快，自矜軍功，若不限制，只怕會有反意。」

曹皇后見趙禎如此氣惱，噗哧一笑道：「官家，沒有人比你更瞭解狄青，你肯定知道他不會反的，是不是？這些年來，你一直對往事念念不忘……」說到這裡的時候，曹皇后臉色有些異樣，但很快柔和如常，「妾身今日一直在留意狄青，觀他面相，看其行事，又見滿園春色，他卻視而不見，依我看來，狄青分明是個專情、質樸而又隨和的漢子。這種人，雖有雄心毅力，但沒有野心傲氣，不會反的。」

「他若不反，為何念念不忘前往西北？他若沒有反意，為何有人說他的是非？」

「想古人有言，『木秀於林，風必摧之；行高於人，眾必非之。』狄將軍不經科舉，從行伍之身得今日之榮耀，難免有人看不順眼。再說這多半也和官家最近要變法有關……」曹皇后說得不急不緩。

趙禎皺起眉頭，反問道：「狄青就是狄青，和變法一事何關？」

曹皇后秀眸凝望趙禎，和緩道：「其實官家很多事情都知道的。官家有魄力要變法，就不再想用呂相。因呂相雖穩，但已至極位，缺乏變法的決心。官家想用范仲淹，有人不滿，但知道范仲淹為人公正，天下有名；為國之心，朝野皆知。若是詆毀范仲淹，只怕很多人都不信。他們動不了范仲淹，但知道狄青和范公在西北，相得益彰，交情匪淺。若能從狄青下手，詆毀成行，只怕范仲淹也難脫干係。官家，狄青此人絕無反心，他若沒有反心，方才所言，就算激烈些，也不過是為了大宋百姓，為了官家的江山，並非對官家不敬。官家對他知之甚深，其實這些話，我本多說了。既然如此，官家難道真的忍心讓如此忠臣心冷，毀於朝廷的權勢爭鬥之中嗎？」

趙禎沉思良久，長歎一口氣，說道：「朕只氣他總是逆我心思行事罷了。對了，皇后，朕想變法除大宋弊病，已召范仲淹、韓琦、富弼等人回京。前段日子，范仲淹上書《條陳十事》，建議對十個方面進行變革，主要包括『明黜陟、抑僥倖、精貢舉、擇官長、均公田、厚農桑、修武備、減徭役、推恩信、重命令』。朕觀其進諫針砭時弊，很是中肯，但最近外戰未平，內亂多有，各地流民總是鬧事，朕只怕貿然變法，引天下動盪。不知皇后可有什麼看法嗎？」曹皇后出身將門世家，見識頗精，趙禎倒多和她商議朝政。

曹皇后微微一笑，說道：「前段日子，我倒聽說個有趣的考題，不知聖上可否想聽？」

趙禎終於放鬆了表情，忍不住笑道：「你什麼時候也關注科舉一事了？」

曹皇后搖頭嬌笑道：「和科舉無關，妾身想考考官家。」二人坐談，天雖不冷，但旁邊早有人在紅泥小火爐上煮水沏茶，隨時為天子、皇后斟上熱茶。曹皇后示意宮人將銅壺拿下，那火爐炭火燃得正旺。曹皇后隨手揀起一段枯枝，遞在爐火上點燃。趙禎不明所以，但饒有興趣地觀看。

那枯枝燃著，曹皇后並不將枯枝投入爐火中，反倒拿在手上道：「官家，這枯枝如此燃盡，就成木炭。妾身想考官家一下，如何能讓枯枝燃盡後，還能得完整的木炭在手呢？」

趙禎接過枯枝，笑道：「這應該容易。」他本以為簡單，拿枯枝在手只等火燃盡，不想那火逼到尾端，趙禎手指不停後退，終於退無可退，眼看火要燒到手上，慌忙丟了枯枝。枯枝落地，摔成數截。趙禎臉一紅，道：「這事不可能做到的。」

曹皇后嫣然一笑道：「也不見得不可能了。」說罷左手又拿了根枯枝，放在火中點燃。趙禎滿是不信，盯著曹皇后。見那火兒漸漸地燒到了曹皇后的手指，忙道：「快丟了枯枝。」

不想曹皇后陡然右手伸出，捏在適才燃過的發黑木炭之上。趙禎一驚，心道那木炭雖沒有火，但還很熱，皇后這般，那不燙了手指？才待制止，枯枝已燃畢，曹皇后輕蹙蛾眉，拿著那截完整的木炭道：「官家，妾身做到了。」這才拋了木炭。

趙禎見曹皇后右手兩指已被炙得發紅，心中痛惜，忙道：「皇后，不過是個考題，何必如此認真呢？快傳御醫來。」

曹皇后忍住疼痛，還能笑道：「官家，這雖是個考題，但是個關乎大宋江山的考題。眼下大宋江山就像這枯枝，內憂外患就像這火兒，官家要守完整的江山，就不能一再退讓，只能忍痛一搏，方能得竟全功。自古

『生於憂患、死於安樂』，變法變法，改舊迎新，陣痛當然難免，若因為這痛不敢變革，終究難守江山！」

趙禎長歎一聲，望著地上的木炭，良久才道：「不想皇后竟有這般決心勸朕……朕若再瞻前顧後，真的問心有愧了。」望著皇后發紅的手指，趙禎目光閃動，突然問道：「但我想，這考題並非皇后想出來的吧？就像今日朕見狄青，也是皇后安排的吧？」

早有御醫趕到，為曹皇后處理燙紅之處。

曹皇后見趙禎這般詢問，笑答道：「我就說官家絕頂聰明，很多事情瞞不過你。前幾日常寧在街上見到狄將軍，得知他是因見不到官家而苦惱，這才私下和妾身說及此事。妾身召狄青入宮，一是要詢問國舅一事，更多是為官家的天下。狄青有勇有謀，實乃繼曹將軍之後難得的良將，只盼聖上能從大局著想，莫要責怪於他。至於那考題嘛，是范仲淹對妾身所言，妾身不過將范仲淹的意思轉達而已。」

趙禎見曹皇后如此，心下感動，暗想朕為堂堂男兒，難道還不如個女兒家？皇后苦諫如此，朕若再猶豫不決，真的羞愧無地。

一念及此，趙禎已打定了主意，對閻士良下旨道：「召見范仲淹。」

第十五章　交　鋒

狄青出了皇宮，一時間心煩意亂。這些年來，他只有兩個目的，一是帶領西北軍民保家衛國、抵抗夏軍，另外一個目的，當然就是尋找香巴拉。

但後來他才發現，這兩個目的，是可以合二為一的。要去香巴拉，必要擊敗元昊再說。他殫精竭慮地出招，從未想到過，有朝一日，宋、夏會突然議和。

接下來，他該怎麼做？

信步於汴京古城，見到人流如過江之鯽，花市如碧海怒潮。汴京繁華鼎盛，熱鬧非常。不過這熱鬧，始終是別人的。立在街頭，望著夕陽西下，終於沒入天際。等到夜幕籠罩之時，狄青突然感覺到一陣戰慄，他彷彿已立在懸崖之邊。

「狄青……喝些酒吧？」突然有一人嘶啞道。

狄青微有詫異，扭頭望過去，見到身邊恰有家酒肆，酒肆外坐著個老者。那老者臉上有道刀疤，眉毛都斷了一半，容顏怪異。狄青忽然想到，他認識這老者的。

當年他要刺殺夏隨，被郭遵攔截，隨後郭遵就帶他來到了這家酒肆，碰到了這老者，老者姓劉，對郭遵很是尊敬。

往事隨風，物是人非。狄青想起郭遵時，向劉老爹點點頭，默默地進入酒肆，發現裡面空無一人。這裡酒菜雖不錯，但就像人一樣，不見得好就會有人賞識。

劉老爹跛著腳忙前忙後，為狄青準備了滷味醃菜，又拿了一罈子酒放在桌上，然後就半掩了店鋪，示意已不開業。

狄青本無言語，見狀說道：「劉老爹，我就是喝喝酒，你不用歇業的。」

劉老爹又捧了一罈子酒，重重地放在桌上道：「我有話和你說！」

狄青驚奇地望著劉老爹，不知道劉老爹會對他說些什麼。劉老爹早取了兩個大碗公，拍開了酒罈子的泥封。

酒香四溢，聞了都讓人心醉。燈火閃爍，照著兩人不同的滄桑。

劉老爹端著一碗酒道：「這酒是我自己釀的，藏了三十餘年，只有這兩罈。醇酒如人，久了才能知味道。好酒如刀，可斬世間萬千情愁。」

狄青從未想到這老者能說出這幾句風雅的話來，端著那酒碗道：「劉老爹沒有聽過『借酒消愁愁更愁』的話嗎？這酒只有兩罈，你用半生來釀的酒，為何要讓我喝？」

劉老爹盯著狄青道：「這酒本來是給郭遵喝的！當年他曾和我約定，只要解開心結，就和我痛痛快快地喝一場。我說等他，自那日後，我就藏下了這兩罈子酒！」

狄青聽到郭遵之名，心中微酸，將那碗酒一飲而盡，傷感道：「郭大哥喝不到這酒了。」他不知用了多少氣力才說出這句話來。

他戎馬倥傯多年，太多人已離他而去，或許他偶爾會記起，或許他永遠地忘記。但他知道，此生永遠不會忘的人，一是羽裳，一是郭遵！

劉老爹也乾了碗中酒，又端起酒罈子滿了酒，不待說什麼，狄青突然問道：「郭大哥有什麼心結？」

狄青心想，按照劉老爹所言，這酒沒有開啟，郭大哥一直沒有喝，也就一直沒有解開心結。一想到這裡，狄青已想無論如何，都要幫郭遵完成心願。

劉老爹道：「他的心結，和你有關！」

狄青一怔，暗想難道又是和香巴拉有關嗎？聽劉老爹道：「狄青，我給你講個往事，不知你會不會聽？」

狄青道：「你講什麼，我都會聽！」

劉老爹點點頭，棄了酒碗，抱著那罈子酒灌了幾口，任由酒水淋漓地灑在胸襟之上，不知何時，眼中已有淚水。

「郭大人救過我一命，怎麼救的，我就不多說了。自從他救我後，我這一輩子，最開心的事情，就是等他過來喝幾口酒，聊個幾句。他是個好人，你知道吧？」

狄青心中奇怪劉老爹這麼問，笑道：「他若不是好人，這世上就很難再有好人了。」

劉老爹唏噓道：「可好人也會做錯事，他就做錯了一件事，結果內疚終生。」

狄青忍不住地心跳，直覺中認為，劉老爹說的事情，會和他有關。聽劉老爹又道：「郭大人是武學奇才，年紀輕輕的時候，就已深得先帝器重，得入殿前。他雖年少得志，但為人爽朗熱情，見不得不平之事，不然他也不會救了我。那時候他在京城遇到了個姓狄的書生……還帶他到我這裡喝過酒，那狄姓的書生，長得和你一模一樣的，都是俊朗非常。」

狄青心頭狂跳，不待猜測，劉老爹已揭開謎底道：「你不用猜了，那書生就是令尊！令尊和郭大人早就認識！」

狄青恍然明白了很多事情，突然想到，當初郭遵和他一見投緣，是不是因見他面熟？

劉老爹又灌了幾口酒，說道：「令尊雖是文弱書生，可也頗為直爽，我看著他們交好，很是高興。那時候令尊正在京城溫書要考狀元，不多久，認識了個梅姓女子，也就是令堂。令尊和令堂是一見傾心，但郭大人也喜歡令堂！」

狄青臉色鐵青，追憶往事，握著酒碗的手劇烈顫抖起來，嗄聲道：「當年打傷我爹的，就是郭大哥嗎？」

他實在不想這麼猜測，但又不能不這麼猜測。往事忽來，如風捲狂雪。

狄青記得爹一直重傷不癒，記得娘一直黯然憔悴，他知道是有人擊傷了爹，害得爹考不成科舉，落魄一生，可娘親從來沒有對他們兄弟說過仇家是誰。

他想不到擊傷他爹的，就是郭遵——那個他視若父兄的郭遵！

恍惚中，聽到劉老爹道：「是，打傷令尊的就是郭大人，但他是無心的。」

狄青霍然站起，臉頰抽搐，劉老爹見狀，急叫道：「他真的是無心打傷令尊，所有的一切，是因為五龍！」

狄青一懍，失聲道：「五龍？怎麼會和五龍有關？」

劉老爹悲哀道：「五龍是個不祥之物，你記得嗎？郭大人曾勸你放棄五龍，就因為他當年深受其害。那一天，是八月十五，月圓之夜！」

「八月十五？」狄青心中更驚，暗想這個八月十五是不是就是八王爺說的那天？為何五龍會在這一天現出怪異？

劉老爹眼中突然現出恐怖之意，透過窗子，望著天上的明月。

這時明月皎潔，灑下清輝透過窗子鋪在了地上，如在地上鍍了層水銀。

劉老爹驚怖中帶著顫抖道：「那一夜，月亮也是這麼亮，這麼圓。已經很晚了，郭大人突然踉蹌到了我的酒肆，面無人色，說他犯了大錯，擊傷了令尊！那時我還不信，我知道郭大人雖很喜歡令堂，但絕不會恃武凌弱，既然如此，他怎麼會對令尊出手？那時候郭大人語無倫次，我看得出，他十分後悔懊喪，當時他只是說道，『是五龍，是五龍的原因。可是誰信？不行，我一定要去解釋。』當晚，他反覆說了那幾句後，就衝出了酒肆……」

狄青心緒混亂，想到了什麼，臉上色變。五龍突現異狀，受控者突增神力，他是親身體會過，也曾因此打傷過馬中立。聽曹佾所言，郭遵無疑也受過五龍的影響。難道說，當初郭遵突被五龍影響，難以控制，這才傷人？

狄青感同身受，已明白郭遵的意思。郭遵當時已覺得是五龍作怪，因此後來才視五龍為不祥之物。郭遵知道沒人會信，也知道狄青的娘不會信，但郭遵還是想去解釋。

劉老爹續道：「當時我很是擔心，可一直等了三天，郭大人才又回轉。我當時看到他的時候，差點兒沒有認出他來。他憔悴得不成樣子，好像孤魂野鬼一樣，只是說道，『找不到了，他們走了。』他說完那句話後，就暈了過去。他兩天后才醒，但只是喝酒，好像要喝死了為止。」

狄青雖知那時郭遵肯定沒事，還是擔憂道：「他後來呢……好轉了嗎？」

劉老爹若有深意地望了狄青一眼，半晌才道：「後來我拎著他的耳朵，在他耳邊吼著，『你若是個男人，做錯了事就要想辦法去彌補，不要讓人看輕！』郭遵聽到我那句話後，不知為何，突然開始吃飯了。但隨後他就大病了一場，差點兒死去。後來他就對我說，『我做錯的事情，我就要補過，你信我。』當時我就對他說，『我信你，我釀酒等你，什麼時候你解開心結，我就和你痛痛快快地喝一場。』」

狄青望著桌上的那兩罈酒，似乎望著兩個漢子間的約定。那酒罈蒼綠，在燈光下的色彩流轉不定，難以捉摸，有如郭遵從未說出的心事。

劉老爹也在望著那罈酒，唏噓道：「但當初約定時，我也從未想到過，這一約，就是三十多年，他終究沒有喝上我為他釀的酒。」兩行渾濁的熱淚順著那醜陋的面孔流淌下來，劉老爹轉望狄青道：「後來……郭大人找到了你，帶你入京。你因傷難振，他每次來我這兒喝酒，都是愁眉不展，總是說，『我帶狄青入京，本想彌補過錯，可還是害了他。』」

狄青鼻梁酸楚，喃喃道：「他做的已經太多了……」他從來沒有恨過郭遵，若怪的話，只能怪蒼生捉弄！

「京變後，郭大人更是傷心，對我說了，他一定要找到香巴拉，幫你找香巴拉，也想親自解開這個謎。他一直想對你說出當年的真相，可又一直不敢。出京時，他見我最後一面，對我說了，如果他死了，就請我向你轉達一句話。這就是我今天要請你喝酒的原因，因為我要轉告他的一句話。」

狄青一顆心劇烈跳動，臉上已無血色，緩緩道：「你請說。」

劉老爹顫抖著站起來，盯著狄青，嘴唇哆嗦道：「郭大人說，『請你原諒他！』」見狄青沉默不語，劉老爹老淚縱橫，嗄聲道：「他說這輩子只做錯了兩件事，都和你有關。他現在已去了，難道……你真的不肯原諒他？」

老漢激動中又帶著失落，淚水流淌，他等了許久，就為傳達這句話，他不想讓郭遵失望。陡然間，向地上跪下去，不待跪實，狄青已一把拉住了劉老爹道：「我不需原諒他。」

劉老爹嘶聲道：「為何？難道他做錯了一件事，就算去了，也不能得到你的原諒？」

狄青眼中也有淚水，沉聲道：「我不需原諒他，只因為我從來沒有怪過他。我狄青對郭大哥，只有感激。若你喜歡，你還可以告訴郭大哥，我娘親也早就原諒了他。我娘說過，她早就不恨擊傷爹爹的那個人，她不希望我報仇雪恨。若郭大哥在天有靈的話，他應該知道。」

劉老爹喜極而泣，孩子般啜泣。有些人一生難得有一個承諾，有些人一生沒有實現過一次承諾。但也有些人，一生活著，只為一個承諾。是否值得，流水的光陰已銘刻。淚像沒有流盡的時候，而酒……終究有喝乾的時候。

狄青回轉郭府的時候，微帶酒意。踏入郭府的那一刻，他彷彿感覺郭遵還在身邊，望著明月高懸，他喃喃道：「郭大哥，你真傻。」

那明月好像化作了郭遵的臉，亦在望著狄青。明月無言，沉默如金。

狄青收回目光，不等到了房前，就見到房中點著燈，有個人影透在窗紙上。狄青心中微暖，暗想這時候還在等他的，估計只有郭逵了。

推開房門，咯吱聲響，坐在窗旁的那個人望過來，笑道：「狄青，你回來了？」

狄青一怔，望見那人，略帶詫異道：「范大人，你怎麼來了？」

坐在狄青房間內的人，竟是范仲淹！

范仲淹笑道：「我不能來嗎？」狄青有些意外之喜，忙道：「不是，只是有些驚喜罷了。」他出使吐蕃後，就得調令直接回京，並沒有和范仲淹話別。

到京城許久，狄青也知道范仲淹被調回了京城，但一直沒有前去拜見，不想范仲淹今日竟來找他。范仲淹見狄青目露徵詢之意，也不兜圈子，直接道：「我是從皇宮來的。聖上召我入宮，就是商議變法一事。」

神色中微有振奮，范仲淹道：「狄青，聖上終於下定決心變法了，明日就會在朝中宣佈變法事宜。」

狄青酒意上湧，坐在床榻上，澀然一笑道：「好事情。」他心中想到，還在西北之時，范公、龐大人等人就曾商議變法一事，如今終於得償所願了。可我呢？他當然不是反對變法，可聽到這消息，並沒有想像中的高興。

范仲淹心思縝密，已看出狄青的悵然，說道：「今日在宮中，聖上對我說，你好像反對變法？」

狄青一怔，搖頭苦笑道：「范大人，你知道不是這樣的。我怎麼會反對變法？我只是反對與西夏議和罷了。」

范仲淹微笑道：「我當然知道你不會了。其實聖上今天有些生氣，你可知道他氣什麼？」

狄青皺起眉頭，搖搖頭道：「我這人笨得很，猜不出聖上的心思。」

范仲淹道：「聖上對我說，他一直當你是朋友，但你卻不瞭解他。」狄青心中想到，我是不瞭解他，但他瞭解我嗎？狄青不想多說，只是保持沉默。聽范仲淹又說，「大宋沉屙多年，你我知道，聖上知道，有志之士都知道。這種情況要改，不改不行。若再不改，大宋病入膏肓之際，只能坐等滅亡！聖上有志變法，是天下幸事，我等當全力支持，方不負天子黎民……」

狄青第一次打斷了范仲淹的話，平靜道：「范公，你既然知道我知道，就不用再說這些了。你來找我，當然不是想說變法的好處。」

范仲淹笑笑，緩緩道：「聖上說，以前的狄青，無論聖上做什麼，都會全力支援。但現在狄青變了，一心只想征戰西北，不顧天下大局。」

狄青霍然抬頭，目光灼灼地望著范仲淹道：「聖上如何說，無關緊要，我只想知道，范公如何看我呢？」

范仲淹緩緩站起來，踱到窗前，推窗望去，見夜幕沉沉，烏雲遮月，心道眼下這汴京，也好似這雲遮月明，狄青的主張並無錯處，可眼下卻不能從他的角度處理。狄青這事處理不好，不但會讓狄青心冷，還會讓西北戰士齒寒。我該如何來說呢？

雖來時就想好措辭，但始終難以啟齒，終於還是下定了決心，范仲淹道：「我知道你認為元昊絕非真心求和，對付元昊這種人，定要斬草除根才好。但飯要一口口地吃，西北征戰多年，民生疲憊，說句實話，百姓是厭戰的，百官也是厭戰的。我們眼下做不了太多，如果可能趁這休養生息的機會，變法強國，也是好事。現在的朝堂上，聽元昊求和，除極少的人外，均同意和談，焦點無非是在和談的籌碼上。這時候，你力主作戰，勢單力孤，就算是聖上和你同聲息，只怕也無法抵擋議和的聲浪。若因此又耽誤了變法，我們可說一無所獲……」

范仲淹沒有再說下去，意思卻已明瞭，議和既然無法阻擋，只能先求變法強國。

狄青落寞地笑笑，「西北死的不是他們，他們當然無關痛癢。元昊打不到京城，他們當然也無所謂。我不想知道他們的心思，可是范公……你支持我嗎？」

范仲淹心下為難，凝望狄青良久，輕歎一口氣道：「我沉浮多年，一直難被重用，無非在一個堅持上面。當年尹洙曾說過，我變了，他認為多年的磨難，已讓我失去了銳氣，升職西北，讓我喪失雄心，范仲淹已不是范仲淹。」

狄青望著那同樣落寞、但仍同樣倔強的一雙眼，心中突然一陣激盪，緩聲道：「但我知道，你沒有變。」

范仲淹雙眸中神采一現，眼角的皺紋在那一刻，都滿是光輝，「不錯，我處事的方法是改變了，但我的為人不會變。尹洙、韓琦以兵士性命作賭，我無論如何都不會同意。但若以我范仲淹這個人，賭一下利國利民的變法，我不會退縮。狄青，你要知道，世上不如意者十之八九，既然暫不能用兵，我就算支持你，無非也是一起被議和的浪潮淹沒罷了。但你我若全心用在變法上，利國強兵後，再戰元昊，機會不是更大嗎？」

狄青思索道：「范公，因此你想勸我留在聖上身邊，支持他變法？」

范仲淹眼裡露出讚許之意，心道狄青果真聰明，一語道破他的心意。范仲淹知道趙禎為人猶豫，也知道狄青在趙禎心目中的分量，知道若有狄青一旁規勸，更能堅定趙禎變法的決心。范仲淹想到這裡，突然轉身向狄青深施一禮。

狄青錯愕不已，慌忙站起來避開道：「范公何故如此？」

范仲淹感慨道：「狄將軍，我早聽种世衡說過你的事情，知道這般選擇，對你很是不公。但范某厚顏，只請狄將軍以天下為重……」他雖善於言辭，可想到狄青的處境，下面的話，竟然說不下去了。

狄青目光掠遠，望著那跳動的燈火。燈火閃耀，火花若舞，舞著暗夜的落寞。

不知許久，狄青才道：「我準備明日面聖，不再提及征戰西北一事。」

范仲淹又是喜悅，又是傷感，望著那鬢角霜落如晚秋的男子，一時無言。

狄青道：「可是，我能不能問范公兩件事？」

范仲淹忙道：「請講。」

狄青依舊望著那燈火，眼眸中滿是蕭冷的戰意，「我想問的第一件事是，你認為變法能否成功？第二件是，元昊如何肯坐等大宋變法呢？」

范仲淹半晌無言，許久後，燈火一跳，明亮了范仲淹的雙眸，「變法成功與否，事在人為，目前我無能答你。我能說的只是，此種機會，既然利國利民，我等就不能錯過。我等只要竭盡心力，但求俯仰無愧，何懼成敗評說？」

狄青見范仲淹不再言語，也不再追問第二件事的答案，只是緩緩地坐下來，望著那孤燈閃爍，說道：「好。」

范仲淹出了郭府時，想起狄青的詢問，心有戚戚。他並沒有回答狄青的第二個提問，也不知道如何回答。元昊野心勃勃，但大宋君臣對此人，一直如霧裡看花。大宋真正瞭解元昊的人，估計只有狄青。很顯然，狄青不反對變法，但不看好宋夏議和。

狄青早非當年的那個莽撞、狡黠的少年。范仲淹認為，在風刀霜侵、金戈打磨下，狄青對西北的情況，遠比在汴京坐享安樂的百官要瞭解。

可很多事情，瞭解是一回事，怎麼做卻是另外一回事。

范仲淹一路上琢磨著心事，等回到府中時，夜已深沉，月隱雲端，繁星點點。有管家上前道：「范公，夏大人在書房等你多時了。」

「夏大人？」范仲淹一怔，管家低聲道：「是夏竦夏大人。」范仲淹眉頭微蹙，有些意料之外，轉念一想，已明白了夏竦來此的目的，點點頭道：「帶我去見。」

到了書房前，范仲淹示意管家退下，推開了房門。房間內，油燈旁端坐一人，方面大耳，貌似忠厚，可一雙眼望過來時，略有閃爍，顯得那人忠厚中又有分機心。

那人見范仲淹進房，起身施禮道：「哎呀，希文兄，在下不請自來，還請恕罪。」

范仲淹含笑道：「不敢不敢。夏大人前來，下官有失遠迎，讓夏大人久候，還請莫要見怪。」

那人眼珠轉轉，哈哈大笑，頗為爽朗的樣子道：「希文兄說笑了。如今你還自稱下官，真的是羞臊本官了。」此人正是夏竦，真宗在時，就是朝中重臣，曾入兩府為相。在西北戰亂時，范雍兵敗後，夏竦就任陝西安撫使，總領西北事務。范仲淹、韓琦雖偌大的名聲，卻還是此人的副手。無他，資格不如夏竦而已。

夏竦好色貪財，擅長權力角力，當年本不想去西北苦寒之地，但聖上有令，不得不從。夏竦到了西北後，尋歡作樂依舊，除了伊始懸賞五百萬貫要元昊的腦袋，反被元昊兩貫錢懸賞他的腦袋反諷後，再無其他作為。

不過夏竦在西北倒有個好處，就是任憑范仲淹、韓琦行事，他是絕不插手。

如此一來，宋軍雖兩次敗給夏軍，但西北在范仲淹的打理下，邊防日緊，漸有起色，讓夏人無懈可擊。西夏求和，也逢邊陲調換邊將之際，夏竦當下早范仲淹一步返回京城。

這幾年來，西北若論功勞，當屬范仲淹最高。因此趙禎銳意改革，有意讓范仲淹擔綱兩府，肩負變法重任，這已不是祕密。夏竦自知在西北雖是范仲淹的上司，但回京後，說不定誰在上面，因此紆尊降貴，竟主動來找范仲淹。他稱呼范仲淹的字，本欲示意親密無間，見范仲淹一口一個大人、下官的，只好先自稱本官。

二人落座後，夏竦眼珠一轉，見書房四壁清寒，只有兩椅一桌一琴，故作歎氣道：「都說范公為人公而忘私，國而忘家，今日一見府中清貧如此，果真名不虛傳。對了，本官最近家中才招了幾個歌姬，吵鬧得心煩，范公若不嫌棄，不如轉贈於你，不知范公意下如何？」說罷撫鬚微笑。

范仲淹心道夏竦是來探聽變法風聲的，這人滿肚子心思，倒也不好打發。微笑道：「下官清貧慣了，有人服侍反倒不舒服，夏大人的好意，下官心領了。」話題一轉，范仲淹道：「夏大人深夜前來，想必不只來查看下官書房這麼簡單吧？」

夏竦哈哈一笑，心想范仲淹極為聰明，和聰明人繞圈子，那無疑是愚蠢的事情。逢變法之際，范仲淹認為變法是利國利民之事，在夏竦眼中，這變法卻是撈取名聲的大好機會。他從西北回轉，自恃沒有功勞，也有苦勞，當然不想放過這個機會。

但變法誰來擔綱，只有天子和范仲淹說了算。今日趙禎宣范仲淹入宮，夏竦猜想肯定是選拔變法人才，這才深夜過來探聽消息。

心思飛轉間，夏竦含笑道：「范公，實不相瞞，本官知天子銳意變法，請范公領銜，很想為變法出力獻策。聽聞明日朝堂之上就要宣佈變革，范公和天子最近，不知可知曉天子如何發落本官嗎？」

范仲淹見夏竦神色略帶緊張，微微一笑道：「夏大人要為變法出力，真是天下幸事。實不相瞞，天子如何定奪，下官並不知情……」見夏竦滿是失望之意，范仲淹暗想，正逢變法之際，不宜內訌，反正結論早有，提前通知夏竦也無妨。此人雖狡詐貪名，但若讓他擁護變法，總是好事。

一念及此，范仲淹道：「今日天子曾說，夏大人統戰西北多年，勞苦功高，似乎可擔當樞密使一職。」

夏竦又驚又喜，霍然站起道：「此事當真？」見范仲淹微笑望來，夏竦察覺有些失態，緩緩坐下來，哈哈笑道：「不想回到京城後，還能和范公再度攜手，實乃生平快意之事。」他雖竭力收斂，但仍難掩得意的神色。

夏竦知道范仲淹言不輕發，范仲淹口氣雖不確定，但既然這般提及，那樞密使一位非他夏竦莫屬了。大宋中書省和樞密院分持文武兩柄，號稱兩府。樞密使是樞密院最高長官，掌軍機大權。雖說大宋重文輕武，但擔當樞密使一位也可說是在朝廷中僅在天子之下，和宰相並列。夏竦吃了顆定心丸，對范仲淹好感大增，暗想范仲淹浮沉多年，但近年來很會行事，就算和死對頭呂夷簡都能和睦相處，日後變法如成，此人必定聲名遠揚，眼下當要極力拉攏。

夏竦又和范仲淹寒暄幾句，這才滿意地告辭離去。范仲淹坐在孤燈之下，沉吟片刻，翻開桌面的文案，磨墨提筆，再次完善《條陳十事》的內容。

待近清晨時分，范仲淹這才小憩片刻，等雄雞方唱，已霍然而醒。他雖看淡官場沉浮，但這次變法，事關天下，內心振奮中，又難免夾雜惶惑之意。

踱了幾個來回，范仲淹終於坐在琴旁，手按琴弦，彈了一首《履霜》曲。

天微明，窗外曉霧凝露，那幽幽的曲子帶著分清冷，帶著憂愁的迴蕩不休。

一曲終了，范仲淹輕歎一聲，心中想到，「我喜彈琴、好詩詞，但此生少做詩詞，只彈《履霜》，實是不想因這些事情耽擱行事之心。《履霜》曲是周宣王重臣尹吉甫長子伯奇所作，伯奇本孝子，無罪，為後母所讒，被父所逐。編水荷衣之，採蘋花食之，一日清晨履霜，伯奇傷無罪被逐，自作履霜曲以述情懷，之後投河自盡。我范仲淹無罪被逐的次數豈比伯奇少了？這次變法，主要針對朝堂尸位素餐之人所變，得罪的人必多，今日之後，讒言只怕更勝從前，我雖對狄青說什麼『但求俯仰無愧，何懼成敗評說』，但心中一直憂心，非憂自身榮辱得失，而怕錯過這千載難逢的機會後，百姓更苦，江山飄搖。只盼我這次變通行事，能使變法得成，范某此生無怨。」

見時辰已到，范仲淹振衣而起，洗漱完畢，整理衣冠，舉步出府入宮。

等到了文德殿前，早有不少文武百官候在偏殿，議論紛紛。不少人都是含笑招呼，有人尚在猶豫，不知是否要親近范仲淹時，聽宮人唱喏道：「呂相到。」

群臣微靜，本來想要和范仲淹打招呼的人都有所退縮。呂夷簡、范仲淹恩怨糾葛多年，雖說近年來，范仲淹是得呂夷簡推薦，這才前往西北，但呂相究竟對范仲淹的變法是何打算，很多人還抱持觀望態度。呂夷簡把持朝政多年，如今已三入兩府執政，極有根基，不少人雖想巴結范仲淹，可也不著急得罪呂夷簡。

呂夷簡緩步走過來，路過范仲淹身邊時，頓了下腳步，說道：「范公別來無恙？」他一直都稱呼范仲淹的名字，這次竟稱范公，倒讓一旁的眾人微有詫異。

范仲淹施禮道：「承呂相勞問，下官尚好。呂相風範依舊，可喜可賀。」他雖這般說，卻留意到呂夷簡鬢角不知又增了多少白髮。

呂夷簡老了，任憑是誰，饒是縱橫天下，官居巔峰，也難奈如水的流年！

呂夷簡只是點點頭，走到了一旁，群臣從這微妙的對話中，似乎察覺什麼，大多都是暗自琢磨，想著今日朝堂之上，究竟要投靠哪方。

很多人都已知道，天子今日早朝，就是要宣佈變法一事。既然是宣佈變法，那就是沒有商量的餘地。眼下眾人能爭取的是，如何在變法之中，有顯要的表現……

趙禎重用范仲淹無疑，但趙禎是否還會用呂夷簡，很多人都想知道。

呂夷簡才離開，就有四人已圍到范仲淹身邊，寒暄道：「見過范公。」

那四人均是意氣風發，正當壯年之時，對范仲淹都是極為恭敬。

范仲淹笑道：「今日為何如此多禮呢？」他認得前來的四人分別是蔡襄、王素、余靖和歐陽修，也都是諫院的諫官。

宋朝中，監察機構為御史臺和諫院。御史臺的主要職責是「糾察官邪，肅正綱紀」，而諫院的職責是「供奉諫諍，凡朝政闕失，大則廷議，小則上封」。

御史臺和諫院也可互相監督，只為整頓朝綱。

蔡襄多才耿直，王素是名相王旦之子，年少得志，余靖亦如范仲淹般數度沉浮，沉穩幹練，而歐陽修也是屢經磨難，仍不改直言進諫的脾氣。

這四人追隨范仲淹多年，范仲淹屢次無罪被貶，在太后當權時，此四人就為范仲淹仗義執言，也是被貶幾次，此次再聚朝堂，想到變法在即，均難掩振奮之意。

原來早在范仲淹回返京城前，趙禎已對朝堂暮氣沉沉大為不滿，悄然調整諫院的人手，知蔡襄幾人直言無忌，早一步將這四人調到了諫院。而這四人亦沒有辜負趙禎的厚望，這段日子來，直言進諫，抨擊朝政，如今因為錚錚直諫，被百姓稱頌，早已名動京城。

余靖聽范仲淹開玩笑，微笑道：「今日非為范公得入兩府多禮，而為天下大幸而禮。」

范仲淹語藏深意，道：「事未成行，變數多多，就算高興也不用太早，以防節外生枝。」

王素並沒有留意到范仲淹的言外之意，笑道：「這次變法因范公而起，范公若不入兩府，絕無可能。現在我們唯一好奇的是，不知聖上還會派哪些人輔助范公呢？」

范仲淹皺了下眉頭，低聲道：「你等莫要這般說……」話未說完，鐘磬聲響，有宮人唱喏道：「天子駕到。」

眾人肅然噤聲，趙禎身著黃色龍袍，從偏殿行出，緩步走到龍椅前落座。

群臣跪叩，三呼萬歲。趙禎高臺上道：「眾卿家免禮平身。」他聲音肅穆，威嚴無限。狄青遠遠聽到，恍惚中帶著一種陌生。

狄青也因趙禎宣召到了文德殿。狄青雖不反對變法，但自問對變法一事並不熟悉，本不解天子為何讓他來此，轉念一想，覺得趙禎多半是不想他再去西北，因此想讓他參與朝政？可他狄青，根本無意到這裡攪渾一池春水。

狄青以前雖統領涇原路，後來又升為團練使，但在汴京這文德殿上，還是排在末位。文德殿上，文臣地位遠在武將之上，文臣又按兩府、三館、兩制、六部、九寺等官職大小排列，一眼望去，密密麻麻的都是人頭。狄青排在殿外，抬頭望天，只見白雲悠悠……

殿內趙禎開口道：「想太祖立國，功績天下，世人景仰。朕每念及太祖雄風，均感難安。想西北我軍屢敗，中原又有民亂，先有郭邈山等人為禍陝西，後有王倫等人動亂山東。內憂外患如斯，想刁民固有過錯，但朕治理江山不利，亦有不可推託之責。」

百官面面相覷，暗想趙禎先給自己一棒子，封住別人的口舌，看來變法之心已很堅決。此時此刻，知機之人，均是靜候下文。

趙禎又道：「朕這些日子來，夙夜難寐，知江山沉屙日久，當快刀力斬，方能解百姓於倒懸……因此朕想變昔日之舊法，興致太平，不知眾卿家可有什麼建議？」

眾人均想，趙禎以天子之尊，說什麼解百姓於倒懸，言辭甚重，可對朝臣暮暮沉沉的不滿之意也呼之欲出……

不等旁人說話，蔡襄已越眾而出道：「啟稟聖上，臣有事請奏。」

眾人精神一振，暗想蔡襄素來直言無忌，又是范仲淹一派，他說的話，就可能是新法之新聲。

趙禎點頭道：「准奏。」

蔡襄道：「自太后仙逝、聖上登基以來，朝中百官，多有變遷，然則只有一人總能得坐高位，總攬大權。」

蔡襄雖沒有說出那人姓名，可群臣一聽就知道蔡襄是說呂夷簡。呂夷簡遭蔡襄提及，神色如常，范仲淹卻皺了下眉頭。

蔡襄又道：「聖上對呂相信任有加，按理說呂相本應感恩圖報才是，但呂相自掌朝政以來，任人唯親，用人不看才能，只用能領會其心思之人。如今西北戰敗，我朝損失慘重。眼下大宋有契丹、西夏虎視眈眈，終年如履薄冰，何也？弱肉強食罷了。而大宋積弱，朝綱不振，百姓日苦導致流民造反，如斯內憂外患，益發劇烈，或許原因多多，但呂相無能，難辭其咎！」

蔡襄言畢，文德殿肅然無聲。群臣或戰慄，或振奮，有不安，有揚眉吐氣。群臣都知道今日朝堂之上，絕對會有驚天駭地的怒濤襲來，但都沒有想到，范仲淹的死黨蔡襄第一擊就轟向了當朝第一人！

呂夷簡把持朝政多年，朝中不少官員，還是他的門生。他被轟擊，怎會束手待斃？眾人均認為，蔡襄的這一番話，就是新法擁護者對朝廷保守派的宣戰。

呂夷簡如何接招？文德殿上，已風雨欲來……

第十六章 隱患

蔡襄言辭激烈，矛頭直指呂夷簡。狄青遠遠地望著呂夷簡，突然發現他有些孤單。

呂夷簡老了，曾經那個叱吒朝野的呂相老了，從狄青的角度看去，能看到他的滿頭白髮，略微彎曲的腰身。

不知為何，狄青心中有些傷感。流年孤寒，可摧毀世間萬物，就算堂堂兩府第一人也不例外。他並不知道，范仲淹適才見到呂夷簡的時候，也是如斯傷感。

對於呂夷簡，狄青並不討厭。因為他能入三班，還要仰仗呂夷簡的功勞。

將西北兵敗、流民造反、內憂外患的責任都推到呂夷簡的身上，狄青有些不以為然。有些人的過錯，必須親自來承擔，但若不是他的過錯呢？

質疑過後，呂夷簡並沒有以往的那種犀利、沉冷的反擊。

群臣發覺異樣，開始竊竊私語。趙禎人在龍椅之上，望著呂夷簡的表情，似乎也有些奇怪。

許久後，趙禎才開口道：「呂相，對於蔡司諫的指責，你有什麼想法？」

呂夷簡這才回道：「聖上，臣這些年來竭盡所能……」說到這裡，稍頓了下，蔡襄心道你一個竭盡所能，就能推卸責任不成？不想聽到呂夷簡又道：「臣心力交瘁，無法為聖上分憂、無能為天下解愁，再加上年事已高，力不從心，特請辭相，請聖上恩准。」

蔡襄怔住。

不但蔡襄發愣，滿朝文武無不錯愕不已。誰都沒有想到，把持朝政多年的呂夷簡，竟對指責毫不反擊，而且主動提出辭相的請求。

蔡襄公然指責呂夷簡尸位素餐，導致如今宋廷的頹廢局面，其實並沒有和范仲淹商議過。但他和王素、余靖、歐陽修幾人曾私下商議，都認為要推行新法，呂夷簡因循守舊，肯定是變法的最大阻力。因此蔡襄今日早就立下決心，定要將呂夷簡摒除到變法人員之外，他已經準備應對最猛烈的回擊。可不想呂夷簡並不反擊，居然立即辭相。蔡襄雖得手，但心中總感覺不安，暗自想到，呂夷簡為人深沉老辣，這一招難道是以退為進之計？想當年太后仙逝、天子登基時，呂夷簡就退了一次，但不到數月，就重返兩府，這一次，他是故技重施嗎？

殿中終於靜寂下來。

趙禎轉望范仲淹道：「范卿家，你意下如何？」

范仲淹眉頭微皺，沉吟道：「依臣認為，蔡司諫的指責或有不妥，有待商榷，呂相因此辭相，似乎嚴重了些。」

群臣聽到范仲淹竟有挽留之意，再次輕譁。王素、余靖等人大皺眉頭，紛紛向范仲淹使眼色，只盼他莫要挽留呂夷簡。

范仲淹視而不見，又道：「變法一事，事關重大，呂相主持朝政多年，知其利弊，我等正要仰仗呂相，還請呂相三思。」

群臣大感意外，沒想到呂夷簡辭相，居然是范仲淹挽留。本以為呂夷簡會就坡下驢，不想呂夷簡平靜道：「范公好意，我心領了。但我意已決，還請聖上恩准。」

呂夷簡聲音平穩，但其意決絕。趙禎聽了，神色似乎有些異樣，終於還是開口道：「既然如此，朕准了。」

群臣再次騷動，均沒想到會是這種平靜的結果。有一直跟隨呂夷簡的官員見了，均是暗自後悔，心道為何不早些聯繫范仲淹？

夏竦一旁聽了，洋洋自得，暗想呂夷簡一走，這朝廷中，就是他和范仲淹的天下。他早知道這次聖上要重用范仲淹、韓琦二人，范仲淹既然和他沒有矛盾，韓琦也沒有道理對他不利，要知道當初好水川慘敗，還是他為韓琦擔責，把過錯全部推到了任福的身上。既然這樣，他夏竦入主兩府無疑是板上釘釘的事情。

早有舍人宣讀兩制擬定的聖旨，呂夷簡罷相，由章得象、晏殊二人同為宰相，范仲淹為參知政事，主理變法一事。

這旨意宣讀出來，群臣稍有意外，卻在情理之中。

章得象身為兩朝元老，德高望重，幾年前被趙禎提拔，入主樞密院。這次從樞密院轉入中書省，不過是換湯不換藥，示意對朝中元老的尊崇而已。而晏殊是范仲淹的恩師，自會力挺范仲淹，這三人同在中書省執政，當齊心協力推動新法。

群臣都在想著日後的方向，捉摸著名單上的人選關係，只有狄青留意到一個細節。

狄青久在宮中，當然知道聖旨是兩制擬定。宋朝兩制，就是翰林學士院和舍人院的總稱，負責撰擬皇帝的詔令，而舍人眼下只負責宣讀內容，絕不能更改，這麼說來，在呂夷簡主動辭相之前，詔書中已內定要將呂夷簡踢出兩府？

呂夷簡辭相，趙禎臉上並無驚奇之意。據狄青所知，趙禎能從太后手中奪回權位，呂夷簡居功至偉。那呂夷簡究竟是主動辭相，還是和趙禎間已有默契？

這時中書省的任免名單宣讀完畢，舍人轉讀樞密院任免調動，夏竦豎著耳朵來聽，等聽到「樞密使夏竦」五個字的時候，不由輕吁一口氣，暗自得意。

這個結果雖在意料之中，但總要落袋為安。看朝臣表情各異，又見蔡襄、余靖等人表情驚詫，夏竦微皺眉頭，盤算著這幾人多半事先也不知情，才有這種表情。蔡襄等人素來耿直，既然是范仲淹的黨派，日後要和他們處好關係才行。

樞密副使由韓琦、富弼二人擔當，而諫院官員仍舊由蔡襄四人充任，御史中丞仍是由王拱宸擔當……

聖旨讀完，幾家歡喜幾家憂愁，消息傳出，京城轟動，也正式宣告大宋慶曆年間變法的開始。趙禎等舍人讀完旨意，這才問道：「如此決定，眾卿家可有異議？」

百官沉默，蔡襄望了眼夏竦，才待上前，有一人越眾而出，施禮道：「臣有異議。」

群臣望去，見那人神色清朗，雙眼微小，目光閃爍，正是御史中丞王拱辰。

當年狄青尚磨勘不得志、在大相國寺外徘徊之際，王拱宸已高中進士頭名。這些年來王拱辰仕途一帆風順，如今已位列臺諫兩院的高位。

趙禎有些困惑，問道：「王卿家有何異議呢？」

王拱辰沉聲道：「聖上銳意變法，普天歡慶。執政人選，多為賢明，然則臣覺得有一人入主兩府，甚為不妥。」

群臣均驚，不想呂夷簡罷相不過是朝中變革的開胃菜，王拱宸竟質疑天子擬定的兩府變革名單，他要斥責的是哪位？

趙禎皺了下眉頭，緩緩問道：「你覺得誰入兩府不妥呢？」

王拱辰一字字道：「臣認為，夏竦不宜入兩府為政。」一語既出，群臣表情各異。

夏竦又驚又怒，想不到竟是王拱辰對他執政質疑！夏竦知道王拱辰算是呂夷簡的門生，屬於呂夷簡那派，為何呂夷簡倒臺，王拱辰不攻擊范仲淹，反倒拿他夏竦開刀？

趙禎也像有些意外，半晌才道：「為何夏竦不宜入兩府為政呢？」

王拱辰道：「聖上以夏竦為樞密使，顯然認為他在西北頗有功勞，適宜掌軍機大權。但臣聞夏竦到了西北後，整日尋歡作樂，不理軍事。夏竦為人奸邪險惡，貪財好色，在西北戰事中畏懦苟且，實乃我軍好水川一戰失利的主因。這種人若入樞密院，豈不是天大的笑話？」

夏竦大怒，額頭上青筋暴起，恨不得揪住王拱辰暴打一頓。

趙禎心有猶豫，對王拱辰所言倒也認可。他選夏竦為樞密使，是因范仲淹的推薦。但這些日他總是聽書，知道百姓對夏竦很不買帳，民間議論中，也認為西北戰功都應歸在范仲淹、狄青的身上，而夏竦在軍中飲酒作樂之事，也早就傳到趙禎的耳邊。

雖說飲酒作樂在汴京再尋常不過，但在邊陲如此，難免讓人有種「戰士軍前半生死，美人帳下猶歌舞」之感。

趙禎想到這裡，對范仲淹當初的提議不免有些懷疑。見范仲淹似要發言，目光卻掠過去，望到蔡襄身上，問道：「蔡司諫，你意下如何？」

蔡襄立即道：「臣贊同王中丞所言。」

夏竦怒視蔡襄一眼，可身在渦流中央，無從置辯。忍不住望向范仲淹，只盼范仲淹能為他說兩句好話，范仲淹也滿是為難，才待出列，趙禎已道：「好了，既然眾卿家尚有異議，那任命夏竦為樞密使一事，從長計議了。眾卿家還有別的事情嗎？」

范仲淹無奈止步，夏竦見了，心中暗恨，突然想到，范仲淹呀范仲淹，你也恁地狡猾，假意示好於我，卻讓黨羽參我一本。我若做不了樞密使，有你們好看！

這時一人站出道：「啟稟聖上，臣有兩事稟告。」那人中等身材，雖已老邁，但臉上依稀能見到昔日俊秀倜儻的風采。
出列之人卻是朝中重臣，新晉宰相晏殊。
晏殊是個神童，真宗之時，以十四歲被賜進士，名動天下。自此後仕途無甚波折，可說是個富貴宰相。范仲淹是他的門生，而富弼更是他的女婿。眼下晏殊、范仲淹、富弼三人齊入兩府，晏殊可說是春風得意，但他依舊臉色溫吞，謙和依舊。
趙禎問道：「晏卿家何事要講？」
晏殊道：「第一件事就是，廣西儂智高數次求見聖上，請聖上出兵共擊交趾。儂智高居留京城已久，還請聖上給他個回覆。不然只怕南蠻不滿。」
趙禎略作沉吟，抬頭問計呂夷簡道：「呂相……你有何看法？」趙禎登基多年，對呂夷簡很是信任，每逢抉擇，多向呂夷簡問計。話一出口，才省悟呂夷簡已辭相，不由神色訕訕。
呂夷簡自辭相後，一直表情平靜，淡看朝廷爭執，聽趙禎詢問，輕咳兩聲道：「聖上，臣已不在相位，本不在其位，不謀其政，但聖上有疑，臣不能不答。南蠻難束，想太祖在時都曾玉斧劃河為訓，言及『德化所及，蠻夷自服』。交趾邊遠，蠻夷多變，我大宋若貿然出兵，變數多多。勝之無力管轄，敗了徒添恥辱。既然如此，不如賞些糧草軍甲給儂智高，讓他自行解決和交趾之事，如此一來，兩不交惡，也算是平穩之道。」
趙禎點點頭，問計章得象道：「章相，你意下如何？」適才他稱呼有錯，這會兒扯上章得象，無非是彌補下歉意。
章得象年邁不堪，站得久了，都有些勞乏，聞言顫巍巍道：「呂……大人所言，很有道理。」
趙禎道：「既然都無異議，那晏相，就由你按照呂大人所議處理此事吧！」
群臣都想著京城一事，哪裡管得了交趾，遂將此事略過。晏殊點頭道：「臣遵旨。臣要稟告的第二件事，是關於西夏議和一事。聖上，元昊早派沒藏訛龐前來議和，但聖上還一直沒有見過此人，如今新法蓄勢，這議和一事似乎也該有所結論了。」

趙禎點頭道：「既然如此，宣沒藏訛龐入殿。」他雖有意議和，但遲遲不與沒藏訛龐見面，只想趁今日朝臣改選之際，看看晏殊等人的反應。

不多時，有宮人唱喏道：「西夏使者沒藏訛龐面聖。」

群臣扭頭望去，見到有兩人跟隨著宮人到了殿上。為首的一人，容顏猥瑣，舉止輕浮，留著一縷山羊鬍子，唇邊還有顆黑痣，看起來要多討厭有多討厭。

沒藏訛龐身後跟隨一人，看起來倒還順眼。那人面帶微笑，和沒藏訛龐同入文德殿中，被眾人環望，依舊笑容不減。

沒藏訛龐到了殿前，行使者之禮，大咧咧道：「大夏使臣沒藏訛龐參見大宋天子。大宋天子，你今日找我來，可是想要商議和談一事嗎？」

眾人見沒藏訛龐如此，都有不屑，心道胡人使臣，跳梁小丑罷了。百官中有不少人知道沒藏訛龐的底細，沒藏訛龐其實也算是夏國的國舅，可這個國舅的稱呼並不值得炫耀。

原來沒藏訛龐本是野利遇乞之妻沒藏氏的哥哥。天都王野利遇乞被狄青斬了手臂後，被元昊派去了沙州。之後不久，元昊一次狩獵，偶遇沒藏氏，竟被沒藏氏的美貌所動，和沒藏氏勾搭在一起。

野利遇乞人在沙州，無可奈何。而這個沒藏訛龐不以此事為恥，反倒沾沾自喜，更借此上位，甚至討了來議和的差事。宋臣素來瞧不起元昊，雖數次被元昊所敗，但骨子裡天朝大國意識還在，見沒藏訛龐如此，更增鄙夷之心。

群臣均望向沒藏訛龐，只有狄青在觀察沒藏訛龐身邊的那個人。方才那人經過狄青身邊的時候，也望了狄青一眼。狄青見那人沉穩凝練，雖看似文雅，但腳步輕漫靈逸，知道此人應是武技高手，不由暗自留意。又見那人立在沒藏訛龐身邊，雖無舉動，但指若拈花……

臉帶笑容、指若拈花？狄青心思轉念，已想起一人，皺了下眉頭。

龍椅上的趙禎見沒藏訛龐不知禮數，心中不悅，但不想在群臣面前有失風度，平靜言道：「沒藏使者，西北戰亂日久，百姓受苦，朕不忍心讓無辜百姓受苦，正逢你主求和，因此想你主只要答應幾個條件，朕就不會再起戰事……」說話間，向晏殊使了個眼色。

晏殊知會趙禎的用意，一旁道：「只要西平王趙元昊削去帝號，保證不再興兵作亂，退回橫山之西，如其父般遵守兩國以往的約定，我朝就會既往不咎，答應議和一事。」

群臣聞言，均是點頭。大宋雖兩敗於西夏，但在汴京群臣眼中，元昊不過是個賜趙姓的家奴，沒資格和大宋平起平坐，只要元昊和他爹一樣，大宋就覺得眼下的情形可以接受。這些條件其實是趙禎和兩府商議的結果，只覺得再優厚不過，更認為西夏沒有拒絕的道理。

不想沒藏訛龐哈哈一笑，在肅穆的文德殿中，顯得頗為無禮。

晏殊皺眉道：「沒藏使者，你因何發笑？」

沒藏訛龐笑後，傲慢道：「這種苛刻的條件，你讓我們大夏國怎能接受？」

滿朝文武都是皺眉，忍不住重新審讀和談的條件，晏殊還能耐著性子問道：「那依你來看，要什麼條件呢？」

沒藏訛龐伸出三個手指，對趙禎道：「若要和談，你們必須答應我國的三個條件。」

趙禎臉沉似水，心中不悅。他見元昊主動前來求和，是以故作冷淡不急，想讓西夏使者焦急。等今日才找沒藏訛龐來，本來想顯大宋國威，示大宋恩寵。晏殊提出的條件在趙禎看來，再寬待不過，哪裡想到就是這樣個無賴的人物，還向他們提條件？

眼下到底是誰想求和？

晏殊看出趙禎不悅，還能保持冷靜，皺眉道：「議和議和，當以商議為主。你們有什麼請求，也可說出來聽聽。」他著重說個「請」字，示意沒藏訛龐要清楚自身的身分。

沒藏訛龐沒時間和晏殊在字眼上做文章，直接道：「第一個要求，當然是重開西北邊陲榷場，恢復兩國交易往來。」

滿朝文武心中發笑，知道西夏開戰，毀了兩國的交易，得不償失，這下終於急了。

晏殊點點頭道：「那第二個請求呢？」

沒藏訛龐道：「我大夏在這幾次戰事中頗有損失，你們既然戰敗，必須賠償銀兩、布匹給我國，彌補我國以往的損失。」

趙禎大怒，幾乎要拍案而起。晏殊也是大皺眉頭，心道天子愛面子，這樣豈不是在打天子的臉嗎？

「是你們主動挑釁，你們死人就要賠償，那誰來賠償我們？」蔡襄不等晏殊發話，站出來質疑。

沒藏訛龐冷笑道：「我只知道，歷來都是勝利者才有資格索要戰利品的。」

滿朝文武均惱，但強行克制。晏殊半晌才問：「你們的第三個請求是什麼呢？」

沒藏訛龐看來早有準備，立即道：「第三個條件就是自此後，大宋、大夏以兄弟互稱，互通往來，我夏國可自設官階，以後你朝不得干預。」

趙禎怒拍龍案，喝道：「一派胡言！」他忍無可忍，不想賜姓家奴竟提出這種無理條件。當年契丹南下，真宗就是在澶淵城下答應了所謂的兄弟互稱條件，正式承認了契丹的地位，終身為恥。那件事在真宗心目中一直都是個隱痛，後來真宗信神求天、精神頹廢，很多人都說是和澶淵之盟大有關係。

趙禎不想昔日之痛，今日居然重演，又氣又惱，轉瞬望向一人道：「葛懷敏，你如何看待西夏使者的要求？」

葛懷敏出列，說道：「西夏使者的要求，簡直無理之至。」葛懷敏身為捧日、天武四廂都指揮使，又是三衙的馬軍都指揮，出身將門，又因多年前在宮變一事中立功，一直坐鎮京師，掌控軍權。

趙禎不問旁人，獨問葛懷敏，就是想看京中武人的建議。

葛懷敏人在京城多年，倒少領兵，但察言觀色的本領不差，見趙禎惱怒，知道這時是他表現的時候，對沒藏訛龐喝斥道：「我朝天子以為你等是真心求和，這才紆尊降貴地召見你等。不想你們不感激天子的好意，反倒得寸進尺！這般條件，還有什麼好談的？」轉身對趙禎施禮道：「聖上，不如讓他們回轉使館再想想，改日再談如何？」

不等趙禎回話，沒藏訛龐已倨傲道：「既然沒什麼談的，那我今日就回去告訴我主，說和談不成，那西北再見好了。」

一言既出，滿朝文武皆驚，葛懷敏心中後悔，不想竟是這般結局。他知道趙禎一心議和，不想再打仗。沒藏訛龐說西北再見，就是用動武來威脅，這樣一來，趙禎若是不滿，豈不要把所有的過錯都推到他葛懷敏的腦袋上？

沒藏訛龐轉身要走，章得象已道：「沒藏使者，莫要著急，有事好好商量了。」

趙禎突然喝道：「狄青，你如何看待此事？」趙禎發話，滿朝頓時靜了下來。所有人不約而同地望向殿外，見狄青還在抬頭望天，忍不住大皺眉頭。

百官議和，從未想到過有狄青插話的地方，但趙禎詢問，只怕堂上除了沒藏訛龐，沒有人敢橫加打斷。狄青收回目光，緩步從殿外走進來，站在了沒藏訛龐的身邊，看了沒藏訛龐一眼。沒藏訛龐昂首瞪著狄青，很是詫異，想不到眼前這俊朗的男子就是西北的戰神狄青。

狄青慢條斯理地說道：「沒藏使者，想我天子寬以待人，不忍讓天下蒼生受苦，因此絕不會妄起事端……」沒藏訛龐精神一振，只以為狄青示弱，不想狄青雙眉一豎，瞪著沒藏訛龐，一字字道：「可若真有人無理取鬧，我大宋天子也不懼開戰！」

群臣又驚又慌，都想眼下當以勸和為主，狄青這般說，主動挑起戰火，豈不糟糕透頂？沒藏訛龐見狄青雙眸目光逼人，心中倒有些畏懼。在西北，可以沒聽過趙禎的名字，但有哪個不知道狄青的！但在這時，他騎虎難下，怎甘示弱，打個哈哈道：「好，好。你到底想要如何？」

狄青淡然道：「你可回去告訴元昊，說他若喜歡，可與我再次會獵西北。我狄青等他！」沒藏訛龐見狄青其語淡淡，其意決絕，沒有什麼回旋的餘地，咬牙道：「好，你記得你說的話。」說罷拂袖離去。

群臣譁然，都有些惱怒地望著狄青，不待多說，趙禎已道：「退朝！」說罷下了龍椅，袖子一甩，離開了文德殿。

眾人一時間議論紛紛，口氣中都對狄青所言大為不滿。眾人心道此刻國事攸關，不能離去，均在商議挽留夏使的對策。只有狄青緩步踱出了大殿，出了宮中。

等到了宮外，狄青這才長歎一口氣，仰望碧空如洗，暮春靡靡，搖搖頭，才待離去，突然身後有一人喊道：「狄將軍，請留步！」

狄青回頭望去，見富弼快步走來，問道：「富大人有何見教？」

富弼走到狄青面前，急道：「狄將軍，你今日所言，只怕會給自己惹來麻煩。想如今滿朝文武均要議和，只有你獨說出兵，聖上不悅離去，日後……」

狄青打斷道：「聖上詢問，我不過據實而答罷了。世人非議，我狄青何懼？」他笑容苦澀，心中想到當年也是這暮春季節，我狄青跟隨郭遵大哥離開家鄉，開始軍旅生涯。征戰多年，或許風水輪迴，我狄青也該離去了。

他真的無所畏懼。

富弼望著狄青良久，這才道：「但我等今日真的要感謝你為我們出口怨氣，人不能有傲氣，但不能沒骨氣。對於此事，狄將軍也不用太過擔心，我等定會站在狄將軍這邊。」富弼和狄青共同出使吐蕃，心下對狄青的為人，極為敬佩。

狄青只是拱拱手，緩步離去。

富弼又急急地回轉宮中，正見到范仲淹、晏殊、蔡襄等人行來。富弼才待詢問范仲淹關於宋夏議和一事，夏竦已走過來，對范仲淹道：「范大人，你很好呀！」他言語中滿是怨毒之意，說完後，拂袖而去。

蔡襄不滿，才待追上去，被范仲淹一把扯住。蔡襄憤憤道：「夏竦奸邪好色，尸位素餐，王中丞所言極是，我只恨沒有搶先一步參他一本。他竟然敢來指責范大人？」

余靖一旁皺眉道：「范公，這次變法人選本是你和聖上所議，為何要讓夏竦入主呢？此人對西北戰局毫無貢獻，若進入樞密院，真的會淪為笑柄。范公為何不事先和聖上商議，而到這時才被他所妒？」

范仲淹暗自皺眉，不等多說，晏殊一旁歎道：「你們只知道進諫，可曾多考慮一會兒？希文不舉薦夏竦，夏竦難道就不會因此嫉恨希文？夏竦為人是頗好沽名，在西北並無建樹，但他在西北，畢竟會放手讓希文、韓琦施為，這次希文讓夏竦得入兩府，就算讓夏竦得些虛名又如何？只要變法順利，天下得利就好。再說夏竦極為護短，有他在位，若有人攻擊新法，他盡可抵擋。可現在一來，只怕新法未施，就樹強敵了。」

蔡襄等人面面相覷，從未想到范仲淹竟是這般心思。

王素道：「晏相所言雖有道理，但新法在即，難道真的要我們和夏竦這種人一起共事？」王素狂傲，端是眼裡不進一粒沙子，對晏殊的兩面討好的做法不以為然。

晏殊道：「世上不如意者十之八九，朝堂之上，沒有誰自認奸臣、對朝廷不利的。你們要成事，就要先學會和看不上眼的人打交道才行。呂夷簡在朝堂多年，均衡各處，豈是容易之事？」說罷連連搖頭，他對范仲淹是欣賞有加，但對蔡襄幾個激進之人，並不算認可。

余靖、蔡襄雖是唯唯諾諾，心中卻想，就算得罪了夏竦又如何？此人已出了兩府，想必再如何嫉恨，又能怎樣？

歐陽修本一直沉默，見狀道：「其實蔡司諫只是附和王拱辰的提議罷了，若非王拱辰參了夏竦一本，事情不見得會變成如今的模樣。可奇怪的是，王拱辰本是呂夷簡一派，為何會指責夏竦呢？」

晏殊道：「這何難理解？王拱辰本是沽名釣譽之人，見呂夷簡年邁失勢，只怕再也無能東山再起，因此他參夏竦一本，用意卻在討好我等。」

歐陽修幾人互望一眼，異口同聲道：「都是此子壞了大事。」

余靖急於補救，詢問道：「范公，眼下如何處置？」

范仲淹心道新法才要開始，你們就接連得罪呂夷簡、夏竦兩人，自樹強敵，結果堪憂。可這些人的確又是為新法著想，他不便責怪，沉吟半晌才道：「我一會兒就去面聖，看看聖上的心意。」他一方面想要說及夏竦一事，一方面也想看看趙禎對狄青的看法。范仲淹吩咐完畢，匆匆再向宮內行去。歐陽修幾人一旁竊竊私語，像在研究什麼。晏殊搖搖頭，自顧自地走了。

狄青沒有宮中這些人的心思，唯一想的是我今日在廟堂之上忍無可忍，再向元昊宣戰，只怕聖上不喜。

想我這官也當到了頭兒，汴京終非我狄青久留之地，就算大軍不能攻破沙州，難道我狄青自己不能去嗎？

一念及此，狄青淒涼中又帶有振奮，正行走間，突然有兩人擋在了他的面前。

狄青微怔，已看清攔路之人，卻是沒藏訛龐和那手若拈花之人。

這兩人找他做什麼？狄青心中有分困惑，止住了腳步，望著二人不語。

沒藏訛龐望著狄青，突然打了哈哈道：「都說狄青實乃宋國第一勇將，今日一見，果然名不虛傳。」他突然轉了風向，對狄青頗為讚賞，倒讓人意料不到。

這時街市人流如潮，聽到「狄青」兩字的時候，竟慢慢靜了下來。

狄青鏖戰西北多年，為國守疆，汴京的百姓，都是知其事蹟，但很少有人見過狄青。這刻聽到狄大將軍就在長街之上，忍不住駐足觀看究竟。

見狄青沉默無語，沒藏訛龐嘿然笑道：「狄將軍，你莫要以為我有什麼詭計，其實我大夏，亦是最重英雄。我這次來到汴京，早就打定了主意，就算見不到你們的天子，也要見見你的。」

狄青淡淡道：「現在你見到了，可以走了？」他舉步要走，沒藏訛龐伸手一攔道：「狄將軍，請留步，我還有話未說完。」

狄青瞇縫著眼睛，目光如針芒一樣，「你想說，但我不見得想聽。你想留我，只憑你身邊的這個人，恐怕還做不到。」他最留意的還是沒藏訛龐身邊那含笑的人。

那人見狄青望來，微笑道：「狄將軍，在下拓跋無名。想留狄將軍還是不敢，但狄將軍聽沒藏使者說兩句，總沒有壞處。」

狄青神色不變，皺眉道：「龍部九王，八部最強。拈花迦葉，世事無常。若說這世上還有迦葉王不敢的事情，我倒難以相信了。」

那人笑容不滅，輕聲道：「狄將軍就是狄將軍，竟然聽過在下賤名。難道說……狄將軍赫赫威名，智勇無雙，還不敢聽我們的幾句話嗎？」

那人正是迦葉王。

龍部九王，八部最強。拈花迦葉，世事無常。

迦葉王叫做拓跋無名。龍部九王多在夏國掌控大權，只有阿難、迦葉和目連三人一直都是神蹤無跡。狄青雖消息靈通，但也只知道拓跋無名一直在夏國藩學院進行經典研究之事，不想此人竟悄無聲息地跟隨沒藏訛龐到了汴京。

聽迦葉王激將，狄青道：「我不是不敢，而是不想。我和你們之間，根本沒有任何話可講。請讓路。」說罷，緩步向前……

迦葉王笑容更濃，拈花之手突然一攔，不帶塵煙般拿向狄青的手臂道：「請、留、步！」他五指輕巧，似慢實快，轉瞬間，就要拿住狄青的左臂。

更快的是刀鞘。

咯的一聲響，那拈花般的手指，已拈住了一把刀鞘。那堅實的刀鞘，似乎也抗不住那輕輕的一拈，似有斷裂。

這時暖陽正豔，天藍藍。陡然間，一道光芒閃過，破了懶懶的春風。

天地間，有了那麼一刻兵戈的寒氣。

光芒過後，鏗啷一聲響，刀還在刀鞘之中，刀鞘握在狄青之手。迦葉王退開三步，臉上的笑容很是牽強。

他右手不再是拈花之狀，反倒握緊成拳。

狄青冷哼一聲，大踏步離去。迦葉王眼中竟有分畏懼，突然揚聲叫道：「狄將軍，我主對你很是賞識，你若來幫手，定列九王之中！你若不滿這條件，可開出自己想要的條件。這世上……沒有買不到的東西。」

狄青止步，長街消寂，所有人都在望著狄青。迦葉王嘴角露出分得意的笑，沒藏訛龐也咧嘴在笑，無論如何，只要這句話說出來，狄青就不能不留下解釋。

繁華的長街，有種難言的落寞。狄青緩緩轉身，凝視迦葉王道：「這世上最少有兩件東西是買不到的。一個是我大宋血性漢子的真心，一個就是你們的良心。買不到你們的良心，是因為你們沒有。而買不到我們的真心，是因為你們不配！」他說完後，哂然一笑，大踏步離去。

他知道迦葉王在挑撥離間，他知道無論別人信不信，但迦葉王說出這句話來，懷疑的種子就已埋下，但他已無須解釋，他不屑再分辯。長街上的百姓望著那遠走的背影，心情激盪。那一刻，再無任何人會懷疑狄青的真心。

迦葉王的笑容有些發苦，沒藏訛龐還能喊道：「狄青，你不聽我們相勸，很快就會後悔！」

狄青這次根本沒有停頓，身影很快地消失在長街的盡頭。迦葉王這才緩緩地攤開了右手，望著掌心處一條淡淡的血痕，眼中露出敬畏之意。適才雖只交手一招，但他敗了。在他拈住狄青刀鞘的時候，狄青拔刀劃在他的掌心之上。速度之快，如晨曦的第一縷陽光籠罩大地，他根本來不及躲避。街上的行人，甚至都沒有看到狄青已出刀。如斯快刀，似水無痕，就算迦葉王遇到，都是鎩羽而歸。望著掌心的那道血痕，迦葉王心中只有一個念頭：狄青的武功，比傳說中還要可怕，到如今，能擋住這快刀的，難道只有那五色羽箭？

狄青才回到郭府，郭逵已迎了上來，道：「狄二哥，你怎麼才回來。方才有人找你，是個女的……」

「是誰？」狄青有些奇怪。暗想此時此刻，哪個女的會找他？突然心口一跳，想到了飛雪。那一刻，他心中有些異樣。他和飛雪雖只見過幾面，但數經生死之關，原來不知不覺中，飛雪已在他心中，留下難以磨滅的痕跡。

「她說她叫月兒，對了……」郭逵一拍腦袋，說道，「是……是……羽裳姐的丫環吧？」他知道楊羽裳，但怕狄青傷心，提及楊羽裳的時候，難免支吾。

狄青詫異道：「她找我做什麼？」突然想到，難道月兒要說說羽裳的事情？一想到這裡，胸口發熱，急問：「她在哪裡？」

郭逵搖頭道：「我不知道她找你做什麼，但是……她好像很緊張的樣子。她等你不到，總像怕什麼的樣子，之後匆匆走了。」

「害怕？她在害怕你？」狄青皺眉道。

郭逵大叫冤枉，說道：「我這麼玉樹臨風，她怎麼會怕？」收了嬉皮笑臉的表情，郭逵認真道：「狄二哥，我看出來她找你真的有事，你如果有空，還是去找找她吧！」

狄青一頭霧水，不由道：「小月什麼都沒有說嗎？」

郭逵想了半天，忽然道：「我聽她喃喃自語，說什麼，『不行，我一定要告訴狄青。』」猶豫了一下，說道：「她還說什麼把……我當時沒有留意，聽得不是太清楚。」

狄青大是困惑，不解小月是什麼意思。才待出門去楊府，一人到了門前，說道：「狄將軍，聖上傳你立即入宮。」

狄青一怔，見那人卻是閻士良。狄青道：「閻大人，聖上找我什麼事？急不急？」他牽掛著小月那面，還想先去楊府，再入宮中。

閻士良慢條斯理道：「聖上的心意，我可不好揣摩。但急不急嘛，你說呢？」他是宮中第一太監，趙禎讓他親自來宣召臣子入宮，若是別的大臣早就立即起身，偏偏狄青推三阻四。

狄青無奈，只好讓郭逵先去楊府找小月，說他很快就去，自己跟著閻士良入大內。

他今日在廟堂上，公然對夏使宣戰，知道趙禎找他，多半和今日朝堂一事有關。這在別人眼中，可能是很嚴重的事情，但狄青無愧於心，甚至有了辭官的念頭，並不畏懼。入了宮中，閻士良並不帶狄青直入帝宮，反倒向廣聖宮的方向行去。狄青暗自納悶，心道廣聖宮附近，多是皇家林苑，妃嬪多數居在此處。趙禎到這裡，無非是寵幸妃子，那叫他狄青來做什麼？帶著困惑，狄青已到了皇宮西北角的苑囿所在。前方林木蒼翠青鬱，繁花似錦，有小橋流水，修竹挺立。春風中，竹葉秀拔如蓄勢待發的箭，但在狄青看來，總少了西北的幾分硬挺爽朗。

狄青早些年身為殿前侍衛，對宮中的一切很是熟悉，見到那竹子，感慨道：「我記得以前，這裡並沒有什麼竹子的。多年不見，很多東西都不一樣了。」

他是有感而發，閻士良一旁笑道：「但很多事情還是沒有變的……」

這時二人上了一座小橋，小橋下有流水淙淙，甚為清冽。狄青知道，這水是從皇宮外的金水河引來，用以灌溉宮中的花草樹木。清風朗朗，陡然間，錚錚數聲響，不遠處飄來了琴聲，比那清澈的流水還要明淨。

那琴聲一響，本是幽靜的苑囿中，更顯清幽。狄青聽到那琴聲古意，依稀中，竟有似曾相識的感覺，微有動念。閻士良已帶狄青下了橋，轉過一條幽徑，等出了林子，前方豁然開朗，現出好大的一個花園，有百花迎春。

百花爭奇鬥豔，給慵懶的暮春帶來了無邊的暖色。趙禎正坐在黃羅傘蓋下，望著一個比百花加在一起還要嬌豔的女子。女子撫琴，琴聲嗚亂，激盪著狄青跳動不休的心。那風情、那琴聲、那韻律……見到那女子的一刻，狄青心頭微震，詫異想到，彈琴的女子怎麼會是她？

第十七章 殺機

狄青聽到那女子的琴聲，見到那女子的風情，看到那女子的第一眼，幾乎以為那女子就是張妙歌。可再仔細一看，狄青立刻發現自己判斷有誤，那女子並非張妙歌，只不過容顏風情有幾分相似罷了。

那琴聲漸漸旋急，如紅塵繁華錯落。閻士良駐足不前，狄青知趣地立在一旁，心中想到，趙禎找我入宮，難道就是來聽琴？他既然在聽琴，說明心情並不差。不知為何，想起了當年在竹歌樓的情形，恍如隔日。

狄青正尋思間，琴聲陡然變得如銀瓶乍破、鐵騎突出，激昂高亢間，琴聲再轉，如一根銀絲拋到雲端，轉了幾轉，又變思愁幽情、冰泉冷澀。那調兒漸漸地輕了、緩了，轉而無聲，但那餘韻繞空，良久不絕。

狄青聽那女子琴藝極佳，一時出神。聽有稀稀落落的掌聲傳來，扭頭望過去，見趙禎望向自己，狄青上前幾步，施禮道：「臣狄青，參見聖上。」

趙禎嘿然一笑道：「免禮。狄青，你聽張美人的琴技，比起張妙歌如何？」那彈琴的女子已起身，煙視媚行到了趙禎身邊道：「聖上，你又笑話奴家了。」女子的聲音軟軟，似天生帶有一種媚態，望著趙禎的眼眸中，滿是情意。

趙禎拉住了那女子的手，眼中也是溫情，顯然對那女子極為憐愛。

狄青不便多看，尋思大宋皇帝的後宮粗分六等，皇后居首，之下有妃、嬪、婕好、美人、才人的分類。這女子姓張，是個美人的等級，在後宮地位低等，可看趙禎的樣子，對皇后也沒有如此了。

趙禎和張美人調笑一番，又問狄青道：「狄青，你還沒有回答我呢？」他滿臉歡容，看來召狄青入宮，並非想要責怪狄青。

狄青這才記起方才趙禎問什麼，遲疑片刻道：「臣素來對樂律無知，感覺這二人似乎春蘭秋菊，各有千秋了。」

趙禎哈哈一笑，說道：「答得好，賜座。美人，你也坐。」他終於鬆開了張美人的手，可目光還纏在她的身上。

張美人嫣然淺笑，坐在趙禎的身旁，若有意若無意地望了狄青一眼，說道：「聖上，這就是我大宋西北赫赫有名的狄將軍嗎？奴家久聞狄將軍的大名，只以為兇神惡煞的模樣，不想……和奴家想的全不相同。」說罷掩嘴又笑，嬌羞無限。

狄青每次被人久仰時，都被對方在容貌上做文章，也是見怪不怪，謝了張美人稱讚後，直接問道：「不知聖上召臣入宮，所為何事？」

趙禎端起茶杯，慢條斯理地喝了一口後才道：「狄青，你還記得當年和朕一同在竹歌樓聽曲的事情？」見狄青點頭，趙禎神色感慨道：「朕後來聽那裡的鴇母說，張妙歌身子不適，回轉家鄉去了。朕自那以後就再也沒有見過張妙歌，也不知道她現在如何了。」他身為天子，只有在狄青面前，談論才會如此肆無忌憚。

狄青若有所思，不由想起在興慶府的時候。

趙禎再也沒有見過張妙歌，那他狄青在興慶府見到的是不是張妙歌呢？狄青不敢肯定，但他早就懷疑當初幫單單救他出興慶府的張部主就是張妙歌！

張妙歌是西夏的細作毫不出奇，元昊多年前就有志一統天下，自然早有準備。三川口、好水川兩戰，就可看出元昊的深謀遠慮，而在更早前，張妙歌到京城刺探宋廷的消息更是情理之中。

一個歌姬的地位不算高，但要瞭解大宋朝廷之密，可說是得天獨厚。因為宋廷文武，均是喜歌舞詩賦。如今張妙歌任務已成，自然就不需再在京城停留。可依張妙歌的聰明，沒有道理看不出單單要救的人有問題，張妙歌當初為何要幫手？

趙禎見狄青沉吟不語，只以為狄青和他想的一樣，突然壓低聲音道：「狄青，你看朕的張美人，和張妙歌是不是有些相像呢？」

狄青目光從張美人身上掠過，心中訝然，暗想難道說趙禎喜歡張妙歌，這才愛屋及烏，對這個張美人如此疼愛？

趙禎似乎看穿了狄青的心事，搖搖頭道：「其實是因為朕聽說，張妙歌和朕最早喜歡的一個王美人很是神似，朕這才請你帶朕去竹歌樓。不想那之後，發生了很多事情……實在是朕沒有意料到的。」

趙禎唏噓不已，心中卻想，狄青長情，朕何嘗不是如此？想到這裡，心中陡然有種驕傲之意，悄然地又握住了張美人的手。

原來趙禎當年最喜歡的一個女子叫做王如煙，本是商賈王蒙正之女。趙禎那時久在深宮，見的女子是千般面孔，一樣的表情。王如煙不像大家閨秀，更像小家碧玉，帶著那股風塵的氣息到了趙禎面前，讓趙禎當下驚為天人。

正值趙禎要選皇后，他頭一次在太后面前提出自己的想法，就選王如煙為后。但太后棒打鴛鴦，不但不許，還把王如煙逐出宮中，嫁給了劉美之子劉從德！

趙禎傷心戀人別有懷抱，前所未有地憤怒，自此對太后一黨深惡痛絕。當年狄青打斷馬中立的腿，趙禎非但不怪，心中反有著說不出的快意，那一次，他堅決地站在了狄青的一邊。後來太后駕崩，趙禎得知生母已去時，喝令禁軍圍住劉家，只要發現生母有半絲被害的痕跡，就要將劉家滿門抄斬！當時固然是因為傷心的緣故，但他對劉家積怨已久也是個重要的原因。

往事如煙難追尋，趙禎輕輕歎了口氣，望著眼前的張美人，心中有著說不出的憐惜之意。

他廢郭皇后，只能再立曹皇后。他雖是天子，但就算娶妻的事情，也要受群臣制約。不過這次無論如何，他總有能力留張美人在身邊。

他面對張美人，就像對著當年的王如煙……

這一次，天長地久，再沒有什麼能將他們分開！

趙禎想到這裡，握緊了張美人的手。他當狄青是兄弟，因此認為只有狄青能懂他的感情，他也一直覺得，他和狄青本是一類人——都是深情的人。

沉吟間，趙禎已端起茶杯要遞在嘴邊，張美人輕輕按住他的手，柔聲道：「聖上，茶水還燙，你留心些……」說罷又笑，膩聲道：「聖上，你總是這麼粗心大意。」

趙禎聞佳人嗔怪，心中很是溫暖，記得多年前，那個如煙的女子，不也是這麼提醒自己的？

張美人不但長得和王如煙有幾分相似，細微舉止更是和王如煙像個十成十！趙禎有時候甚至有些感慨，會不會老天為了彌補他多年感情上的遺憾，這才又讓張美人代替王如煙前來？

狄青見趙禎和張美人情致綿綿，不由尷尬，心道你趙禎讓我來，總不會是讓我看你們恩愛吧？

張美人瞟了狄青一眼，突然臉色微紅，嬌笑道：「聖上，狄將軍等久了。」

趙禎哈哈一笑，頗為開心，說道：「狄青，你猜朕找你來，有何事情？」

狄青沒有趙禎那麼好的興致，遲疑道：「可是和今日西夏使者一事有關嗎？」

趙禎聞言，臉色微沉，冷哼了一聲。狄青見趙禎變臉有如變天，心中惴惴。趙禎問道：「狄青，你可知道你走之後，旁人怎麼說你？」

狄青搖搖頭，心道怎麼說我又如何？我這次入宮，本就想告老還鄉了。他想到離去，不知為何，反倒有些釋然。

趙禎微有怒意道：「他們說你恃功自傲，又說你為求軍功，一心要和西夏打仗，置國家大義於不顧……」

狄青雖知道那些足少出汴京的文臣，不會說他什麼好話，可聽趙禎如此說，也是一陣悯然，尋思我狄青為西北出生入死，抵抗外辱，在朝堂上竟落個不顧國家大義的名聲？

澀然一笑，狄青起身施禮道：「聖上，臣既然有錯，臣……」他才待請辭，趙禎已道：「你沒錯！」

狄青一怔，望向趙禎。趙禎起身，走到狄青身前道：「狄青，你最瞭解朕的心思。不錯，我顧及百姓之苦，若能不戰，當然不想戰；可他們若真的如斯囂張，朕怎能退縮？你今日在殿中，說得很好！」

狄青沒想到趙禎竟為他說話，心中古怪，不待再說，趙禎又道：「西夏使臣在朝堂上這般囂張，那些堂堂樞密院、三衙中人，竟無人敢出言應戰，實在讓朕大失所望。」心中想，怪不得王拱辰、蔡襄等人說夏竦苟且怯懦，今日在朝堂上，夏竦曾為西北領軍之人，卻不置一言。如此的樞密使，朕要之何用？趙禎想到這裡，已覺得范仲淹舉薦不妥，存了逐夏竦出兩府的念頭。

狄青尋思趙禎反覆無常，也就是我這種沒有後顧之憂的人才敢直言，那幫人那時候，還在揣摩趙禎的意思呢！

趙禎擺擺手說道：「不過今日朕找你來，不是想說這些掃興的事情。主要是美人久聞你的大名，又好奇邊陲風情，朕今日就……請……你來說說邊陲的趣事了。」他以天子之尊，特意用個「請」字，已有與狄青和好的意思。

張美人掩嘴笑道：「奴家總是聽長公主說及狄將軍的往事，心有好奇，這才特意求聖上找狄將軍來。狄將軍，你可莫要讓奴家失望呀！」她天生媚骨，軟語相求之下，別有一番風味。

狄青暗自皺眉，心道邊陲打打殺殺，生死一線，哪有什麼趣事？知道若是推搪，肯定惹趙禎不喜，正沉吟間，有宮人道：「皇后、長公主到。」

御花園外，曹皇后和常寧公主隨著唱喏聲走了過來。

趙禎被打斷興致，微有不快。但皇后賢慧，在趙禎心目中，他雖不愛皇后，但還敬她識大體，起身相迎道：「皇后，你今日不種菜了嗎？常寧，你怎麼有這麼好的興致來此？」望了狄青一眼，趙禎笑道：「常寧，你來了也好。」

常寧望向狄青微微一笑道：「狄將軍一向可好？」她臉上這次並沒有戴面紗，露出清秀恬靜的面容。她雖在微笑，可笑容中，似乎總有種淡淡的憂愁……

狄青施禮道：「臣參見皇后、長公主。」

張美人抿嘴笑道：「聖上，其實這次是奴家請長公主來聽狄將軍說書的，不想皇后也賞臉前來。」

曹皇后微笑道：「官家，你一直說張妹妹琴技天下無雙，正巧常寧說張妹妹約她，我一時好奇，也就跟過來了。官家，你不會見怪吧？」

趙禎見曹皇后和張美人關係融洽，心中得意，笑道：「怎麼會呢？不過美人彈了許久琴，多半累了，不如先聽狄青說些邊陲的事情，再讓美人彈琴如何？」

曹皇后笑道：「這樣也好，不過……」話未說完，又有宮人來報道：「啟稟聖上，王拱辰求見。」

趙禎心道難道在文德殿還沒有吵夠，王拱辰這時又湊什麼熱鬧？不悅道：「不見！」

宮人才待退下，曹皇后一旁止住了宮人，勸道：「官家才行新法，王拱辰是新法監督之人，他來請見，和新法多半有關，官家不宜不見的。」

一旁的張美人見狀也道：「聖上，皇后說得極是。聖上應該以國事為重，這西北的往事、奴家的琴聲，什麼時候聽都可以的。」

趙禎聽這般勸，也知有理，他一意變法，不想伊始就被群臣批為留戀美色、不理朝政，遺憾道：「那好吧，朕就先處理國事。狄青，你先回去吧！」

張美人悄然走到常寧的身邊，笑道：「哎呀，奴家有勞狄將軍前來，深感歉然。不如再有勞長公主送狄將軍出宮，也能表示我的歉意。」說罷輕推了常寧一下，滿是嬌笑。

常寧驀地被張美人推到狄青的身邊，秀美的臉龐上有些發紅，轉瞬如常道：「我也正想和狄將軍說幾句話。聖上，可以嗎？」

趙禎哈哈笑道：「那有什麼不行？常寧，你帶狄青出宮吧！」

常寧大大方方道：「狄將軍，這邊請。」

狄青感覺張美人似乎刻意撮合他和常寧在一起，暗自皺眉，可這時不好推搪，拱手道：「公主，有勞了。」二人出了御花園，過苑囿，經花徑，常寧一直在前面領路，默然不語。等到了一座小橋旁，狄青才待說自己識路、不敢有勞時，常寧已停了下來。

春風動柳，橋拱如虹。有陽光從西面照來，照得水面粼粼金光，閃爍不休，有如女兒家那複雜難以捉摸的心思。狄青這才意識到，已近黃昏。

常寧站在如虹的小橋上，有夕陽之光落在她的臉上，給那白玉般的容顏帶來分聖潔之意，「狄將軍，其實我並沒有讓張美人找你。」

狄青略有尷尬，輕咳聲道：「臣多謝公主請皇后美言，讓我得見聖上。」他一點兒也不笨，已猜到皇后找他，多半是常寧的緣故。

常寧嫣然一笑，轉望狄青道：「狄將軍為大宋出生入死，歷盡風霜，天下百姓都在感激將軍，不知何以為報，常寧做這些事情，不過舉手之勞，求些心安罷了。」

狄青不想常寧如此深明大義，心中感謝，反倒不知說什麼好。

常寧見狄青沉默，笑容中多少也帶些惆悵，「對了，狄將軍，上次聖上找我，這次張美人找我，他們倒都是一番好意，還請將軍莫要怪他們多事。」

狄青忙道：「臣不敢。」不待再說，常寧截斷道：「可我真的只當狄將軍是個朋友。不知道……」說到這裡，妙目盯著狄青，「不知道狄將軍是否會把常寧當做朋友？」

狄青聞言如釋重負，拱手道：「臣內心早把公主當做朋友，對公主亦是感激不盡，只怕高攀不上。日後公主若有差遣，但請吩咐，狄青定當竭力去做。」

常寧扭過頭去，望著那小橋下的流水，黑髮輕揚，如楊柳依依。許久後，常寧才說道：「那以後等將軍再無牽掛之際，若有暇的話，還請再和常寧說說西北之事了。」頓了下，垂頭道：「眼下將軍事務繁忙，常寧就不耽擱將軍時光了。」說到最後，有春風吹來，衣袂似乎在風中顫抖。常寧霍然轉身，碎步離去，直到身影沒入百花之中，終究沒有再回頭來。

狄青目送常寧離去，感覺那夕陽的光輝，在河面上也是抖動不休。

不知許久，狄青這才轉身出了宮中，見天色將晚，突然想到小月曾要找他。雖不知小月有什麼事情，但狄青一想到可能和羽裳有關，就忍不住地加快腳步，向麥秸巷的方向趕去。

等到麥秸巷的時候，夜幕降臨。月牙彎彎掛在樹梢，有如少女嫵媚的眼眉。

狄青就要穿過麥秸巷的時候，突然止步，站在一株梅樹之前，手撫那堅硬如鐵、橫斜而出的梅幹，眼簾微潤。他還記得，當年羽裳曾在這梅樹下翹首期盼，當年他亦曾徘徊在樹下不去，只為見到心上人一面。

樹吐新綠，梅花早凋。

年年歲歲花相似，歲歲年年……人已不同。他狄青早非當年的那個狄青，但他的那顆心，仍和當年沒什麼兩樣。

那梅枝表面粗糙斑駁，有如斧痕。曾記得，若非小月怒劈梅樹，他還不知道羽裳的真心。一念及此，狄青不再猶豫，舉步向楊府走去，未出巷口，突然再次止步。

地上隱約有幾點紫色斑跡。

狄青蹲下用手指拈了，湊到鼻端嗅嗅，皺了下眉頭。他嗅出是人血，不久前有誰在這兒流過血嗎？不知為何，狄青眼角又有些跳動，心中湧起股不祥之意。他緩緩起身，沉吟片刻，大踏步走到楊府前，用力拍打門環。

等了片刻，無人回應。

狄青眼皮又跳了下，推了下院門，發現院門內有門閂鎖住。這麼說，院中有人？可天不算晚，不是睡眠的時間，為何無人應答？狄青循院牆而走，走到偏門之處。多年前，他多次從這裡進府，門後總有佳人微笑。

推了下偏門，咯吱一聲，門沒有上栓，但門後似乎有什麼東西阻擋。狄青雙眉一揚，身形一拔，已上了院牆，向下一望，差點兒掉下牆來。

門後本倚著一人，被狄青推了下門，正軟軟地倒了下來。那人嘴角有血，雙目圓睜，似乎見到了極為驚恐之事，可她再也說不出話來。那人竟是小月！

狄青腦海有了短暫的空白，不知怎麼躍下牆頭，也不知道如何到了小月的面前。

小月死了，致命的傷是在背心。有極為尖銳的硬物刺入了小月背部近心臟的位置，一擊斃命！狄青全身顫抖不休，那一刻只是想，小月本是個與世無爭的女子，有誰會對這樣的一個女子下此毒手？

突然發現小月的右手五指繃緊，像是捏著什麼，狄青仔細一看，才發現小月的手指中捏著一角信紙，那角信紙上並沒有字跡。

難道是小月要送信，這才慘遭毒手？信中到底有什麼要命的內容？

楊府中沉寂得可怕，狄青意識到這點時，霍然起身衝向了楊府的大堂，未到前堂的時候，發現有一人死在堂前的庭院中，那人正是楊府的刁管家。

刁管家亦是被一尖銳的物體刺中了背心，顯然是逃命時被人從身後擊中了要害。

雖然對刁管家沒什麼好感，可見到此人死在這裡，狄青也是忍不住地心悸。他早就看到堂中桌案處伏著一人，看其服飾，正是楊念恩。

狄青臉色鐵青地走過去，輕呼道：「伯父？」他心中還存著萬一的指望，不聞楊念恩回應，狄青輕輕伸出手去，扳過楊念恩的肩頭。

楊念恩果然已死。他睜著雙眼，眼中滿是驚恐難信，他的嘴還是張開的，喉結已碎，他是被人捏死的！

狄青身形僵硬，立在那裡看著楊念恩難以瞑目的眼，悲憤莫名。是誰下的狠手？為何要下手？突然想到，小月才來找我，轉眼就遭了毒手，難道說，小月的死和我有關嗎？我得罪了人，這才殃及池魚？

腦海中想過郭逵白天所說，「我聽小月喃喃自語，說什麼不行，我一定要告訴狄青，把……」

小月到底要說什麼？

陡然間全身一震，狄青臉色煞白，想起個極為可怕的事情，突然放聲高呼道：「郭逵？郭逵！」

那聲音激盪了出去，餘音未歇，狄青縱身向後院躥去。他入宮前讓郭逵來找小月，兇手如此狠辣，那郭逵會不會也遭了毒手？

一念及此，狄青一顆心都要跳了出來。郭遵對他愛護有加，恩情深重，若郭逵因為他狄青出了事情，他還有什麼臉活在世上？

到了後院，只見幾個丫環、廚子東倒西歪地死在那裡。兇手殺了楊念恩三人還不夠，竟然將楊家上下殺個乾淨。這兇手恁地和楊家有這麼大的仇恨，還是所有的一切，都是因為他狄青？

盞茶的工夫，狄青已搜遍楊府。楊府上下有十三口被殺，但其中沒有郭逵的屍體。

狄青悲憤填膺，見再無活口，也找不到什麼線索，牽掛著郭逵的下落，暗想難道郭逵沒有遇到兇手，這刻已回到了府中？

想到這裡，狄青立刻向郭府奔回。等到了郭府的時候，夜已深，繁星滿天有如燈火，可郭府中，並沒有燃燈。

狄青一顆心沉了下去。

郭逵和他一樣，都是孤家寡人，生活亦是簡單，是以連僕人都少請。唯有一個老奴，前幾日還回了鄉下。郭府眼下空無人跡，這麼晚了，郭逵去了哪裡？

狄青心亂如麻，在府中只是轉了兩圈，就下了個決定。他飛快地出了郭府，穿街走巷，到了一家酒樓前。夜深人靜，那酒樓並沒有什麼生意，卻還亮著燈火。

狄青衝入酒樓，酒樓的老闆已含笑走出來，問道：「狄將軍，你急急忙忙的有事嗎？」

那老闆竟認識狄青，狄青絲毫沒有奇怪之意，他盯著那老闆，一字字道：「韓笑，你現在立即召集在京城所能調動的人手，幫我做一件事！」

酒樓老闆竟是韓笑！

原來狄青被召回京城，七士大部分都留在了西北，韓笑卻跟隨狄青到了京城。种世衡的生意越做越大，韓笑輕易地就在這酒樓做個老闆，隨時等候狄青的命令。

狄青求見天子的事情，韓笑幫不上忙，但眼下出事，狄青知道時光若金，郭逵隨時可能會有生命危險，是以第一時間想到了韓笑。

韓笑見狄青神色焦灼，笑容也不由僵硬，等狄青說完原委後，韓笑早就收斂了笑容。見狄青心急如焚，韓笑顧不得安慰，立即道：「狄將軍，如果從最壞的角度來考慮，郭逵失蹤了，而他失蹤一事，極可能和楊府滅門有關。既然這樣，我們要從兩方面下手。派一些人手先去郭府附近詢問有沒有可疑的人物出沒，追查郭逵的下落。然後另派人到禁軍營和郭逵常出沒的地方找尋，還要在郭府也留下人手等候，避免郭逵回來後錯過。」

狄青知道眼下只能如此，道：「那你多辛苦了。」

韓笑道：「屬下當全力去找，眼下人手充足，狄將軍，不如你就留在這裡等候消息吧？」

狄青點頭，知道自己就算親自去找，也不見得有用，不如在此等候消息，再做下一步的決定更好。

韓笑早就傳令出去，一時間酒樓的夥計、廚子、伙夫、帳房什麼的都被派出，全力尋找郭逵的下落。

狄青坐在酒樓中，形如石木，心中翻來覆去地只轉著兩個念頭：郭逵是生是死？誰殺了楊家滿門？

可任憑他想來想去，終究得不到答案。

天微明，狄青一夜未眠，雙眸滿是紅絲。消息源源不斷地傳來，卻沒有一個有用。郭逵一直沒有回郭府，竟憑空消失了一樣。

等到雄雞高唱，第一縷陽光照入酒樓的時候，狄青遽然而驚，心中一陣大痛，暗想這麼久沒有郭逵的下落，難道說他……

狄青不敢再想下去，已等待不得，起身要出酒樓親自去找。韓笑一旁見到，知道勸也沒用，望著狄青的背影也是滿臉的焦急。

就在這時，有人跑了過來，滿頭是汗，低聲在韓笑耳邊說了兩句話，韓笑一驚，忙叫道：「狄將軍，有郭逵的消息了。」

狄青本已走遠，聞言快步回轉，急道：「怎麼樣？」甚至不敢問郭逵是生是死。

韓笑眼中滿是怪異，說道：「據我們的人確切的消息，郭逵昨晚闖入西夏使館，被夏人所抓！」

狄青吃驚道：「他怎麼會去那裡？」知道韓笑也沒有答案，狄青立即道：「韓笑，你跟我前去！」

韓笑提醒道：「狄將軍，那是西夏的使館，我們去可以，但是……會麻煩無窮。」

狄青不語，鎖緊眉頭，卻已出酒樓上馬，向西夏使館行去。他何嘗不知道韓笑的意思，他狄青向來主戰，眼下又是議和的敏感時期，若再貿然進入西夏使館動武，不用夏人如何，只怕宋廷百官的口水都能淹死他！

但現在，他還能有什麼別的選擇？

狄青馬快如飛，不多時已到了西夏使館前。這時日上三竿，路上行人漸多，見狄青如此馳馬，都是議論紛紛，有的人已認出是狄青，更是竊竊私語。

狄青到了使館門前，翻身下馬，才要上前，有守使館的兩兵衛攔阻道：「做什麼的？」狄青雖急，但還控制住情緒，說道：「狄青請見沒藏訛龐大人。」

兵衛聽到狄青的名字，駭了一跳，慌忙進使館稟告。

有不少百姓聞訊趕來，在旁圍觀，議論紛紛，不知道狄將軍急衝衝地來這裡做什麼。狄青在門外等候許久，那兵衛這才悠哉悠哉地出來，道：「沒藏大人有事，不能見你！你請回吧！」兵衛雖故作悠閒，可神色明顯很是戒備。

狄青一聽，就知沒藏訛龐有鬼。郭逵被這些人所抓，生死不明，楊家滿門被殺，難道就是因為他狄青和沒藏訛龐衝突，這才導致沒藏訛龐痛下殺手？狄青想到這裡，如何能忍得住，冷笑道：「我想見他，由不得他不見！」

舉步前行，那兩個兵衛才待拔刀，可見到狄青一揚眉，立即閃到一旁。在夏人心中，狄青其實和煞神無異，他們聽過太多狄青的傳說，如何敢與狄青交手？

狄青才入了使館，就聽到鏗啷鏗啷響聲不絕，對面衝來了十數夏人，手持利刃已擋在狄青的面前。為首一人神色彪悍，喝道：「狄青，你做什麼？這裡是我大夏在宋的使館，就算你們兩府中人，要見我們使者，也要通傳，你可知道闖進來的後果？」

狄青笑笑，「那麻煩你給我通傳一下。我要見沒藏訛龐。」

那人厲聲道：「我若不傳呢？」

狄青笑容變得雪一樣的陰冷，「你可以試試！」他若是大聲呼喝，那人說不定嗤之以鼻。偏偏就這平靜的語調，讓所有人都打了個寒戰。

正僵持時，門外有人道：「狄青，你在做什麼？」有幾人走進了庭院，為首一人，雙眸如豆，正是御史中丞王拱辰。王拱辰身後跟著幾人，均在望著狄青，神色很是不以為然。

狄青皺了下眉頭，回道：「我要見沒藏訛龐。」

王拱辰道：「胡鬧，你為何要見沒藏使者？」

狄青正心煩意亂，聞言冷諷道：「我要見誰，似乎不用向王大人交代吧？」

王拱辰暗自惱怒，心道就算夏竦都被我參出了京城，你一個狄青，竟然對我如此無理？原來昨日朝中王拱辰參了夏竦一本，等退朝後，王拱辰再次請見趙禎，連番請求將夏竦從兩府名單除去，趙禎本就開始懷疑范仲淹的建議，終於被王拱辰打動，也不再和范仲淹商議，直接改任杜衍為樞密使，將夏竦派往京外任職。

杜衍身為兩朝元老，已年過花甲，其實和章得象彷彿，均是循規蹈矩之輩。在趙禎看來，如此一來，奸邪盡去，有老臣撐腰，有范仲淹等人銳改，再無別憂。而在王拱辰看來，他在變法中已力拔頭籌，成功地成為了變法的中堅力量。

王拱辰為人善於經營，如晏殊所言，見呂夷簡倒臺後，就想著示好范仲淹。是以眼下雖還惱怒狄青的頂撞，但知道狄青是范仲淹的人，一時間拿不定主意是否要和狄青翻臉。

就在此時，沒藏訛龐和迦葉王終於從房中走出，沒藏訛龐笑道：「原來是中丞大人前來，不知有何要事呢？」他看也不看狄青，只說道：「王大人，裡面請。」

王拱辰一喜，也顧不得理會狄青，笑道：「沒藏大人請。」昨日沒藏訛龐發怒離去，宋百官驚悚，只怕和談破裂，西北又要陷入無窮盡的戰亂中。王拱辰得知沒藏訛龐沒有立即離去，因此今早趕來，想再議和談一事。見沒藏訛龐和顏悅色，王拱辰只覺得事情很有轉機。

不想王拱辰才要舉步，就聽狄青道：「沒藏訛龐，你站住！」

王拱辰微惱狄青不識大體，沒藏訛龐這才望向狄青，洋洋得意道：「這不是狄將軍嗎？你找我何事呢？難道昨日長街所談，狄將軍已有了決定嗎？」

狄青不理沒藏訛龐的挑撥，凝聲道：「你先把郭逵交出來再說。」

王拱辰等人摸不到頭腦，沒藏訛龐哈哈笑道：「真是笑話，郭逵又不是小孩子，你交給我看管了嗎？你怎麼會向我要人？」他自以為回答得得體，狄青立即確定了一件事，那就是沒藏訛龐知道郭逵這個人，韓笑的消息無誤。

上前一步，狄青長吸了一口氣，再問道：「你交是不交？」

沒藏訛龐斜睨了王拱辰一眼，似乎有了底氣，嬉皮笑臉道：「我若是不交你能如何？」話音才落，只聽鏗的一聲，一把刀已架在了他脖子上。

刀光清冷，寒了春的暖意。

眾人神色均變，難以置信地看著眼前的一切。他們根本還沒有反應的時候，就見到狄青抽刀，過了護衛，已制住了沒藏訛龐。

狄青雙眸紅赤，盯著沒藏訛龐道：「你再說一聲不交，我就砍了你的腦袋！現在，交不交郭逵出來？」

沒藏訛龐僵硬當場，迦葉王也是一懍，竟也來不及阻擋。

王拱辰見狀，急喝道：「狄青，放下刀來！」他身後有一人文官的打扮，也跟著喝道：「狄青，住手，你可知道你在做什麼？」那人越眾而出，就要去扳狄青的手。

狄青只是一擺手，那人已踉蹌後退，一屁股坐在地上。餘眾見狄青神武，滿是殺氣，已不敢再勸。

迦葉王語帶威脅道：「王中丞，你們是來議和還是來殺人的？你們挾持我國使臣，這樣下去，和談一事再無可能！」

王拱辰心中懍然，厲喝道：「狄青，還不放下刀來？你再敢這般肆意妄為，你信不信我向聖上參你一本，斬了你？」

狄青哂然笑笑，不理王拱辰，緩緩道：「我數到三，再不見郭逵，肯定有一人腦袋落地了。一……」

「狄青！」王拱辰上前一步，可見狄青眼中的殺機、單刀的寒氣，竟不敢再斥。

「二……」狄青淡淡道。陽光落在單刀上，泛著冰冷的光芒，映著那滄桑的臉龐。他一定要先救出郭逵，不理其他。

在這一刻，郭逵的生死比什麼都要重要。

沒藏訛龐瞥見狄青滿是殺機的臉，終於慌了神，叫道：「你們是死人嗎？還不把郭逵帶出來？」

有兵衛急衝衝地跑進內堂，不一會兒的工夫，已帶了郭逵出來。

狄青見郭逵灰頭土臉，臉上血跡未乾，但還活著，輕輕地舒了口氣。郭逵見到狄青，激動道：「狄二哥。」

迦葉王一揮手，讓兵衛將郭逵鬆綁，郭逵到了狄青的身邊，已明白了一切，心中不安。迦葉王冷冷道：「王中丞，郭逵昨夜潛入這裡，被我們所擒。我等還沒有稟告你朝天子，狄青就再來威脅我國使者，肆意妄為。此事我定當稟告我主，不知道你能否給我們個解釋？」

王拱辰臉色鐵青，瞪著狄青道：「狄青，人要到手了，你還不放人嗎？」

狄青只是望著郭逵道：「我知道你肯定能給我個解釋。」

郭逵立即道：「狄二哥，我追著那兇手到了這裡。結果他們說我擅闖使館，不讓我搜，就是那人擊敗了我。」他伸手一指迦葉王，神色冷峻道：「你等著我。」

迦葉王昨晚擒住郭逵，可也被郭逵傷了一刀，雖是不重，但見郭逵這般神色，心中發冷。他看得出，郭逵身為郭遵、狄青的弟弟，很有雄心。被這樣的一個人掛記，無疑是件頭痛的事情。

狄青聞言，低聲問：「你見到兇手什麼樣子了嗎？」郭逵不答，只是緩緩地搖搖頭，低聲道：「但我可以肯定，那人翻牆到了這裡。」狄青盯著沒藏訛龐道：「你為什麼要殺楊家滿門？」

沒藏訛龐一怔，叫道：「什麼羊家牛家？昨天這渾小子闖進來，就說我們窩藏兇手，結果打了一架。今日你又冤枉我殺了楊家滿門，我有什麼本事殺人家滿門？」

狄青將目光定在迦葉王拈花的手上，說道：「你沒有本事，但有一人有這種本事。」迦葉王的手指可以拈花，也能捏裂刀鞘，不也能捏碎楊念恩的喉結？

迦葉王皺眉道：「狄青，你莫要無理取鬧。我看你是根本不想和談，這才編造我們的是非干擾兩國和談。王中丞，你們必須給我們個解釋！」

王拱辰氣得不行，心中早問候了狄青的祖宗，但也無可奈何。被推倒在地的那文官也是憤憤然叫道：

「狄青，你要造反嗎？」

狄青霍然扭頭，怒視那文官道：「楊念恩一家上下十三口被殺，郭逵追蹤凶徒到此，被夏人阻撓關押。我來要人，有何過錯？殺人償命，若沒藏訛龐真的殺了人，天王老子叫，我也不會放過他。」

刀鋒一寒，狄青逼視沒藏訛龐道：「現在，我數到三，你若不交出凶徒，你知道什麼結果！一！」

眾人均懍，迦葉王陡然上前，手若拈花，已拿住狄青的刀背。

方才狄青身形如電，這刻迦葉王是飄忽如葉，動作之快，讓人驚詫。刀背被拈花之指一沾，有如毒蛇被捏住了七寸，光芒頓失。

轉瞬間，光芒再炙，狄青出刀。橫行刀橫行無忌，豈是能被人輕易束縛？

迦葉王暴退，胸襟已被刀鋒劃破，再慢一分，只怕要開膛破肚，不由臉色劇變。狄青帶著沒藏訛龐退後一步，說道：「二……」

眾人大驚，知道在這種情形下，已再沒有人能救沒藏訛龐的性命。沒藏訛龐雙腿打顫，褲襠已有水跡，大叫道：「狄青，真的不關我的事。你他娘的別殺錯了人！」

「三！」狄青吐出最後一個字後，單刀一揚，沒藏訛龐嚇得雙眼泛白，竟然暈了過去。

鏗的一聲，狄青收刀回鞘，放了沒藏訛龐，對郭逵道：「我們走！」他和郭逵並肩走出了使館，無一人敢攔。

眾人都是詫異非常，見方才狄青那般聲勢，看樣子非要殺了沒藏訛龐不可，沒想到狄青居然放過了沒藏訛龐，狄青到底打著什麼主意？

狄青走出使館時，心中想到，凶徒不會是沒藏訛龐，他若真的殺了人，生死關頭，表情不會那麼激憤委屈。可凶徒若不是沒藏訛龐，誰會殺了楊念恩一家呢？

長街繁華，心情寥落。狄青到了長街上，不由一怔。無數百姓堵在使館外，見狄青出來，靜悄悄地分開一條路。

狄青心中奇怪，暗想他們都圍在這裡做什麼？這時候有個虎頭虎腦的百姓壯著膽子上前，施禮道：「狄將軍，要打嗎？我們怕你人手不夠，過來看看。」

狄青驀地明白過來，原來百姓見他怒氣衝衝地殺來，只以為他要對夏使開戰，這才蜂擁過來幫手。雖在廟堂上，狄青不容於百官，可在百姓眼中，狄青才是大宋的希望！明白了百姓的心意，狄青心中感動，可無以言表，只是深深一禮道：「多謝父老鄉親們，只是這次是狄某一時衝動，行事不妥，你們請回吧！」說罷大踏步離去。百姓們議論紛紛，終於三三兩兩地散了。

狄青、郭逵、韓笑三人回到郭府後，就有人來通傳消息。韓笑聽了，轉告狄青道：「狄將軍，根據我們目前掌握的消息，楊老丈為人不錯，很多人又知道楊姑娘和狄將軍的事情，對楊老丈頗為尊敬，這段日子來，他並沒有和任何人結怨。如今沒藏訛龐也不像是幕後主使，那兇手的動機，很讓人疑惑。眼下楊家滅門一事已傳了出去，開封府正在調查此事。」

狄青呆坐在椅子上，良久無言，似乎在聽，又像是全然沒有聽見。

郭逵見狄青淒涼的樣子，心中內疚，說道：「狄二哥，這次是我牽連了你……」

狄青擺擺手道：「不是你牽連我，而是我連累了你。對了，你為何追兇手到西夏使館呢？」

郭逵道：「昨天你去面聖，我記得你的吩咐，就去楊府找小月。不過軍營有事，我到黃昏時才趕到了楊家。楊家大門緊閉，我敲了很久，小月才來開門。她開了門後，我問她找你究竟什麼事。她突然變臉道，『誰找過狄青，你認錯人了吧？』當時我很是奇怪，但堅持沒有認錯，因為這個，我還差點兒和她吵了一架。」

韓笑一旁聽了，沉吟道：「我只怕那時候，已有凶徒控制了楊老丈，小月估計是怕楊老丈受害，這才執意說沒有找過狄將軍。」

郭逵一拍腦袋，懊喪道：「我若有你這麼聰明就好了。」

韓笑見郭逵後悔，安慰道：「我也是事後分析罷了。若我當時在場，只怕也不明所以，誰又能想到他們會有危險呢？」

郭逵心中難安，苦澀道：「是呀，當時我哪裡想到過會有兇險。我只記得小月臉有些蒼白，還問她病了沒有。見她一味堅持說沒有找過狄二哥，我也來氣，當下就走了。可沒走多遠，感覺總是不對，就折返來看……」臉上露出慘然的表情，郭逵愧疚道：「結果我沒有到楊府門前的時候，就聽裡面傳來一聲慘叫。我推門不開，翻牆而入，發現小月死在側門後。當時天已暗，我見到一道人影翻牆而出，就追了出去，結果就追到西夏使館裡面，我一直沒有看清兇手的面容。我才入西夏使館，就被那幫人發現，我當時憤怒非常，讓他們交出凶徒，可他們一無所知的樣子，反斥責我擅闖使館，後來打了起來，我被圍攻，又被迦葉王偷襲，結果就被抓了。後來，你趕到了。」

郭逵說完，心中忐忑，見狄青木然地坐在那裡，郭逵道：「狄二哥，這件事我會和聖上說明，你不用太過擔憂。」

韓笑一旁道：「狄將軍擅闖使館一事，可大可小。就算刀逼沒藏訛龐，也可推說查案。但頂撞了王拱辰，只怕他們會向朝廷參你一本。」他在西夏使館時其實就覺得不妥，但知道那時候說了也是沒用，更何況，他內心也對王拱辰等人不滿的。

狄青淡漠道：「哼，我就算不頂撞他們，難道他們就會說我的好話嗎？不會的，這矛盾早深，除非我……」沒有再說下去，狄青道：「從夏人的反應來看，眼下凶徒逃到西夏使館有兩種可能，第一種可能就是夏人真的不知道此事，那人引小逵過去，不過是栽贓嫁禍，轉移視線，甚至可能是……借我出手，引發兩國的衝突。如果這樣，這兇徒的用心險惡得可怕。」

郭逵臉色鐵青，越聽越驚。暗想若真如狄青所說，那可闖了大禍。

狄青又道：「不過這議和一事，暫時不會有變，因為我早聽說契丹不知為何，和西夏交惡，開春時分已移兵向西，準備對元昊用兵。元昊不想兩面受敵，肯定還是想要議和了。」他看出郭逵的不安，是以安慰。頓了下，狄青又道：「第二種可能就是沒藏訛龐向我報復，但我今日來看，這個可能性反倒不大。對了，小逵，你當時沒有見到兇徒的臉，但你見那人的背影，可像迦葉王嗎？」

郭逵略作沉思，搖頭道：「不應該是迦葉王，那人從背影來看，遠比迦葉王要壯碩。」臉上露出分古怪之意，郭逵道：「我追那人的時候，有種奇怪的感覺，好像那人像個錘子。」

韓笑目光閃爍，緩緩問道：「像個錘子是什麼意思？」他若有所思地向狄青看了一眼。

郭逵皺眉道：「他每跑一步，都如同錘子鑿地，一頓一頓。雖好笑，但跑得很快。」

「像個錘子？」狄青腦海中宛若有道電光閃過，已想到當初曾聽趙明說過，那去香巴拉的曆姓商人，就像個錘子。他向韓笑望去，目光中也隱有深意。

難道說，那曆姓商人和郭逵所見的是一個人？那曆姓商人是兇手？可曆姓商人為何要對楊家下手？這中間，根本沒有半分聯繫呀！

狄青心緒繁遝之際，聽韓笑道：「狄將軍，我總覺得，那兇徒和楊老丈應該非常熟悉。我們若找兇徒，應該從這方面下手。」狄青疑惑道：「你為何這麼說呢？」

韓笑道：「我手下去楊府查探，並沒有發現太多的線索。不過他們見到桌面上有兩杯茶，茶壺中泡的茶葉是茶中極品龍團茶。」

郭逵不解道：「那又如何？」

韓笑道：「龍團茶乃茶中極品，楊老丈以這種茶葉待客，可見他知道那客人很是尊貴，也可以推測凶徒和楊老丈之間，本很熟悉。」

狄青心頭一亮，似乎見到了方向。但不知為何，一顆心總是忐忑難安，似乎想到了什麼關鍵所在。但這關鍵所在，又是他怕想的！

韓笑道：「狄將軍，眼下我有幾個建議。」他見狄青木然而坐，知道狄青心亂，可他還是擔憂狄青，忍不住提議。

狄青疲憊道：「你說吧！」

韓笑提議道：「眼下的當務之急有幾件事，可請郭逵兄弟去面聖，先說明今日的原委。避免朝廷對將軍不利。」郭逵立即道：「好，我馬上去做。韓笑，如果沒有別的事情，我先入宮了。」見韓笑點頭，郭逵立即出發。

狄青其實對這件事反倒最不放在心上，暗想眼下的罪名，最多是個削職刺配，那又能如何？但知道二人是一番好意，也不阻攔。

韓笑待郭逵走後，說道：「狄將軍，我們現在可以兵分三路：一路去查楊老丈的熟人，另外一路監視西夏使館的動靜，第三路就是去楊府借給楊老丈發喪之名，看看開封府那面有什麼線索……」

狄青點點頭道：「好，那我去楊府。」他才待起身，韓笑已道：「狄將軍，我建議你留在府上就好，眼下你不宜有所行動。」

狄青明白韓笑是為他考慮，終於坐了下來道：「好，那你派人去辦吧！」他呆坐在府中，一直坐到黃昏日落，再又坐到夜深人靜。

夜已深，汴京繁華落盡後，重歸寧靜，可狄青腦海中有如天人交戰般，最想知道的幾個答案是：如果那兇手真的是那曆姓商人的話，他為何要殺楊念恩？如果兇手不是那曆姓商人，又會是誰？這次兇殺一事，究竟和他狄青有沒有牽連？

正沉吟間，有腳步聲響起，狄青抬頭一望，見到韓笑走了進來，身後還跟著個孩童。那孩童滿臉的污穢，衣衫襤褸，倒像個乞丐。

韓笑帶這孩子來幹什麼？狄青心中奇怪。韓笑知道狄青疑惑，開門見山道：「狄將軍，這孩子執意要見你，說要將一封信親手交給你。他說……這信的內容，和楊家有關的。」狄青微懍，霍然站起，望著那孩子道：「小兄弟，你怎麼知道楊家的事情？信是誰給你的？」

那孩子還流著鼻涕，聞言抽了下，遞過一封信道：「有人給我一兩銀子，讓我把信給你。他說若有人不讓我進來，就說信和楊家有關。我不知道給我信的人是誰。」

狄青見那孩子並不知情的樣子，不再追問，接過那封信展開一看，臉色劇變。

韓笑只覺得那信紙信皮均非尋常民間所用，正捉摸信是誰寫的，見狄青臉色有異，急問：「狄將軍，你怎麼了？」

狄青身軀晃了晃，臉色青白，按著桌案，像是沒有聽到韓笑的話，只是道：「不可能，不可能是他。」

那一刻，狄青的眼中滿是驚駭、不信，其中還帶著幾分徬徨和迷惘……甚至，還有些傷心欲絕！

韓笑很少見到狄青有如此神色，那一刻心中只是在想，信中寫的是什麼？不待再問，聽狄青已道：「我明白了，我明白了。原來兇手……真的可能是他！」

第十八章　告　老

韓笑見狄青提及兇手，也是一懍，忙問道：「狄將軍，兇手是誰？」

以往每次有消息，狄青都會和韓笑商議。這些年來，韓笑雖是下屬，但對狄青幫助多多，狄青早把韓笑當做兄弟看待，很多祕密，甚至關於香巴拉的事情，韓笑也知道。

但這次狄青聽韓笑發問，出奇地沒有回答。他終於恢復了冷靜，將那信扣在了桌案上，緩緩坐下來道：「韓笑，我想靜靜，天明的時候，我再和你說些事情。」

韓笑心中有些不安，但還是尊重狄青的決定，領著那小乞丐走了出去。韓笑心細，又詢問小乞丐到底是誰送的信。不過那小乞丐也是懵懵懂懂，說送信人的長相無非一個鼻子兩個眼，也沒什麼特別之處。

韓笑不知道這小乞丐是真傻還是裝傻，讓小乞丐離開後，又找了個人跟蹤他，過了幾個時辰後，手下回信，說乞丐並沒有可疑之處。韓笑大失所望，心中極想知道狄青手上那封信是什麼內容。

狄青看信後竟知道兇手是哪個，寄信人是誰呢？難道是兇手？若真的是兇手寄信，用意何在？韓笑想來想去想不明白，郭逵白天就去了宮中，等到天明時分還沒有回來，韓笑很是擔憂。見天光已白，終於忍不住再見狄青。再見狄青的那一刻，韓笑突然有種心酸，只是這一夜，他感覺狄青鬢角的白髮似乎又多了些。狄青神色很是憔悴，聽韓笑走進來，並沒有抬頭，他只是望著桌案上的那封信，像是在思考一件極為嚴重的事情。韓笑拿了些水和乾糧遞過來道：「狄將軍，你吃些東西吧！」只有他還記得，狄青兩夜一天沒有吃東西了。狄青抬頭望向韓笑，突然問了句沒頭沒腦的話，「韓笑，如果你相信的人騙了你，你會如何？」韓笑一怔，但問心無愧道：「我想知道他是有心還是無意的。」心中在想，狄將軍這句話到底是什麼意思呢？

狄青喃喃道：「他會是無意的嗎？如果這是真的，只怕早在多年前，他就已決定騙我了。可我不明白，他為何這麼做呢？」

有些艱難地站起來，狄青道：「信在桌案上，你若想看就看吧！但是你要答應我一個條件……」狄青用佈滿血絲的眼望著韓笑道：「你看了這封信後，就燒了它，以後不要向任何人提及。我去見個人。」說罷走出了楊府。

韓笑望著那封信，心中既擔憂又是好奇，終於還是忍不住伸出手去，拿起那封信，只是看了一眼，就神色大變！狄青已出了郭府。這時紅日未升，露洗古城，汴京城內有輕霧籠罩，到處都是朦朦朧朧。狄青長歎了一口氣，舉步向一個方向行去。他越走越快，不久後，已到了八王爺府邸前。立在王府門前，狄青神色複雜，可還是堅定地拍了幾下門環。等了半晌，趙管家打開了院門，見是狄青，並不多話，閃身到了一旁。趙管家早就習慣了沉默，狄青也已習慣了這種待遇，逕自向客廳行去。

天尚早，八王爺不知何時，已在廳堂內喝起茶來。茶香四溢。見到狄青前來，八王爺似乎有些詫異，轉瞬站起來，露出焦急之色道：「狄青，我正想去找你。」

狄青凝望八王爺良久，這才道：「我也有些麻煩事，需要八王爺你給我解決。」

八王爺微愕，感覺到狄青在稱呼上有些凝重，歎口氣道：「這件事雖然棘手，可我畢竟是你的伯父，有羽裳的關係，我定當竭盡所能地幫你。賢侄……先坐吧，我們商量一下再做決定。」

狄青到了桌案對面坐下，看了眼桌面。八王爺道：「喝茶嗎？」見狄青搖搖頭，八王爺皺眉道：「我知道你現在恐怕也沒有心思喝茶。賢侄，你這次禍可闖大了。我聽說你私闖西夏使館，又公然對抗王中丞，還打傷了文彥博。」

狄青皺了下眉頭，「誰是文彥博？」

八王爺道：「你不記得了？當初文彥博出來勸你放下刀來，你推了他一把，聽說他跌得不輕。文彥博是個御史，你這下可把御史臺的人都得罪了。唉……若是前天還好說，但過了一天後，你可就糟糕透頂。」

狄青終於記得曾推倒的那個文人，淡漠道：「為什麼這麼說呢？」他好像根本沒有把這些事放在心上。

八王爺沒有留意到狄青的異樣，神色關切道：「賢侄，你多半不知道，王拱辰是個趨炎附勢的小人。他以為范仲淹不捨情面才留夏竦在兩府，就參了夏竦一本，藉以討好范仲淹。不想此舉用意被諫院看破，歐陽修隨即上書，認為御史臺官多非其才，矛頭直指王拱辰。歐陽修是范仲淹的人，他這一本上去，御史臺的官員均是惱怒，以為是范仲淹要對御史臺下手，聽說他們要聯手整治諫院、反對新法……」狄青悠然地聽，事不關己的樣子。事實上，他對朝廷的權勢傾軋、勾心鬥角的局面很是厭惡，反倒更喜歡西北那種簡單明瞭。

八王爺又道：「你也算是范仲淹的人，御史臺知道暫時扳不倒范仲淹，就有意向你開刀。聽說昨天御史臺就先後有王拱辰、文彥博和梁堅三人上書，彈劾的內容都和你有關。大概是說你阻撓議和、擅闖西夏使館、以下犯上，毆打文臣。甚至還有人說，那些京城的百姓到了西夏使館前，也是被你蠱惑煽動，有意造反！這下麻煩可大了。」

八王爺連連搓手，神色焦灼，突然發現狄青竟還很平靜，忍不住道：「賢侄，你怎麼一點兒也不擔心呢？」

狄青望著八王爺的雙眼道：「自從太后當權，八王爺你為避嫌疑，是以很多時候隱居府中不出。天子掌權後，八王爺一直也是如此作為，是吧？」

八王爺皺了下眉頭，似乎不解眼下火燒眉毛的時候，為何狄青要提起這件事。

狄青又道：「可八王爺雖一直隱居在府中，但對朝廷之事，似乎比很多人知道得還多。這件事，很讓人有些奇怪。」

八王爺神色有異樣，喝了口茶水道：「本王當然是為了你，才多方打探這些消息。」

「是嗎？」狄青目光灼灼，突然泛起了悲憤，一字一頓道，「那你殺了楊念恩，也是為了我嗎？」

噹啷一聲，八王爺手一抖，茶杯掉在了桌子上，摔成碎片。茶水肆意流淌，甚至流到八王爺潔淨的衣衫上，八王爺並沒有留意，只是驚詫地望著狄青道：「賢……侄，你說什麼？」

狄青冷冷道：「我知道你已聽得很清楚。你派人殺了楊念恩，然後誘郭逵去了西夏使館。你知道我的性格，也清楚我得知此事，肯定要去救郭逵，如此一來，宋夏議和難成。到現在，你還假意幫我，但我實在害怕，怕你是幫我，還是要陷我於萬劫不復。」

八王爺神色漸轉平靜，聽完後突然道：「說完了？你不覺得好笑嗎？」

狄青神色寥落，蕭索道：「我一點兒都不覺得好笑。我一直在奇怪，為何飛鷹會知道羽裳的事情？為何當年我返京的時候，王則會知道我身上有五龍，進而要搜我的包裹？這些事情他們本來不應該知道的，而這些事情，都是你派人告訴他們的，是不是？」

八王爺道：「知道你身上有五龍的，絕不止我一個。你怎麼能肯定是我把消息洩露給飛鷹的？」

狄青反問道：「知道我身上有五龍的人是有幾個，可我說起王則、飛鷹的時候，你根本沒有絲毫驚奇疑惑。我從未對你說過這二人的事情，飛鷹更是舉止隱蔽，尋常人根本沒有聽過這名字，而你早有所知的樣子，是不是因為你和他們一直都有聯繫呢？」

八王爺陡然變了臉色，眼中閃過分陰鷙，一時間無話可說。

狄青笑了，笑容中滿是苦澀，喃喃道：「當我知道你是兇手的時候，真的很難相信這個事實，但我想了一晚，終於想通了很多事。你其實一直想去香巴拉的，你在羽裳重傷之前，就已開始尋找香巴拉。你不肯告訴我曹姓之人的底細，因為你很怕我從曹姓人身上找到些關於你的事情。」

八王爺想要端茶，才發現茶杯已碎，嘶啞著嗓子道：「我有什麼事情怕你知道的？」

「你怕我知道你真正的用意不是救羽裳，而是想借香巴拉之力篡位。你怕別人知道你一直在和盜匪聯繫。當年和曹姓人去尋香巴拉的曆姓商人，也就是嶺南大盜曆南天，不就是你派去的？」

八王爺臉色又變，身軀都忍不住地顫抖起來。狄青知道的，遠比他想像的要多。

狄青道：「當年趙允升對被剝奪東宮太子一位耿耿於懷，因此勾結夏人為亂，被天子平叛。你其實和他一樣，都對不能繼承皇位一事懷恨在心。但你顯然更深沉些，行事也就更加隱祕。你怕太后看出你的野心，因此一直避禍不出，等太后一死，就迫不及待地跳出來指責太后，希望借此能博得天子好感，得掌大權……但據我所知，天子並沒有對你重用，反倒有些疏遠你，你懷恨在心，開始勾結賊黨，尋找香巴拉，希望香巴拉能滿足你稱帝的野心。」

一口氣說完這些，狄青無奈的雙眸中突然有分怒意，「不過你做這些事情我並不怪你，但你為何一定要殺了楊念恩？」

八王爺臉色數變，強自道：「狄青，你一派胡言。你想得根本不對，我也從來沒有殺過楊念恩。我是和飛鷹他們有聯繫不假，但我是想利用他們找到香巴拉來救羽裳呀！」

說到這裡，八王爺眼中有淚，痛心疾首道：「可我真的沒有想到，你竟會懷疑我。羽裳信錯了你……」

狄青霍然而起，怒拍桌案道：「你撒謊！你到現在，還要騙我？你殺楊念恩、小月，因為你察覺到他們知道你一個祕密。小月當初來找我，說什麼『不行，我一定要告訴狄青，把……』我一直以為她想讓我做什麼事情，但她說的不是把，而是八，你八王爺的八！她要說的事情，和你有關，和你的祕密有關！」

八王爺渾身一震，嗄聲道：「我有什麼祕密？」

狄青雙眸噴火，緊握雙拳道：「因為楊念恩他們知道，你根本不是楊羽裳的父親！」

此言一出，廳中已凝結若冰。狄青憤怒中，夾雜著被欺騙的傷心，原來……他始終沒有幫羽裳找到生父，他從信中得知這點的時候，只覺得對不起楊羽裳。八王爺臉色灰敗，額頭已有汗水，流過鼻翼，流到嘴角，澀澀地酸楚。不知許久，八王爺才道：「你……你說什麼？」他啞著嗓子，聲音如哭一樣，「不可能……不可能的。」也不知道他是說狄青說的不可能，還是說不可能有人知道這個祕密。

霍然站起，八王爺急道：「狄青，我若不是羽裳的父親，怎麼會在皇儀門前因此和太后翻臉？我若不是羽裳的父親，後來那麼奔波為什麼？」

狄青冷笑道：「你本是和趙允升一起陰謀反叛的，其實你一直以來都充當著一個兩面討好的角色。皇儀門之變，趙允升若事成，你有功勞，可當時你看到趙允升事敗，急於脫罪，就用羽裳的身分來掩飾你的罪行，裝作情非得已。而你後來如此奔波，不過是想找香巴拉罷了。我到現在才想明白……」狄青一指趙元儼身旁的那塗鴉般的屏風道：「你和先帝其實都受過五龍的影響，你把夢境畫出來，其實和先帝營建永定陵一樣，無非想參透香巴拉的玄機！」

見八王爺渾身輕顫，狄青怒道：「趙元儼，到現在你還有什麼話說？」

八王爺後退一步，搖頭道：「不可能，不可能的……你不可能知道的。」

狄青冷冷道：「小月知道你非羽裳的生父後，怕你對我不利，因為羽裳的緣故這才來告訴我真相，但被你察覺，就派人殺了小月和楊家上下十三口，然後將矛頭引向西夏使者。趙元儼，你騙了我，我還能原諒你。但你派人殺了小月和楊家那麼多人，你讓我如何原諒你？」

八王爺失魂落魄，彷彿沒有聽到狄青說什麼，眼中突然露出深深的畏懼，顫聲問道：「狄青，你不可能知道這些，是誰告訴你這些事情的？」

狄青心中也想知道到底是誰寫的那封信。那封信的內容簡單明瞭，只寫著，「趙元儼陰謀造反，勾結曆南天，應是殺楊念恩的真凶，他非楊羽裳之父！」就是這簡簡單單的幾句話，如雷霆電閃般現在狄青的眼前。狄青最初看到信中內容的時候，根本不信。但那幾句話勾出他太多的思緒，從這幾句話中，得出的很多結論順理成章。若非信中提醒，狄青只怕一輩子也想不到是八王爺對楊家下的手。但他不敢輕信這個答案，他這次來王府，就是要驗證自己的推論。現在事實很顯然，信中說的均對。狄青雖猜中事實，發現真相，但心中並沒有半分喜悅之意。那封信究竟是誰寫的？那人把信送給他狄青，用意何在？

見八王爺驚怖的樣子，狄青又是厭惡，又是憤恨：「誰告訴我的不重要，你只需要知道天網恢恢、疏而不漏。趙元儼，眼下有兩條路給你走，一條路是，你將凶徒交出來。方才這桌面上，有一圈水痕，那是茶杯放在這裡留下來的痕跡。你雖撤走了茶杯，但忘記擦去水痕。我知道，現在還跟你聯繫的，肯定就是曆南天！」

八王爺這才省悟剛才狄青認真地看了桌面一眼的用意。他渾身發抖，牙關也在打顫，喃喃道：「第二條路，當然就是你去告訴聖上真相，你覺得他會信你嗎？」狄青冷哼一聲，「聖上就算不信我，但我對聖上說出了這些事情，你還敢留在京城嗎？」

八王爺緩緩地坐在椅子上，怔怔半晌，突然大聲笑了起來，他笑得前仰後合，笑聲中，滿是詭異瘋狂。狄青一直盯著八王爺的舉動，雖不懼八王爺反抗，但見到他這般笑，也是忍不住心悸道：「你笑什麼？」

八王爺還是肆無忌憚地笑，良久才止了笑聲，說道：「我明白了。我終於明白了。」

狄青反倒摸不到頭腦，困惑道：「你明白什麼？」

八王爺望著狄青，半晌才道：「狄青，無論如何，我當年也出面為你作證過……無論如何，我也為你保住羽裳的一線生機……」

狄青回憶往事，感慨萬千，「但這些事情，並非是你殺人的藉口。有些事情，做錯了，沒有補償，只有擔當！」

八王爺越發地冷靜，哂然道：「我從來沒有奢求過你在這件事上不管不理，但你若還念在我為羽裳出過一分力，你能不能給我一天的時間？一天後，我就給你個交代！」他竭力坐直了身板，神情肅穆莊嚴。

狄青望了八王爺許久，點頭道：「好，那我等你。」說罷轉身離去。他不怕八王爺會耍花招，他知道八王爺沒有選擇。但他終究沒有咄咄相逼。八王爺騙了他很多事情，但八王爺畢竟做過一件讓他狄青感激的事情。只此一件，已讓狄青不會趕盡殺絕。

狄青才回到郭府，韓笑已迎了上來，低聲道：「狄將軍，閻士良一直在等你。聖上召你入宮。」狄青並不意外，逕自入府去見閻士良。閻士良見到狄青，臉上沒什麼表情，只是道：「狄青，有御史臺參你一本，聖上召你入宮解釋。」

狄青早料到今日，當下跟閻士良入宮直奔文德殿。狄青到了殿前，微有吃驚，只見殿上雖無百官，但也有不少重臣。群臣分為兩派：范仲淹、歐陽修等人神色肅穆，眉頭緊鎖；而王拱辰、文彥博立在范仲淹對面，王拱辰正慷慨陳詞。

狄青到了殿外，只聽到王拱辰道：「張亢、滕子京、种世衡、狄青四人身擔西北要職，竟不守法令，在朝中影響惡劣，若不嚴懲，邊陲將領悉數效仿，後果堪憂！」

狄青皺了下眉頭，意識到王拱辰說的是公使錢的問題。這個問題，他曾聽八王爺說過，可他沒有想到這個問題竟然牽扯許多人進來。滕子京以往是涇原路副安撫使，而張亢本是涇原路都部署，在西北時，這二人官職都在狄青之上。不過滕、張二人均是文臣，不懂用兵，是以將軍事調動一權放手給狄青施為，而這二人均竭盡所能助狄青行事，在公款調動上，自然先保證用兵至上，去向難以盡查，不想這竟成為被參的藉口。狄青緩步入了殿中，見范仲淹臉上竟也有了罕見的怒容，心道一切均由我狄青而起，那不如由我狄青了結算了。正要開口之際，歐陽修出列道：「我朝自西北用兵以來，赴邊將士難以盡數，但能堪大用之人只有狄青、种世衡二人！狄青忠勇無雙，天下可見，他一心作戰，管不了許多，就算有濫用公使錢之行，也絕非有意。臣以為，非常之人，不能用常人眼光看待，還請聖上明察，莫要將此事牽扯太多，以免引發邊陲將士的不安。」

狄青沒想到歐陽修和他素無瓜葛，居然會為他說話，不由心下感激。原來狄青到來之前，眾人早就唇槍舌劍，爭辯多時。王拱辰雖在御史臺負責糾察官邪、肅正綱紀，但本人心胸不寬，可說是睚眥必報。他參夏竦一本之後自恃功勞，以為范仲淹會因此賞識他，不想歐陽修竟上書說御史臺多非其才，這一下子可惹惱了王拱辰。正逢鄭戩調查西北一事回轉，上書說涇原路公使錢多不對帳，難以盡言去處，王拱辰當下藉機發難，暗想你范仲淹要打擊我們御史臺，我就拿你的親信開刀。

狄青和范仲淹在西北配合默契，种世衡是范仲淹賞識之人，滕子京是范仲淹舊友，而張亢和范仲淹私交甚密。王拱辰發難，就要將范仲淹當初在西北的親信一網打盡。

適才范仲淹力保滕子京，結果王拱辰以辭官為威脅，趙禎極為不悅，歐陽修知道這件事是因他而起，暗想狄青受無妄之災，實在冤枉，見聖上對滕子京頗有惡感，心道能保一個是一個，又為狄青說起了好話。文彥博反駁道：「非常之人，更要遵守法令，以示天下。若人人以軍功自恃，認為可免責罰，試問法紀何在？」他對狄青那一推，還是耿耿於懷。想大宋文臣素來高高在上，竟有武將敢公然毆打於他，實乃此生之辱。范仲淹大皺眉頭，心想這些人完全是為了攻擊而攻擊，簡直不可理喻。

趙禎對滕子京不滿的緣故，范仲淹倒是知曉。當年趙禎初親政，脫離太后的束縛，沉迷情色，有不理朝政之舉。而滕子京上書直斥趙禎「日居深宮，流連荒宴」。若說趙禎對這件事不記得，那才是假的。方才他力保滕子京，已引發趙禎的不滿，這刻趙禎已難用伊始銳意進取的目光看待問題，只怕多辯多錯……

雖知眼下所言在趙禎心中已開始變味，但范仲淹還是不想狄青無辜受到牽連，才待上前陳詞分辯，趙禎卻已轉望狄青道：「狄青，他們說你貪污公使錢，你有何辯解呢？」

群臣一怔，不想趙禎竟這般直接來問。如今狄青身處嫌疑之地，范仲淹等人越想保狄青，王拱辰等人越想將狄青踩下去。此刻張亢、滕子京二人的結局已有八分定論，被貶毫無疑問，文彥博等人正要開始攻擊狄青、陳述其罪過時，趙禎怎麼反倒詢問起狄青來了？在王拱辰等人看來，這裡根本沒有狄青說話的地方。他沒有資格，他不配！狄青的目光緩緩地從范仲淹等人臉上掠過，見到的都是激昂憤憤，心道范公這麼平和的一個人，原來爭辯起來，也如此地倔強激烈。范公沒有變，當年那個不默而生的范仲淹沒有變。可是，他狄青變了，他狄青已有些心灰意懶。目光又從王拱辰等御史臺官臉上望過去，只見到憎惡和不屑。狄青心道難道說我狄青戎馬多年，竟如此遭他們厭惡？

上前一步，屈膝跪倒，狄青淡漠道：「聖上，臣有罪無罪，不想自辯，貪污公使錢之罪，不如盡數算在臣頭上。既然天下已無戰事，臣請……告老還鄉！」

第十九章 風 骨

狄青一言既出，眾人皆驚。

王拱辰、文彥博等人也是面面相覷，不想狄青居然會請辭官。

王拱辰知道，就算狄青罪名落實，也不過是貶職他處，削減俸祿，不再重用。風水輪流轉，只要眼下能在朝堂上壓住范仲淹，王拱辰的目的就已達到。但狄青倒好，直接請求告老還鄉，王拱辰想要處置狄青的心願達成，一時間只覺得過於順利，竟不知說什麼才好。

趙禎也有些錯愕，正遲疑間，只聽有宮人前來稟告：「聖上，御史包拯請見。」

包拯上殿時，群臣都是各懷心事。

歐陽修素來和包拯沒什麼瓜葛，但想包拯也是御史臺的人，看來這場論辯更是艱難。

王拱辰心中卻想，御史臺中的官員，多數聽自己的話，只有包拯雖在御史臺，為人卻有個驢脾氣。包拯前些日子被天子祕密派到西北，也是調查西北邊將一事嗎？西北那是筆糊塗帳，就算包拯，又如何算得明白？

趙禎見群臣默然，開口道：「包卿家，朕讓你調查西北公使錢一事，可有了結論？」

包拯風塵僕僕的樣子，似乎一回到京城後就來面聖，聞言開門見山道：「聖上，臣到西北後，已詳細查了涇原、鄜延路的公使錢開支情況，發現約有五百萬貫公使錢難以解釋去處。」

御史臺眾人均是精神一振，不想朝廷不但派鄭戩去查，甚至讓包拯也負責此事。都說包拯素來鐵面無私，這下看來狄青、种世衡等人均無翻身之機。

趙禎皺了下眉頭，緩緩問道：「那這些錢是誰來負責掌管呢？」

包拯道：「种世衡、滕子京、張亢三人主要掌管這些公使錢。」

「這麼說，所有的一切，狄青並不知情了？」趙禎道。

眾人久經官場，聽天子這麼問，雖說心情迥異，可毫無例外地認為，趙禎並不想處置狄青。趙禎問話的意思，甚至示意包拯將公使錢一事，和狄青撇開關係。

包拯道：「聖上，臣不敢妄言狄青是否知情，但知道這公使錢，很大的一部分是花在了狄青的身上。」

狄青並不詫異，甚至連憤怒的表情都沒有，因為他知道包拯說的是實情。

趙禎眉頭鎖緊，心中不悅。他知道包拯和狄青算是朋友，當初趙禎讓狄青舉薦人才的時候，狄青還推薦了包拯。趙禎讓包拯暗中調查西北一事，用意就是希望包拯能為狄青撇清關係，不想這個包黑子，竟然誰的面子都不給。

趙禎沉吟片刻，已想將公使錢一事押後處理，他不想狄青告老還鄉。

包拯開口道：「聖上，不過臣說及公使錢一事前，想先請聖上看件東西。」他從懷中取出一物，雙手捧上。

眾人舉目望過去，見到包拯手上捧的不過是一雙孩童的草鞋，破爛不堪，都是大感疑惑，心道包拯拿雙草鞋出來做什麼？

趙禎也是困惑，問道：「包卿家，這不過是雙草鞋，有什麼可看的呢？」

包拯望了眼手上的草鞋，肅然的臉上也有分感慨，輕聲道：「不錯，在滿朝文武的眼裡，這的確是一雙破爛的草鞋，甚至連多看一眼的念頭都沒有。可在包拯的眼中，這草鞋卻是可說話的。」

方才群臣爭議，趙禎聽得心頭起火，這刻聽包拯說得奇怪，來了興趣，問道：「草鞋怎麼會說話？」說罷微微一笑，很覺有趣。

包拯道：「臣初到西北之時，不耐西北苦寒風霜，偶染風寒，竟然病倒路邊，被一家好心人看到收留。」

眾人均知道包拯不是說廢話、亦不是喜歡討功的人，因此都有些奇怪他為何說這些瑣碎的事情。

包拯又道：「臣到了那戶人家，發現那戶人家雖不能用家徒四壁來形容，但也清貧得很。那家裡有兩個孩子，一個十來歲的年紀，一個更小一些，懵懵懂懂。那兩個孩子也沒什麼特別之處，只是瘦弱些。救臣的是個婦人，是那兩個孩子的娘親，容顏頗為蒼老，但臣後來知道，那婦人也就四十有餘的年紀。」

王拱辰終於按捺不住，一旁道：「包御史，聖上讓你查西北公使錢一事，你囉囉嗦嗦地說這些做什麼？」

趙禎倒覺得包拯岔開話題更好，和顏悅色道：「但說無妨。」

天子發話，王拱辰神色訕訕，再不敢打斷包拯的話頭。包拯繼續道：「那家婦人為臣請了大夫，又煮了濃濃的稀飯給臣喝。臣當時不覺得什麼，可等稍微好轉後下地出門，在門後聽那小孩子說，『二哥，我餓。』又聽那大孩子說，『你怎麼就這麼容易餓？成天就看你要東西吃。喏，我這兒還有點兒吃的，你先吃吧！』臣從門縫望過去，見到那大點兒的孩子拿出半塊黑黑的窩頭遞給老三，老三狼吞虎嚥的吃，老二卻在流著口水看。老三含糊問道，『二哥，你不吃點兒嗎？』那老二挺起胸膛說，『我飽得很。』」

包拯說得瑣屑，趙禎聽得感慨，歎道：「那糧食想必是老二省下來的，他疼愛弟弟，這才留給弟弟吃。不過那婦人寧可苦了兩個孩子，也給你熬粥來喝，真讓人感歎。」

包拯點頭道：「聖上所言極是，那家人甚為厚道。臣暗中觀察，見他們吃飯的桌子也很是破爛，一條桌腿都已折斷，是用石頭墊起來的。等到晚飯時分，那婦人竟給我拿了兩個白麵膜吃。我看那年幼的孩子在一旁流著口水，就問，『你吃了沒有？』那幼小的老三看了眼娘親，嚥著口水說道，『吃得很飽。』」

趙禎眼簾濕潤，想起民心樸實，西北百姓如此受苦，難免心中不安。他一直立志當個好皇帝，聞西北還有這種事情，內心愧疚，問道：「包愛卿，這家人如此忠厚，不知道你可記下他們的名姓，朕立即命地方官府獎賞他們。」

包拯沉默片刻，這才道：「那婦人本是种世衡的元配，而那兩個孩子就是种世衡的兒子，老二叫做种諤，老三叫做种診。」

殿中倏然靜了下來。就算是王拱辰、文彥博等人，都是神色異樣。

王拱辰他們才扳倒張亢、滕子京，又逼狄青告老還鄉，正準備對种世衡下手之時，突然聽到种家如此清貧，心中也不知道是什麼感覺。

趙禎默然半晌，神色感懷，又問：「後來呢？」

包拯道：「當晚，臣到了庭院，見到种諤、种診坐在庭院。臣趁那婦人不注意，拿了五兩銀子給种諤。臣受人之恩，很想報答，但那婦人死活不肯收下銀子，只說旁人有難，幫手天經地義之事，不需酬勞。臣無奈，只想將銀子讓孩子收下。不想种諤挺直腰板說了一句話，讓臣此生難忘。」

趙禎問道：「他說了什麼話？」

包拯到了殿中，一直對狄青視而不見，直到這時，才意味深長地望了狄青一眼，鏗鏘有力道：「种諤對我說，狄將軍為西北的百姓出生入死，活人無數，都從來不求什麼回報，我們只做了這點事情，怎敢要你的回報呢？」

一語落地，鴉雀無聲。

王拱辰等人本咄咄逼人，聞言望了眼狄青，臉上也有不自然之意。歐陽修等人臉上有神采閃過，范仲淹卻既是驕傲，又是傷心。

只有狄青還是木然地立在那裡，似乎什麼都沒有聽見。可不知道為何，眼簾也有了濕潤。他狄青不負西北百姓，原來西北百姓也從來沒有忘記他！

良久後，包拯才又開口道：「臣聽种諤這般說，倒很是慚愧，那銀子就揣了回去。我問种諤，他和弟弟在這庭院做什麼呢？种諤道，他在等流星。」

趙禎瞥了眼狄青，好奇道：「他等流星做什麼？」

包拯道：「塞下兒女有個傳說，說若能看到天有流星，及時許願，就事無不成。」

趙禎久在深宮，倒是頭一次聽到這種說法，恍然道：「种諤等流星許願嗎？他許下了什麼願？」

包拯道：「他那一夜終於沒有等到流星，但他對我說了願望。」頓了下，包拯緩緩道：「他的願望是，快些長大，學狄將軍一樣，抗擊胡人，保家衛國！」

趙禎又望了狄青一眼，這次卻沒有再問什麼。殿上臣子雖多，但亦沒有人接下去。

沉默片刻，包拯再道：「其實不只种諤有願望，种診也有願望的。」

趙禎道：「种診的願望也和狄青有關嗎？」趙禎對种世衡其實並沒什麼印象，但聽過种諤、种診兩人的事後，對种世衡的印象早有了翻天覆地的改變。他已明白包拯的意思，种世衡家貧如斯，就算擅用公使錢，肯定也有他的道理。

包拯搖搖頭，再次舉著手中草鞋道：「种診的願望，和狄青無關，是和這草鞋有關的。他說他腳長得快，去年的布鞋今年已經穿不上了，他現在只能穿草鞋，而且是破爛不堪的草鞋。他若是能見到流星，就求老天給他一雙新的草鞋，若是能在新年的時候，再有一雙新的布鞋，那他就很開心了。」

包拯說得平淡，但眾人聞言，都是心中酸楚，幾欲淚下。

這殿上的官員，多是鐘鳴鼎食之輩，整日賞花吟詞、春雅秋愁，哪裡想到過种診身為种世衡之子，竟然連要雙布鞋都是奢侈的事情？

范仲淹暗歎，心想每次見到种世衡，總見他拖拖拉拉，可上交錢物購買軍備之時，從來未見种世衡有遲疑的時候。范仲淹以為种世衡玩世不恭，以為种世衡經商有術，可哪會想到，他的每一文錢，都是用血淚艱辛鑄成？

王拱辰見趙禎臉色沉鬱，瞥了眼包拯手上的草鞋，上前道：「啟稟聖上，若包拯所言是真，想种世衡被告貪污公使錢一事或有所誤會。」

御史臺的中丞竟主動為邊將种世衡開脫，倒讓很多人意料不到，不想包拯道：「沒有誤會，种世衡的確存在濫用公使錢一事！」

眾人聞言，均是驚詫不已，暗想包拯費盡苦心說這個故事，無非就是給种世衡開脫。既然王拱辰都已表態，包拯就應該就坡下驢，將這件事帶過，可包拯竟然依舊得出种世衡濫用公使錢的結論，那他方才一番努力不是前功盡棄了嗎？

趙禎也滿是詫異，沉默半晌才道：「包卿家，你此言何意？」

包拯遲疑許久，這才道：「回聖上，其實是种世衡請我告他濫用公使錢一罪的。」

眾人更驚，簡直不知道包拯在說什麼。狄青失聲道：「他為何這麼做？這事本和他無關的。」狄青已心灰，但聽到种諤提及自己的時候，還是忍不住感謝，感謝种諤對他如此信任。他才問出口，遽然明白了种世衡的用心，忍不住心情激盪。

趙禎也是一頭霧水，遲疑道：「包卿家，朕可糊塗了。种世衡為何請你告他呢？」心中想，這事兒被人攤上，躲還來不及，种世衡也真是怪人，竟請包拯告他？种世衡不請，告他的人還少了？想到這裡，望向御史臺一干人等。

御史臺眾人都垂頭不語，心中也是奇怪。

包拯肅然的臉龐突然有分尊敬之意，緩慢道：「臣伊始的時候，根本不瞭解种世衡這個人，只是奉旨查事。可見了种諤、种診後，才以為對种世衡有個粗略的瞭解，但臣沒想到，种世衡此人，遠比臣想的要……多。」他本待想說种世衡想的要深遠，轉念一想，終於換個措辭。心中暗想，如果那麼說的話，王拱辰肯定以為是暗諷他們目光短淺，只怕另有波折。知道趙禎不解，包拯解釋道：「臣見到种世衡，是多日後的事情。他一見到我，就知道我是來查公使錢的事情，他說他早知道會有這一天了。」

趙禎皺了下眉頭，看了眼群臣，群臣垂下頭來，心中不知是何滋味。

「种世衡說，自從他奉聖旨開始修青澗城的時候，他就考慮到會有這麼一天。他說他不怕……」包拯神色悠悠，莫名地歎了口氣，又說道，「种世衡說西北風沙苦，百姓比風沙還苦，整日被吹得居無定所。如果按照常規行事，青澗城修個三年五年都不見得修好，可太多人等不得。當年青澗城內無水，若挖不出水來，大城就要荒廢。他就用一百文一簸箕沙石的代價鼓勵百姓去挖井，這件事如果報於朝廷，就算批下來，也得等個幾年，西北的百姓等不起。」

說到這裡，包拯終於加句自己的主觀看法，「臣聽了种世衡所言，覺得他辦事是法理不容，情理可恕。」

誰都聽出包拯是變相地說祖宗家法不妥，王拱辰本想指責，可瞥見趙禎的臉色，終於沒有開口。

所有人都清楚，若沒有种世衡修了青澗城，眼下大宋西北早是另外一個局面，延州能不能保住都說不定，更不要說再反取回金明砦，逼元昊求和。

包拯一直都是平靜的聲調，說著很平淡的內容，但又有誰知道這些平淡的事情裡，有著多少艱辛不屈和波折？

「打井那件事是小事，但种世衡說了，邊陲有太多這樣的小事。他一直以來，殫精竭慮地對付這些小事，沒有能力、也沒有辦法把這些小事的帳目給上面看個清楚。但他說了，他用的每文錢，都對得起自己的良心。若是伊始的時候，我沒有見過他的家人，不會相信，但知道种諤、种診數年如一日，竟然都是半饑不飽，种診甚至買雙布鞋都是奢望的時候，我第一次在沒有去查始末的時候，就相信了种世衡說的話。」

說到這裡，包拯頓了下，看著御史臺的同僚，問道：「你們信不信？」

你們信不信？

就是這尋常的五個字，激盪在殿中，敲擊在每個人的心頭。王拱辰雖還沒有放棄攻擊范仲淹親信的想法，但瞥了眼趙禎的表情，已放棄再參种世衡的念頭。

趙禎一句話也沒有說，但誰看到他的表情，都知道他已經信了。不過所有人都有個困惑，既然如此，种世衡為何還要包拯告他濫用公使錢呢？

王拱辰心中甚至在想，難道說种世衡自知無錯，這才想要轉移視線，保住旁人嗎？可包拯隨後的話，讓他羞慚無地。

「种世衡對臣說，他雖是問心無愧，但知道破壞了規矩。若是碰到有人蓄意對付西北將領，肯定會拿此事做文章。他說，『我活了這些年，沉浮這些年，早就看開了。我還能活幾年？若是有過錯的話，請包大人一定將所有事情推到老漢我的身上。我無所謂了。』」

包拯原封轉了种世衡的話，趙禎還是不解，追問道：「他為什麼這麼做？」

包拯又望了狄青一眼，見到狄青神色悵然，知道狄青明白了。「因為种世衡說，『公使錢、經商的錢，我多數都用在修建防禦、裝備軍隊身上，比如打造好一些的兵器、鎧甲，想方設法買些最快的馬兒。你們不知道，朝廷雖有弓箭鎧甲，但弓都被蟲蛀了，弦斷了，鎧甲都爛了。你讓兵士怎麼穿這些裝備去送死？如果我要推責任的話，肯定說狄青用公使錢用得最多，因為他領的軍隊是西北的精銳，公使錢很多都用在他領的軍隊上。可若是沒有這些不合規矩的精銳，大宋在西北損失的就不止公使錢了。若沒有這些公使錢的濫用，西北的百姓就要移到關中去了。若不是濫用這些公使錢，朝中一些人就被戰火燒得焦頭爛額，無暇顧及西北公使錢的事情了。其實我可以不管，但我能不管嗎？好吧，如果狄青和我之間，一定要有人承擔這個責任，那由我來承擔好了。畢竟老漢不窮，因為老漢還有妻兒；狄青比我窮，他征戰疆場這些年來，身無長物，孑然一身，除了身上多了些疤痕，再也沒有得到過什麼。老漢我其實愧對他，包大人，我求求你，把所有的責任都推到老漢身上吧，我全部都認。』」

說到這裡，包拯的鐵面上也有了唏噓，平淡的語調中，也有了波瀾。許久，殿中無聲，包拯一字一頓又道：「种世衡最後說到，『我把責任都攬過來，西北損失能少些。因為西北可以沒有种世衡，但不能沒有狄青！』」

西北可以沒有种世衡，但不能沒有狄青！

狄青聽到這句話時，眼簾濕潤，朦朦朧朧中，彷彿又見到种世衡那玩世不恭的表情，「狄青，你不能死。你還欠我很多錢沒有還呢！」

他欠那禿頭的老漢，何止是很多錢？

包拯將一切事情說完，殿中沉寂若死。良久後，趙禎向狄青望去，見到狄青鬢角已有白髮，突然想到，狄青正當壯年就有了白髮。看來他從沒有忘記和朕的盟誓，一心為朕征戰西北。他多的不只是傷疤，還有白髮呀！

趙禎一直覺得沒有虧待過狄青，就算御史臺狀告西北軍將濫用公使錢的時候，他都悄然派包拯暗中查訪，他自覺得一直在護著狄青。

可見到狄青俊朗的面容上滿是滄桑落寞，又想到狄青方才要告老還鄉，趙禎突然想到，究竟是朕護著狄青呢，還是狄青護著朕的江山？

所有人都已明白，包拯繞了個圈子，說了這些話，並非只想護住种世衡，他更要保住狄青！

歐陽修終於上前，施禮道：「聖上，包御史既然已查明一切，臣依舊認為，公使錢一事，本就和狄青無關。還請聖上明察。」

趙禎若有所思，望向包拯道：「包御史，你既然查明了一切，依你之意，應該如何對待此事呢？」

包拯略作沉吟，說道：「公使錢出入的確有別，但想太祖之時，也曾建封樁庫，用意無非是積蓄軍費，收取舊地。西北公使錢，既稱公使，用意本為國為民，种世衡、狄青二人雖對公使錢的使用破壞了規矩，但用在國事，可說是規矩不容，情理可恕。而法理不外乎人情，太祖立法，也是求江山永固、百姓安樂，絕不想後人墨守成規的。」

趙禎點點頭，又問：「假設太祖在時，會對此事如何處理呢？」

包拯立即道：「以太祖之胸襟廣闊，若是不明究竟，當然要追查職責。但知道此事真相，無非是一笑了之罷了。」

趙禎哈哈一笑，一拍龍案道：「說得好，從今日開始，關於种世衡、狄青在西北動用公使錢一事，不必再提了。」

群臣遵旨，有喜有愁。范仲淹心中暗想，聖上只說狄青、种世衡的事情不用再提，但對滕子京、張亢二人隻字不提，看來心意已決，很難改變了。他這麼做，看似平衡御史臺和兩府的關係，只怕後患無窮。但事到如今，范仲淹也知道多說無用，只想再等機會。

王拱辰心中卻想，哼，聖上只說不追究种世衡、狄青的事情，但沒說不追查旁人的事情。歐陽修呀歐陽修，我遲早要讓你知道得罪我的後果。本來我想扳倒狄青，可見天子一意為狄青開脫，只怕執意告狀難免得罪了聖上。狄青干擾議和一事，不如先緩緩了。

想到這裡，王拱辰向文彥博使了個眼色，搖搖頭。文彥博見了，雖心中對當初一事還是耿耿，但也不再多言。

趙禎心意已成，不願再在西北一事議論，才待宣佈退朝，有閻士良急急趕到，叫道：「聖上，大事不好！」

趙禎微驚，忙問道：「何事驚慌？」

閻士良驚惶道：「八王爺府邸失火，難以控制。」

狄青心頭一沉，思緒飛轉，暗想這火兒起得很是蹊蹺。趙禎臉色一變，喝道：「怎麼會這樣？那八王叔呢，現在怎麼樣了？」

閻士良如喪考妣，顫聲道：「沒有人見到八王爺，只怕……只怕已葬身火海了。」

趙禎霍然站起，怒道：「不會的，八王叔吉人天相，不會有事的。擺駕八王府，朕要親自去看看。」

八王爺有難，天子發話，群臣暫時先把旁事放在一邊，跟隨趙禎出宮，急急奔王府而去。

狄青也是心中詫異，請求跟隨趙禎一起。臨出宮時，見包拯望著自己，狄青拱手施禮道：「多謝包兄相助。」

包拯道：「我只是職責所在罷了，狄將軍何必客氣？」猶豫片刻，包拯又道：「有句話不知當講不當講？」

狄青道：「包兄請說。」

包拯緩緩道：「在下知道狄將軍這次無辜被牽連，難免有些心灰。但西北百姓還在惦記著狄將軍，還請狄將軍莫要心冷，不要辜負西北百姓的期望。」

狄青知道包拯勸他莫要辭官，苦笑一聲道：「多謝包兄提醒了。不過很多事情，卻是身不由己。」他的意思是具體如何，還要看天子的心思。

記掛八王爺一事，狄青辭別包拯，匆匆趕到了八王爺府邸，倒吸了一口涼氣。

眼前大火已呈弱勢，軍民呼喝，潑水救援。但偌大的八王府，已變成了一片廢墟。

八王爺呢……是生是死？狄青心中一陣茫然。他才離開八王爺不久，還等著八王爺交出大盜曆南天，哪裡想到過八王府會起火。

這場火，到底燒掉了什麼？

見到趙禎的聖駕就在不遠，有禁軍重重保護。狄青急於知曉情況，走過去請見，趙禎見是狄青，示意侍衛放狄青過來。狄青問道：「聖上，現在王府是什麼情況呢？」

這時大火漸熄，但濃煙直沖霄漢，暗灰了本是蔚藍的天空。

趙禎望著八王府，鎖著眉頭道：「眼下還沒有消息……」話未說完，從火堆中突然衝出一人，灰頭土臉，衣衫都有被火烤灼的痕跡，那人卻是開封府的捕頭邱明毫。

王爺府失火，事關重大，開封府衙得知此事，早派捕快前來，詳查此事。邱明毫這些年來，破案甚多，在汴京立下了赫赫名聲，若論聲譽之隆，已遠過葉知秋。

邱明毫到了趙禎身邊，低聲道：「聖上，臣在王爺府中發現了幾具屍體，但都燒焦不可辨認。在一具屍體旁，有塊玉珮，本是八王爺之物。只怕……那就是八王爺的屍骸。」

趙禎怒道：「好好的，八王府怎麼會失火？」

邱明毫向狄青看了眼，壓低了聲音道：「聖上，八王府多堆有易燃之物，還有菜油之氣，只怕是……有人故意放火。」

趙禎怒不可遏道：「堂堂汴京，竟有人這般肆意妄為？邱明毫，你立即全力追查此案，定要給朕個交代。」

邱明毫誠惶誠恐地應下，趙禎神色憤怒而又感傷，當下起駕回宮。

天日昭昭，遠遠觀望的百姓均是議論紛紛，猜測著王府起火的緣由。狄青一直呆呆地望著那還冒著煙的王府，突然舉步，想入內看看。

他一直在想，難道說，這就是八王爺給他的交代？八王爺難道怕他狄青揭發一切，這才引火自焚？可他狄青因為羽裳的緣故，只是索要曆南天。八王爺為何寧可自焚，也不肯交出曆南天？

還是說，這真的是有人刻意放火？如果是這樣，誰對八王爺有這般仇恨？又是誰有這般的膽子？

狄青才想入府，就有開封捕快攔在面前，說道：「狄將軍，邱捕頭說過，此案事關重大，閒雜人等不得入內。你若要進去，還請問問邱捕頭。」

狄青想起當年在曹府時，邱明毫似乎和夏隨聯手害他，那件事雖最終沒有定論，但狄青對邱明毫一直戒備在心。不過他少在京城，和邱明毫一直河水不犯井水。見捕快為難，狄青也不想和邱明毫打交道，暗想不見得會有什麼線索了，搖搖頭，回轉郭府。

才到郭府，郭逵和韓笑都圍了上來，郭逵詢問道：「狄二哥，你沒事吧？」郭逵昨日一直纏著見趙禎，可直到清晨的時候，才得趙禎召見，得以述說西夏使館一事。趙禎也沒有什麼表示，只是表示知道了。郭逵回來後，一直心中惴惴。可他認為和狄青是兄弟，這些辛苦根本不用多說。

狄青搖搖頭道：「沒什麼事了。小逵，多謝你了。」郭逵精神一振，狄青見郭逵雙眸隱有血絲，知道他為自己操勞，心下感激，道：「你先去休息吧！我和韓笑還有些事談。」郭逵舒了口氣，轉身離去。

狄青支開郭逵後，不待開口，韓笑已低聲道：「狄將軍，八王爺府邸著火了，怎麼回事？」他看了那封信，知道八王爺是殺死楊念恩的真凶，但具體內情如何，並不了然。

狄青輕歎一口氣道：「逝者已逝，不必多談了。韓笑，你派人留意一下開封府衙的動靜，若有關於八王爺的消息，立即通知我。」

無論那府邸是八王爺自己燒的，還是別人燒的，那把火已燒掉了狄青和八王爺的一切關係。見韓笑欲言又止的樣子，狄青問道：「你……還有事嗎？」

韓笑道：「狄將軍，八王爺的事情算是解決了，但疑點多多。寫信的是誰，你可知道嗎？」

狄青搖搖頭道：「那封信你也看過了，並沒有太多的線索。」突然心中一動，問道：「你難道有什麼線索了？」他知道韓笑精明能幹，當初他聽趙明說過曆姓商人一事，就讓韓笑留意像錘子一樣的人，結果韓笑很快就告訴他，嶺南大盜曆南天和趙明形容的很像。狄青聽郭逵述說凶徒的時候，其實和韓笑都想到了凶徒就是曆南天。

曆南天一直為亂嶺南，神出鬼沒，葉知秋幾次出手都無法捉住此人，狄青若非多方假設，實在很難將此人和八王爺聯繫起來。

韓笑又拿出那封書信，歉然道：「狄將軍，請你莫要見怪，這封信我沒有毀去，因為我覺得可從這封信上找到些線索。」他心中一直在琢磨送信人的真正用意，只怕那人對狄青不利，這才窮追不捨。

狄青心中也在猜測寫信人的身分，聞言並不怪責，只是道：「你記得不要宣揚這件事就好。你從信中看到了什麼線索？」

韓笑攤開信紙，指著信上的字跡道：「狄將軍，你留意到沒有，這種字黑中泛白……」

狄青少讀書，更對書法沒有什麼研究，是以看信就看內容而已。聽韓笑提醒，仔細一看，才發現那些字的確有些奇怪。每一筆下來，都隱約有白色的痕跡泛出。

韓笑知道狄青不明白，解釋道：「這種字體叫做飛白體，也叫草篆，是古人蔡邕所創。聽說蔡邕是見工匠刷牆時，每次一刷下去，總不能盡掩牆色，露出牆體底色，受到啟發才創造這種行筆若飛、絲髮微白的飛白體來。」

狄青恍然道：「這種控筆方法在於留白的妙處，想來會寫的人並不算多。」

韓笑贊同道：「狄將軍說得不錯，這寫信之人既然用飛白體，我們要查這人是誰，可從會寫飛白體的人來入手。」他將書信向著陽光照進來的地方，說道：「狄將軍，你看這張信紙，本有隱記。」

狄青望去，見到陽光照處，信紙的右下角透出個「吉」字，問道：「這信紙做工精細，想必也不常見。」

韓笑微笑道：「狄將軍一點就通。這紙本是京城吉星齋所產，因每年產出不多，能使用的均是富貴之人。」

狄青沉吟道：「寫信之人擅飛白體，又是富貴人，但這個範圍還是太大，不好找尋到。」

韓笑道：「不管如何，這總是個線索，屬下就準備循著這個線索找下去。不知將軍意下如何？」

狄青點點頭道：「那就辛苦你了。」等韓笑走後，狄青長歎一口氣，緩緩地閉上了眼睛。他這幾日實在過於疲憊，雖說很多事情好像解決了，但他總覺得，那些事情非但沒有結束，反倒變得越發複雜起來。

轉瞬到了夏日。這些日子來，狄青一直閉門不出，卻也知道不少京城內的事情。趙禎終於決心變法，通告全國，百姓皆歡，萬民稱頌。這一年正是大宋慶曆年間，史稱慶曆新政。執行新政之人，有范仲淹、富弼、晏殊、韓琦、歐陽修等人，這些人在百姓心目中，均有著極高的威望。這些人的親信也多數入主廟堂，協助變法，一時間京城名士雲集，朝野交口稱譽。

范仲淹上書《十事條陳》，韓琦經好水川一戰慘敗後，尚能得天子重用，狂傲收斂許多，寫下《備禦七事》，二人所言，均是針砭時弊，治大宋沉屙。文書傳出，京城轟動，天下雀躍。而沒藏訛龐經狄青一嚇，好像突然開了竅，非但沒回轉西北請元昊發兵，反倒降低了條件，元昊可向大宋稱臣，削去帝號；而作為回報，趙禎封元昊為西夏國主，並承認眼下的疆土劃分。

大宋不再以戰敗為由補償西夏的損失，而變成歲賜夏銀七萬兩千兩，綿帛十數萬匹，茶三萬斤。大宋送出去的東西不變，更改的只是一個賜字。

這些消息均是韓笑告訴狄青知曉，狄青聽到時，澀然一笑，不置可否。心中卻想，趙禎好面子，所爭的都是虛無之事，可元昊卻攫取了最大的利益。這些財物若用來養兵，十士早就完善。原來當日我喝斥夏使，不過是趙禎爭取議和的籌碼。可他現在身處渦流，更知道多說無用，索性沉默。

這一日，已近黃昏時，閻士良突然前來道：「狄將軍，聖上召你入宮一敘。」

狄青有些奇怪，他聽說這段日子裡，張美人病了，而且病得不輕，趙禎每日早朝都沒有心情。這種時候，趙禎找他什麼事？

狄青帶著疑惑入宮，閻士良又領著他到了上次去的御花園。

春去夏來，有花開花謝，凋零的是心境，不改的是繁華。夕陽晚照，落在千花萬朵上，豔紅如血。狄青才到御花園，就聞琴聲傳來。這次的琴聲，少了些幽轉冷澀，帶著股夏日慵懶的味道。

近前一看，張美人正坐在琴前，趙禎坐在一旁，憐惜地望著她。見狄青到來，趙禎竟起身走來，不待狄青施禮，已道：「免禮。狄青，朕找你有事。」

狄青見趙禎的神色雖愁不怒，不解問道：「不知聖上有何吩咐？」

趙禎愁容滿面道：「唉，美人這些日子大病一場，到現在才稍有好轉。可她才好些，就一定要來彈琴……她還想聽你講些西北的故事，上次沒有聽成，不想就過了幾個月了。朕勸不了她，只能找你來。狄青，有勞了。」

狄青很久沒有聽趙禎說得這麼客氣，原來趙禎急急召他入宮，就為這事。斜睨了張美人一眼，見她望著瑤琴，似乎沒有聽到趙禎的話。

她既然請狄青來講西北的戰事，可為何狄青來了後，她卻根本不看狄青一眼？

趙禎已拉著狄青的手坐下，對著張美人道：「美人，狄將軍來了，你不是要聽西北的故事嗎？莫要彈琴了，多休息會兒。」

張美人終於盈盈站起，走過來笑道：「有勞狄將軍了。」她秀眸流波，輕輕地從狄青臉上漫了過去。

狄青心中雖不情願，但看在趙禎的面子上，還應付道：「臣應做之事。」目光和張美人眼光相對的那一刻，狄青突然有了種心悸。他都不知道自己心悸什麼。

等垂下頭來，狄青又將方才的情形在腦海中回憶片刻，忽然想到，張美人雖在笑，可她的眼中，好像根本沒有笑意？甚至，可以說是冰冷。她對我好像有敵意？

念頭一閃而過，狄青不待再想，有宮人稟告道：「皇后到。」

趙禎微有些錯愕，見皇后已端個瓦罐走到近前，起身迎道：「皇后，你來做什麼？」

皇后輕輕放下了那瓦罐，微笑道：「官家，你昨晚操勞政事，批閱公文，聽說深夜時肚子餓，曾想吩咐閻士良要羊肉湯喝，不知為何後來打消了主意呢？」

趙禎輕輕一歎，說道：「朕自聽包拯說及西北苦楚時，才明白皇后節省宮用、養蠶種植穀物的良苦用心。昨晚其實朕很想喝羊湯，但宮中並無常備，一次破例，只怕日後御廚會天天殺好了羊準備。這樣下來，頗為浪費，朕就忍了一晚。」說話間望了狄青一眼，道，「唉……朕不想開戰，不是怕了趙元昊，只是想到百姓無端受苦，於心何忍呢？」

狄青知道趙禎最後一句話隱約是對他解釋議和的苦衷，聽到這生活小事，倒對趙禎有了重新的認識，暗想趙禎雖優柔寡斷，但能知百姓疾苦，肯聽人言，也算是個難得的皇帝。

曹皇后揭開瓦罐的頂蓋，有香氣隨著熱氣飄出來。曹皇后嫣然一笑道：「妾身知道官家想吃，今日宮中正好宰了羊，就為聖上煮了羊湯……」

趙禎心喜，暗想曹皇后雖沒有張美人的嬌羞可人，但也是個賢妻，朕後宮不必有三千粉黛，只要皇后和張美人兩人足矣。向張美人望過去，趙禎道：「美人，過來品嘗一下皇后的手藝。」

張美人淡笑道：「好呀。可這是皇后的一番心思……我不知道有沒有這福氣喝呢？」

曹皇后掩嘴笑道：「好妹妹，你是在取笑我的手藝不好吧？是不是不想喝呀？」

張美人見曹皇后這麼說，不禁笑道：「皇后，奴家怎敢呢？」曹皇后在宮人面前素來隨和，見趙禎對張美人不錯，竟不嫉妒，一直稱呼張美人為妹妹。張美人卻不敢稱呼曹皇后為姐姐，一直以奴家自謙。

二人說說笑笑，讓趙禎一掃愁容。張美人才待湊上前喝一口熱羊湯，突然蹙了下眉頭，以手撫額。趙禎見狀，顧不得喝湯，忙問：「美人，你怎麼了？」

張美人眉頭微緊，低聲道：「聖上，無妨事。可能是病癒初好，還有些頭痛吧！」

趙禎心痛地埋怨道：「你既然知道大病初好，就不該還出來彈琴了。快……朕扶你回去休息吧？」說話間，趙禎已帶張美人向後宮行去。曹皇后見狀，早吩咐宮女去請御醫給張美人看病，望向狄青，歉然道：「狄將軍，又煩勞你入宮了。既然這樣，你請回吧！」

狄青暗自歎息，懶得抱怨，當下出了御花園。不等走上幾步，閻士良突然從後面追上來道：「狄將軍，請留步。」

狄青不解轉身，問道：「閻大人有何吩咐呢？」

閻士良笑道：「吩咐不敢當。不過適才張美人雖頭痛，但只是說休息會兒，還想聽狄將軍說說西北的事情……」

狄青搞不懂張美人為何對西北一事如此執著，皺眉道：「難道說還要讓我等在宮中？眼下天色已晚，我留在宮中，於例不合的。」

閻士良道：「規矩雖是如此，但既然有聖上口諭，狄將軍就不用擔心。聖上讓你暫在宮中賞月亭等候，狄將軍，委屈你了。還請莫要讓小人為難。」

狄青心中本有不滿，暗想我堂堂一個西北的將軍，趙禎你當我是個說書的嗎？可見閻士良低聲下氣，又想趙禎對張美人的緊張關切，心中一軟。他知道趙禎在感情一事上也難自主，難得有個中意的人，自己就不好讓他失望。狄青本來就是吃軟不吃硬的人，遂道：「好吧，那我就等等。」

閻士良大喜，遂帶著狄青到了賞月亭內。賞月亭雖不過是個亭子，但其內布置典雅，抬頭而望，只見明月東升，照著朗朗乾坤。

閻士良早吩咐宮人送上酒菜，讓狄青邊吃邊等，又吩咐一個小太監在旁伺候狄青，然後轉身離去。狄青卻無心吃飯，心道在宮中，也不好飲酒。想到這裡，只是抱膝在亭中而坐，望著那皎皎的明月。

這時天空流景如畫，那明月穿梭在雲中，時隱在雲層，時穿破浮雲。夏風吹拂不定，百花弄影，香氣襲人。那個小太監見狄青無事，突說要小解，暫時告退。

狄青也不介意，望著那明月，彷彿望著那此生永銘在腦海中的笑臉，喃喃道：「羽裳，我本來以為和吐蕃人聯手去攻元昊，只要攻破沙州，尋到香巴拉，求那裡的神人，就可以和你再見了……」

他輕聲細語，宛若楊羽裳就在他身邊。這些年來，他從未覺得羽裳離他而去。

「可不想元昊突然議和，打破了我的所有計畫。元昊似乎早知道有人要前往香巴拉，因此在那裡派了重兵把守。不過這麼一來，我反倒更確信了這個傳說。元昊是個機警的人，我怕打草驚蛇，只能求一擊而中。羽裳，你知道嗎？我有個好消息告訴你……」

狄青說到這裡，臉上突然泛起振奮的光輝。明月清冷，照在那落寞蒼凝的臉龐上，有如情人的愛撫，又像是情人的傾述。

「西北十士的八、九兩士……其實早就開始部署了。种世衡雖還未幫我找到香巴拉，但我知道他從來沒有忘記過對我的承諾。而那第九士，叫做鳳鳴！他們已經……」

話未說完，突然有腳步聲傳來。

狄青扭頭望過去，本以為是閻士良來找他，不想來的是個宮女。那宮女娉婷地走到狄青的面前，見狄青困惑，微笑道：「狄將軍，是長公主讓我過來找你的。」

狄青起身道：「長公主有事吩咐嗎？」對於那個婉約的常寧，狄青心中只有感激。

那宮女道：「長公主去見了張美人，發現張美人已就寢，今晚肯定不會再聽狄將軍說西北的事情了。」

狄青皺了下眉頭，心道既然如此，趙禎為何不早告訴自己呢？那宮女像是看出了狄青的心思，道：「聖上本來要吩咐宮人將此事知會狄將軍，不過……長公主說她來告訴你就好了。」說著掩嘴偷笑。

狄青略有尷尬，心道聖上肯定以為常寧和我有話說。聖上對這種事，素來都樂促其成的，就算這個宮女，好像都知道我和常寧的事情。可我從來只是將常寧當做朋友，上次她匆忙離去，這次找宮女來通知我，可是有話要說？

那宮女果然道：「長公主吩咐，請狄將軍去朝鳳閣見上一面，她不會耽誤狄將軍太長的工夫。」

狄青有些猶豫，心想我雖蒙聖上下旨得在宮中停留，但隨意走動似乎有些不妥。難道說常寧怕被人見到，所以不來見我，才讓人找我前去？

那宮女見狄青猶豫，有些不悅道：「怎麼說，長公主也幫狄將軍做些事情，難道狄將軍見一面也不肯嗎？」

狄青望著那宮女，突然想起直爽好心的小月，心中輕歎，點頭道：「好，那麻煩你帶路了。」心中想到，朝鳳閣？以前在宮中沒有聽過，多半是禁中失火後建的了。這麼多年，改變的何止是皇宮呢？不知道常寧找我有什麼事呢？見了她後，當要儘快離開禁中，以免節外生枝。

感慨間，狄青隨著那宮女穿花徑，走亭臺，隔著一片竹林，已見到林子那頭閣樓挑出來的飛簷。飛簷如雲流轉，閣樓典雅清寧，二樓有燈火閃亮。那宮女到了門前，伸手一指，突然臉紅道：「狄將軍，長公主就在裡面等你。我就不方便跟你進去了。」說罷一轉身，快步離去。

狄青一怔，正值風動人靜，不好大聲呼喊，轉眼的工夫，那宮女已消失不見。狄青皺了下眉頭，心想若只是常寧在閣中，孤男寡女多有不便。我狄青雖問心無愧，但事關常寧的清譽……

徘徊片刻，終於還是敲敲門道：「常寧公主，臣狄青請見。」不聞閣樓中有聲，狄青還待再敲，突然心中一懍，他滿是心事，此刻才留意到緊閉的門前，有灘紅色的水漬。不是水漬，是血跡！狄青只是蹲下來一嗅，就知道是血，不由心中大寒，低喝道：「常寧公主？」閣樓中還是沒有回聲。狄青心下擔憂，推門而入，霍然驚立當場。門後不遠處，一女仰天倒在地上，喉嚨已被割斷，那鮮血還在流淌，染紅了青磚地面，場面森冷驚悚。

第二十章　斷　案

狄青只是呆立剎那，已一個箭步躥到那女人身邊，一顆心怦怦大跳。低頭望過去，見那女子是陌生面孔，並非常寧。狄青稍放心事，隨即更大的困惑湧上心頭。兇手是誰？這女人是誰？常寧約他到這裡，現在又在何處？

狄青心思飛轉間，就聽到門前一聲驚呼！狄青霍然回頭，見到有個女子站在門前，見到閣內這般血腥的場面，手扶門框，軟軟地倒了下去。

那女子竟然是張美人。

狄青又是一驚，衝過去一把扶住了張美人，叫道：「張美人……」張美人緊閉雙眼倒在狄青的懷裡，竟然嚇暈了過去。

張美人不是睡了嗎？怎麼會來到這裡？狄青想到這裡，總感覺事情蹊蹺。喚了幾聲，見張美人還是昏迷不醒。狄青本想扶她到椅子上，然後再去找人。轉念一想，兇手不知道走了沒有，將張美人留在這裡，很是不妥。

一咬牙，狄青抱起張美人向閣外走去，想找個宮人將張美人交過去。

才出了閣樓，對面有腳步聲傳來，幾人提著燈籠前來。為首那女子見狄青抱著個女人，忍不住尖叫一聲。那叫聲似乎有傳染之力，轉瞬幾人都是尖叫起來。

狄青皺眉，才待呼喝，就聞一女子道：「莫要叫了。狄青，怎麼回事？」那女子說話的聲音輕柔帶韌，卻是常寧公主。

狄青見是常寧，又驚又喜道：「公主，你約我在這裡見面，怎麼會這時才到？」

常寧詫異道：「等等……我約你了？我沒有呀！」

狄青見常寧一臉的茫然，一顆心沉了下去。他看出常寧所言不虛。可若不是常寧約他，那宮女是誰？為何要帶他到朝鳳閣？難道是想將殺人一事，推到他狄青的身上？

到底是誰和他有如此仇恨，要這麼佈局害他？狄青心亂難休，見常寧望著他，神情異樣，這才意識到還抱著張美人，急忙將張美人交給常寧，簡單地說了發生的事情。

常寧示意宮女趕快帶張美人去找御醫醫治，回望狄青，似乎在分辨狄青言語的真假。狄青問心無愧，也不迴避，皺眉道：「長公主，找我那宮女真不是你派的？」

常寧搖搖頭，眼中閃過分擔憂，低聲對身邊的宮女說了句話，那宮女急匆匆地離去。常寧才要開口，不遠處有些喧鬧，有宮人宮女湧來。

原來方才宮女尖叫，引來了不少別處的人。眾人見出了命案，都是大譁。消息傳出去，不多時，趙禎急匆匆趕到，怒容滿面道：「怎麼回事？美人呢？」

常寧將事情說了一遍，趙禎聽了，心中一寒，暗想這裡是禁中，怎麼還會出現兇殺一事？聽常寧說狄青救了張美人，趙禎暗呼僥倖，心道若是被凶徒傷了美人，後果不堪設想。正要追問張美人的下落時，一女子踉踉蹌蹌地分眾而出，撲到趙禎的懷中，泣聲道：「聖上……」

那女子正是張美人。適才張美人被常寧安排去見御醫，不想這麼快就回轉。

趙禎見張美人髮髻散亂，哭得梨花帶雨，憐惜中舒了一口氣，抱著張美人，安慰道：「美人，你沒事就好。」

張美人突然掙開趙禎的懷抱，跪下來道：「聖上，奴家差點兒就見不到你了。求你為奴家做主，懲罰凶徒。」

趙禎忙扶起張美人道：「美人，你有話站起來說就好。朕若找到凶徒，定當嚴懲不貸！只可惜……這凶徒暫時找不到。」皺眉道，「閻士良，傳朕旨意……」他才要找開封捕頭來查案，不想張美人突然道：「聖上，狄青就是殺人兇手。他還調戲奴家……請聖上為奴家做主呀！」

話音才落，夏日炎炎中，四周卻冰凍般寂靜。狄青乍一聽，臉色鐵青，幾乎不敢相信自己的耳朵。張美人竟說他是兇手？張美人難道嚇糊塗了？

可怎麼看，張美人都很清醒！

張美人為何要說他狄青是凶徒？他和張美人根本沒有瓜葛，張美人為何要害他？

趙禎也是愣了下，狐疑地望了狄青一眼，低聲道：「你說兇手是狄青？」

張美人哽咽道：「不錯，聖上，你快下旨將他拿下。奴家……不活了。」說罷扭頭要走。趙禎慌忙扯住張美人，凝望著狄青，口氣森冷道：「狄青……你，你真的對張美人無禮了？」

狄青終於回過神來，堅定道：「臣沒有。」

張美人突然指著狄青叫道：「你到現在就不認了？狄青，你有膽的話，把方才對我說的話再說一遍！」

狄青凝神留意張美人的表情，皺眉道：「剛才我從未對你說過什麼！」遽然逢變，狄青反倒變得冷靜起來。

曹皇后終於趕到，常寧立即上前，低聲和曹皇后說了幾句。原來剛才常寧感覺事情異常，恐對狄青不利，早派宮女去請曹皇后。

曹皇后聽了常寧所言，神色變得凝重，見張美人欲言又止，上前提醒趙禎道：「官家，這件事似乎有些蹊蹺，不妨……找幾個人單獨說說。」見趙禎冷望狄青，曹皇后低聲道：「官家，狄青絕非好色之徒，難道你還不瞭解他嗎？」

趙禎心思轉念，知道曹皇后說得不錯。他並非不信狄青，但他更信張美人。自從張美人入宮後，溫柔嫻雅，善解人意，更是和當年的王如煙一樣的喜好脾氣，趙禎早把對初戀情人的思念轉到了張美人的身上。就這樣一個可人說的話，趙禎沒有道理不信。

可趙禎畢竟不再是當年的趙禎，略一沉吟，已知道皇后說的大有道理，吩咐道：「閻士良，你召葛懷敏入宮。狄青……」頓了下，趙禎緩緩道，「你若無愧於心，就暫留在紫微閣等朕查明一切再做決定，你意下如何？」

狄青見趙禎的臉色在燈火下，越發地深沉，暗想自己身處嫌疑之地，趙禎不喝令人綁起自己，已算是給他面子，當下道：「臣遵旨。」

有宮人領狄青到了閣樓，閣樓內空空蕩蕩的，狄青才一入內，大門就被閉了起來，有幾個宮人神色緊張地守在門外，顯然是怕狄青逃走。

狄青找個椅子坐下來，心中想到，我若離去，這幾個太監當然攔不住。可我問心無愧，怎能離去？張美人與我素無瓜葛，她為何要冤枉我？

狄青冥思苦想，總是不得其解。不知許久，門外突然腳步聲繁遝，狄青透過窗子望過去，只見外邊奔來了一隊隊禁軍，手持火把，神色如臨大敵。轉瞬間，那些禁軍已將紫微閣重重包圍，為首那人，正是葛懷敏。狄青不由心驚，暗想難道說，趙禎方才不過是故作大方地穩住我，這刻不聽我辯解，就要殺了我？

他和趙禎相處多年，雖然趙禎每次都對他和顏悅色，但不知為何，他總感覺與趙禎離得越來越遠。至於什麼原因，他從來不去深想。

但這些年來，趙禎畢竟對他不錯，只有今日，夜色雖撩人，可他見趙禎望過來，眼中殺機隱現。那一刻，狄青終於感覺到趙禎再非當年的聖公子，而是一個君臨天下、掌握生殺大權的九五之尊。

葛懷敏率禁軍包圍了紫微閣，並不和狄青對話。狄青枯坐堂中，望著房間內跳動的油燈，嘴角露出澀然的笑。

不知坐了多久，突然有輕微的腳步聲傳來。那腳步聲到了門前而止，有人輕敲了一下房門。狄青不知道這時候來人是誰，平靜道：「請進。」

房門推開，常寧身著黃衫現在門口，靜靜地望著狄青。

狄青有些意外，突然想到，如今在宮中，來看我的恐怕只有常寧一人了。他心下感激，可對常寧，只有朋友之情。常寧舉步走過來，坐在了狄青的對面，那溫柔的眸子在燈火下，有些火光的熱。

沉默片刻，常寧移開了目光，輕啟紅唇，低聲道：「那被殺的女人是個昭容，姓尚。因為當年得罪了郭皇后，被打入了冷宮。後來郭皇后去了，尚昭容還是淒涼依舊，只有個服侍的丫環。但那個丫環在幾天前，因為宮中缺人手，也被調走了。」

狄青心道怪不得朝鳳閣中只有一人，陷害我的人將我帶到那裡，就想死無對證了。

常寧又道：「不過尚昭容會一手好的刺繡，我有時會向她學一下刺繡。今晚我來這裡，本來是找她的……」

狄青想起那女子淒淒涼涼地活著，落落寞寞地死去，再望見常寧那平靜的面容，突然對常寧有分同情。長公主身為天子的妹妹，看起來榮耀萬千，可在這幽冷的深宮，比起尚昭容又幸運多少？常寧經常找那昭容，難道僅僅是學刺繡嗎？

這種關頭，狄青奇怪自己還想著不相干的事情。收斂心神，問道：「查到殺她的是誰了嗎？」

「本來應該是你的。」常寧幽幽道。狄青嘴角滿是譏諷的笑，卻什麼都沒有說。聽常寧又道：「現在你的情況很不妙，因為所有的證詞都對你不利。閻士良本來派個李姓宮人跟著你，但那宮人說只離開了片刻，你就不知去向，所以他證明不了有宮女來找你。我不明白的是，你以前是殿前侍衛，很多規矩應該懂的……」常寧這般說，似乎在責怪狄青這次魯莽了些。

狄青微笑道：「我是個懂規矩的侍衛，但我卻是個不守規矩的人。」他不望常寧那有著探尋意味的眼眸，只望著閣樓中孤單燃著的燈火。他沒有說的是，他欠常寧的情，他知道常寧要找他，他就去了，就算壞了些規矩也無妨。

人活著，要守規矩；但人活著，有些事情比規矩更緊要！

常寧幽然一歎，又道：「張美人本來不舒服，就小睡片刻。後來聖上回去歇息，張美人卻突然說頭痛，要四處走走。她走到尚昭容的閣前不遠，見有宮女還在跟隨，突然大發脾氣，說自己想一個人靜靜，讓她們不要跟著了。那些宮女只好等在原地……後來她就遇到了你。」

常寧秋波一凝，定在了狄青的臉上，目光含意萬千，「張美人說碰到你時，你正路過昭容的門前……」

狄青雙眉一揚，本想說是沒有的事情，終究還是靜靜地聽下去。常寧不聞狄青解釋，接道：「張美人見到你，本待離去。她覺得和你獨處畢竟不妥……」說到這裡，臉色有些微紅，她現在和狄青在一起，外人如何看呢？飛快地說下去，「張美人才想離去，不想你就攔住了她，調笑說要給她講西北的事情。張美人要走，不想你越說越是不堪，還動起手腳來。張美人說，多半你見她兩次找你說事，還以為她看上你，因此這般無禮。」

狄青像在聽著別人的故事，腦海中思路越來越清晰。

他能入宮，就因為張美人的緣故；他留下來不能走，也是因為張美人的問題；到如今，他身入一個挖好的陷阱，也是因為張美人編造根本沒有發生過的事情。

這一切都是因為張美人，張美人要弄死他，可張美人為何這麼恨他呢？狄青想不明白。

常寧在狄青對面坐得久了，臉色被燈火耀得微紅，不知為何，突又變得雪一樣的白。「後來你握住了張美人的手，張美人用力掙扎，但逃不脫你的手掌，她的手腕現在還有瘀青。就因為這樣，聖上很生氣！」

狄青一懍，暗想張美人甚至提前弄傷了手腕，可說是處心積慮地對付他。這局雖簡單，可只要趙禎認定了他狄青有罪，這就是個死局！

這世上很多時候，死的並非有罪的人，而是被認為有罪。

常寧顯然早知道這個道理，秀眉微蹙，說道：「張美人說，你後來太過放肆，尚昭容在閣中看不過眼，出來喝斥了你兩句，結果你狂性大發，竟露出凶意，昭容說要將此事告訴聖上，不想你突然拔出了刀子，尚昭容見狀不好，慌忙逃入屋內，你突然擊倒了張美人，然後追了過去。張美人迷迷糊糊間，見你抓住了昭容，殺死了她。之後張美人驚嚇過度，就暈了過去。後來的事情……」常寧輕歎口氣，「再和我的證詞一聯繫，就是你抱著張美人想躲起來，結果撞上了我。你無奈之下，只好將張美人交給了我。」

狄青略作沉吟，問道：「如果這樣的話，我為何不怕張美人事後說出真相，索性殺人滅口呢？」

常寧道：「皇后也的確提出這個質疑，認為張美人所言有些不合情理。但張美人只說，色膽包天，一切不可理喻的事情就均有可能了。曹皇后聽到這句後，也不適宜再追問下去。」

狄青苦笑一聲，良久才道：「公主，多謝你這次來為我說明一切……你……請回吧！」他驀地發現這件事比想像中的還要難辦，若罪名認定，他就有被斬的可能。這件事常寧公主也是無可奈何，他不想常寧參與進來。

「我今天，估計不會回去了。」常寧輕聲道，可神色堅決。

狄青一怔，「不回去，為什麼？」

常寧公主道：「聖上心中已認定你有罪，但曹皇后堅持說此案很有問題，為不至於使忠臣受冤，所以聽從皇后的建議，派人找御史包拯前來查案。包拯已到了大內現場查看，明日清晨，就會有結論。這期間，聖上怕你畏懼潛逃，我是過來看守你的。」心中卻想，「皇兄已動殺機，我這才主動前來說要穩住狄青，有我在此，諒葛懷敏他們也不敢亂來。我做不了更多，能護住狄青一刻算一刻了。」可這些話，她並不想對狄青說出來。

狄青心道我若真逃，不要說你，就算葛懷敏的那些禁軍，如何能攔得住？但我問心無愧，何必逃呢？包拯雖說做事俐落，判斷神準，但這件公案極為棘手，只怕他也無能為力了。

二人各懷心事，對坐不語。常寧面對著平靜的狄青，心中倒奇怪他的冷靜，一時間心緒如潮。夜深人靜時，終於熬不住困意，本想伏案小憩，不想困意如潮，很快就睡了過去。天光發白之際，常寧驀地驚醒，霍然抬頭，發現對面的狄青已不見。忙扭頭望去，只見到狄青正站在窗前。那晨曦的光華落在滄桑的臉上，有著秋日霜露般的蕭瑟。常寧緩緩起身，這才發現一件長衫落在地上。原來昨晚她伏案睡去，狄青怕她著涼，解下外衣蓋在了她的身上。

撿起了長衫，常寧望著那孤立的身影，心中驀地湧起驕傲之意。狄青沒有逃，狄青沒有辜負她的信任。而在所有人懷疑狄青的時候，她卻信任狄青。這種感覺，已讓她覺得一切都值得了。她知道狄青喜歡的是楊羽裳，喜歡那個她從來沒有見過面的女子，喜歡那個為了狄青不惜捨身來救的女子。

她羨慕楊羽裳，但她在走過去的那一刻，心中已決定，什麼時候，她都會站在狄青的一旁。因為，他們是……朋友！

能和狄青做朋友，她覺得這寂寞的生活，已不孤單。

狄青等到常寧走來後，緩緩轉過身子，面對常寧道：「公主，多謝你保護了我一夜。」常寧心頭一顫，不想狄青竟看穿了她的心思。狄青又道：「我想清楚了，這件事我要去向聖上辯解，我沒有做過，我無錯。」

常寧望著那雙決絕、明亮而又帶著幾分傷情的眼眸，將長衫遞到狄青的手上，一字字道：「我相信，你、無、錯！」

剎那間，二人似乎都覺得不用再說什麼。

解釋的話，留到別的時候去說，朋友心心相印，何須再解釋什麼？

不知許久，房門咯吱打開，葛懷敏滿是戒備地走進來，寒聲道：「狄青，聖上命你前往崇政殿受審。你乖乖地跟我走還好說，如果不然……」

話未說完，狄青已舉步出了閣樓。

門外早有禁軍守住，本是防備狄青逃走，可見狄青一出來，嘩地閃到了一旁。雖未說話，可眼中都是尊敬之意。

葛懷敏見狀，又氣又惱，心道這些人簡直無法無天，若昨晚狄青真的逃命，只憑這些人，恐怕抓不住狄青了。葛懷敏出身將門世家，聲名赫赫，對狄青早就看不過眼，只因為眼下京城最有名、百姓最稱頌的武人是狄青，而不是他這個三衙長官葛懷敏！

他當初聽有人請人說書，宣揚狄青的事蹟時，還密奏一本，說狄青收買人心，本有反意。結果這件事雖傳到天子耳中，卻不了了之。葛懷敏上次沒有整治了狄青，這次斷不會再給狄青機會。

緊緊跟隨在狄青的身後，葛懷敏手握刀柄，暗想只要狄青有逃跑的打算，他就要出刀。狄青四平八穩地走到了崇政殿，讓葛懷敏沒有拔刀的機會。

崇政殿原名講武殿，宋太祖雖傳下崇文抑武的家法，但本身卻是個武技高手。當年太祖憑雙拳單棍打下了偌大的河山，建國伊始，常在講武殿觀武人獻藝，後太宗之時，此殿改名崇政，但很多時候，武人試演武技還在此處。

狄青暗想，這宮殿從講武到崇政，大宋不逢強敵，真的就不需要武人了。

尋思間，狄青已入了殿中。葛懷敏卻被擋在殿外。趙禎、曹皇后、閻士良、張美人均在殿中。殿下立著兩人，一是開封府捕頭邱明毫，另外一人，正是御史臺御史包拯。不多時，常寧公主也悄然入殿，趙禎並沒有阻攔。

這件事雖很嚴重，但無疑越少人知道越好。趙禎聽從曹皇后建議，只令包拯、邱明毫二人入宮查案。

包拯還是老樣子，見狄青進來，望也不望，可眉頭微皺，顯然也認為這案子處理起來並不簡單。

曹皇后見狄青入內，在趙禎耳邊低語道：「官家，狄青如果要逃走，昨晚常寧在他身邊，他就大可挾持常寧逃走，但他終究沒有逃。想來一是因為他問心無愧，二是因為他還信任官家你呀！」

趙禎冷哼一聲，不置可否。見狄青入內，說道：「包拯，朕命你徹查此案，你可有了結論？」

狄青入殿時，突然聽到大殿偏廊有細密的呼吸聲傳來，心中微懍，知道趙禎對他已起戒心，這偏殿埋伏有禁軍，包拯若真要說他有罪，只怕那些禁軍就要衝出來……

包拯施禮道：「啟稟聖上，臣認為，狄青並非殺害尚昭容的兇手。」此言一出，四座皆驚。狄青一怔，不明白包拯為何這般肯定。

張美人臉有怒容，才待發作，突然伏在桌案，雙肩抖動，顯然是在啜泣。趙禎見狀，又是心痛又是氣惱，喝問：「包拯，你憑什麼有這個結論？」

包拯道：「尚昭容的致命傷口在於咽喉的刀傷，這麼說，作案凶徒必有利刃在手。臣入宮之後，當即和邱捕頭共同尋找兇器。這件事可由邱捕頭詳說。」

邱明毫上前道：「稟聖上，兇器已尋到。」這時殿下有人呈上個銀盤，上托著把短刀，刀身短闊，上染血跡，卻像是一把切菜的刀。

趙禎看了一眼，皺眉道：「你找到兇器又如何？」

包拯道：「文武百官要入大內，不得攜帶利刃。狄青這次入宮，必先到朝房驗身，去除佩刀後方可進入禁中，他出宮後才可領回佩刀。臣已向朝中檢驗官查明，狄青是按照規矩行事。既然如此，凶案發生時，他身上並無兇器，試問他若殺人，刀從何而來？」

趙禎一滯，邱明毫卻道：「這兇器看形狀，明顯是宮中廚房所用，狄青入得宮來，潛入廚房偷了廚刀，也是有這種可能。」

包拯道：「朝鳳閣內不置廚房，自然沒有廚刀。因為後宮的飲食，均由御廚統一供給。御廚離賞月亭頗有距離，一來一回，費時不少。根據李宮人、長公主和張美人三方所言時間推測，狄青要偷廚刀，中間用時頗為緊迫。」他說的李宮人，就是在賞月亭陪同狄青的那個太監。

邱明毫淡淡道：「用時緊迫，並不意味著不可行。」

包拯反問道：「試問邱捕頭，如此緊迫的時間內，狄青難道有未卜先知的本事，知道在朝鳳閣能遇到張美人，知道要殺尚昭容，因此刻意取了廚刀前往朝鳳閣行兇嗎？」

邱明毫微怔，半晌才道：「喪心病狂之人，行事素來不可理喻。包御史只憑這個緣由推斷狄青無殺人之罪，似乎並無可信的說服力。」

趙禎道：「邱捕頭說的不錯。」

包拯皺了下眉頭，又道：「這個推斷的確難以完全證明狄青沒有殺人，不過讓我相信狄青無罪的恰恰是因為發現了廚刀。邱捕頭，我和你是在朝鳳閣西北角的隱蔽處發現的兇器吧？」

邱明毫點頭道：「不錯，那地方頗為陰暗，顯然是別有用心之人才會棄刀在那裡。」

包拯微微一笑，「但我卻能證明，這刀絕對不是狄青丟棄在那裡的。」

邱明毫皺眉凝思，半晌才道：「包御史如何能得出這般結論呢？」

包拯道：「若依張美人所言，狄青見到調戲她不成，又怕尚昭容洩露他的惡行，這才色心起意，殺人滅口。狄青先擊昏了張美人，又殺了尚昭容，之後應是將兇器拋在朝鳳閣的西北角，然後抱著張美人離去，意圖不軌。不想正遇到常寧公主，狄青做賊心虛，將張美人交給了常寧公主。不知聖上覺得這個推理可對？」

趙禎怒拍桌案道：「正是如此。」說罷狠狠地瞪了狄青一眼，目露凶意。他能容忍狄青抗拒他的命令，但實在無法容忍狄青調戲他最心愛的女人。

包拯緩緩道：「請聖上少安毋躁，這結論只是從張美人口中推出來的，但臣發現問題多多。首先，狄青為何不怕張美人說出他的惡事，不將張美人殺了滅口呢？」

邱明毫道：「這個很好解釋，但是我想不必解釋了吧？」他說得意味深長，眾人都已明瞭，心道邱明毫是說狄青見色起意，一時間不想殺張美人，後來碰到常寧的時候，想再下手已經晚了。

包拯點頭道：「不錯，狄青不下手的確也有解釋的理由。但邱捕頭忽略了一點，狄青在查看尚昭容是否死時，鞋底已染了血跡！」

邱明毫皺眉道：「這正可以說明狄青很有殺人的嫌疑。」

包拯臉色肅然，一字一頓道：「恰恰相反，就是這血跡證明狄青並沒有殺人！」

結論一出，眾人均是困惑不解，根本想不明白包拯的結論。

包拯解釋道：「狄青見到常寧公主時，因為鞋底還有鮮血，是以在那條路上留下細微的血跡。現在他的鞋子上，還是有血痕。」眾人望去，見狄青鞋邊果然還有褐色的血痕，可還是不解包拯的用意。

包拯沉聲道：「他抱著張美人見到常寧公主的時候，鞋底血痕未乾。臣詳細查看了鮮血留下的痕跡，發現狄青走了沒有幾步，就已遇見了常寧公主。但發現兇器的周圍，卻根本沒有任何血跡，試問狄青怎麼能在鞋底還有血的情況下，不留血痕在棄刀的附近？這只能說明狄青根本沒有到過那裡，刀也不是狄青留的，因此狄青並非兇手。」

邱明毫略作沉吟，立即道：「說不定狄青遠遠拋刀在那裡，因此棄刀附近無血痕。」

包拯立即道：「棄刀所在位置在閣樓西北暗處死角，而狄青遇到常寧公主是在東南處。之間有樓體阻擋，臣當時已試過，以狄青留血跡行走的線路，絕無可能把刀拋到那裡。聖上若是不信，大可當場去試。」

趙禎望向了邱明毫，邱明毫沉吟許久，這才緩緩搖頭。趙禎道：「邱捕頭沒有異議，朕就不用試了。」

包拯舒了一口氣，說道：「既然狄青一無取刀動機，二無棄刀證據，而尚昭容的確是因為中刀傷斃命，臣因此可以認為，尚昭容並非狄青所殺。」

大殿微寂，狄青心中感激，不想包拯心細如髮，推斷得簡直滴水不漏。

張美人本在哭泣，突然坐起，哽咽道：「你說什麼狄青不可能拋刀在那裡，我卻不信。狄青雖見常寧時，鞋上還有血跡未乾。但這之前，他可以脫了鞋子去扔刀，這難道沒有可能嗎？」

包拯略作沉吟，說道：「張美人說兇徒見色起意，而見色起意之人多是衝動，作案後仍有這般縝密的心思，雖難以想像，但的確也有微小的可能。不過這件事證明起來更是簡單，狄青若脫鞋棄刀，之後一直沒有善後毀滅證據的機會，他腳底之襪或腳底必有泥土摩擦沾附的痕跡，臣請一驗。」說罷走到狄青面前，示意狄青脫鞋。他倒是說做就做，無半分拖遝。

等狄青脫鞋後，眾人清楚看見，狄青襪底潔淨，根本無任何泥土沾染之跡。曹皇后輕舒一口氣，低聲對趙禎道：「官家，既然包拯已證明狄青無罪，就請放狄青出宮吧？」

趙禎還在猶豫，張美人泣聲道：「聖上，一切是奴家親眼所見，難道說奴家是冤枉狄青嗎？當初我暈倒時，只見狄青向尚昭容奔去，就算凶徒不是狄青，可他調戲奴家總是不假。」說罷又嗚嗚地哭起來。
趙禎心中惱火，問道：「狄青，朕問你，你究竟有沒有調戲美人？」
狄青昂首道：「臣沒有。」張美人哭道：「你到現在當然不承認了。」狄青皺眉道：「我沒有做過，為何要承認？」
趙禎一拍龍案，喝道：「夠了，包拯，你來斷定。」
包拯道：「其實斷定狄青到底有沒有對張美人無禮，方法更是簡單。」一言既出，眾人又是詫異，靜待包拯的結論，就算張美人都止住了哭泣，驚奇地望著包拯。
包拯緩緩道：「狄青和張美人所言大相徑庭，可見必有一個人所言不實。只要找出說假話這人，就可蓋棺定論。」眾人心道你這不是廢話嗎？關鍵是怎麼找呢？
包拯伸手入懷，突然掏出一座小小的玉佛。那玉佛通體微白，晶瑩細膩。眾人奇怪，不知道包拯為何要拿出這個玉佛來。
包拯見眾人困惑，向趙禎解釋道：「聖上，臣家中並不富裕，這玉佛可抵臣身家的一半。不過這佛並非臣所有，而是一隱世高僧所贈。」
趙禎皺眉道：「你拿這玉佛出來做什麼？」
包拯道：「因為玉佛和破案大有關係。這玉佛本叫拏摩佛，拏摩是梵語，中原話意為禮敬。聽那高僧說，這玉佛本是經藏邊密宗流出，傳到我手。而這個禮敬佛之所以被臣帶在身上，並非因為它的貴重，而是因為它很靈異。」
趙禎對那玉佛也有了些興趣，問道：「佛像到底有什麼靈異呢？」
包拯肅然道：「這佛既然叫做拏摩佛，就是說對它一定要禮敬，不能心存不尊。若對它撒謊，只要手摸其上片刻，就會有淡淡的光華發出。」

張美人臉色微變，眾人神色多有不信，趙禎驚奇道：「世上真有這般事物嗎？朕很難相信。」

包拯道：「這世上本來就有很多匪夷所思之事，藏傳密宗中更是多有難測之物。臣是親自驗證了它的神奇，當初臣去查任弁、种世衡時，雖說臣依律做事，但事前還是偷偷想辦法讓他們摸了這佛像片刻，借此證明他們的心意。任弁摸上去發光，种世衡摸著就無異樣。聖上若是不信，臣可以給你做個證明。還請聖上給臣準備間暗室。」

趙禎倒是饒有興趣，當下讓人將崇政殿的偏殿置為暗室。狄青只聽到有腳步聲繁亂，不多時，那偏殿中靜了下來。

包拯進了偏殿片刻，回來對趙禎道：「臣知道天子之威不容冒犯，不知皇后可有興趣和臣求證此事呢？」

曹皇后一旁聽了，臉現訝然，半晌才道：「妾身也不信的。不過既然事關重大，包卿家又這般堅信，妾身倒不妨試試。就不知如何求證呢？」

包拯道：「求證簡單，還請皇后說句實話。」

曹皇后怔了下才道：「怎麼叫說句實話？」

包拯道：「隨便如何說都可。」

曹皇后想了半晌才道：「妾身昨日給聖上煲了羊肉湯。」

包拯立即道：「可以了。臣已將那拏摩佛放在了桌案上，屋中已暗，但尚可見到。臣請皇后去摸那玉佛片刻。」

曹皇后笑道：「這般有趣的事情，我倒是真想見識一下了。」說罷起身離座，走進了偏殿。包拯早就事先留了位置，趙禎、邱明毫、包拯和常寧湊過去觀看，那偏殿已很暗，只見到曹皇后朦朧的身影停在那佛像前片刻，伸手去摸。

那佛像並沒有光華出現。又過了一會兒，曹皇后走出來道：「那佛也沒有亮呀！」

包拯道：「皇后沒說假話，佛像自然不亮。」趙禎一旁感興趣道：「那朕如果說句假話去摸那佛像，肯定會亮了？」

包拯肯定道：「當然如此。」

趙禎好奇之下，立即道：「那朕昨晚沒喝皇后煲的那羊肉湯。」其實他很感謝曹皇后的好意，曹皇后煲的羊湯，他足足喝了兩碗。曹皇后嫣然一笑道：「官家，你可說了大話了。」趙禎笑道：「為求真相，說些大話也無妨了。」說完後，趙禎也不怕黑，走進去伸手摸在佛像上。

只過片刻，殿外殿中低呼聲一片，因為眾人清清楚楚地見到，那佛像上泛出了淡綠的光華。趙禎走出來時想，沒想到世上還有這種神奇的東西，等這件事了，定要讓包拯將此物奉上，那朕以後，就不用怕百官說話心口不一了。

包拯不知趙禎的心思，望向了張美人，一字字道：「臣斗膽請張美人進入一試。」

張美人臉色有些蒼白，見眾人均是望過來，無法推託。趙禎更是道：「美人，你不用怕，只要你方才說的是真話，玉佛就不會亮！」

張美人很有猶豫，可見包拯目光灼灼，一咬牙，還是走了進去。黑暗中，眾人只見到張美人的身影到了那玉佛前，伸出手來，過了片刻後，那玉佛並沒有亮！

曹皇后臉色有些異樣，向包拯看了一眼，包拯垂下頭來，只看著自己的腳尖。

常寧臉色慘然，心中只喊：「不會的，絕對不會的！若張美人沒有說謊，那說謊之人，豈不就是狄青了？這怎麼可能？」不等張美人出來，常寧就道：「包大人，你這法子不見得一定準吧？」

趙禎佛然不悅道：「怎麼不準？美人沒有說謊，那佛像自然不亮了。」說話間，張美人走了出來，對趙禎微笑道：「原來這佛像真的很靈，知道奴家沒有說謊。」說罷盯著狄青，不發一言。

包拯望向了狄青，神色中似乎也有分無奈之意，說道：「狄將軍，該你了。」

狄青心中大是驚奇，暗想佛像若真的靈驗，張美人就沒有說謊，可我也是沒有說謊呀！那昨晚究竟發生了什麼事？

他心中不解，但問心無愧，還是走進暗室，伸手按在佛像上，心中自語：「佛主，你若有眼，就知道我狄青沒有過錯。」他手按佛像，只感覺冰涼一片，陡然身軀一震，臉色鐵青。

殿外也是低呼聲一片。

原來眾人已清清楚楚地看到，那玉佛上，正泛著幽幽的光芒……

第二十一章　出　刀

趙禎見玉佛泛光，臉色一沉，手輕輕舉起，就要讓葛懷敏衝進來抓人。他知道狄青武技高強，若真要反抗，不易捉拿。

曹皇后忙拉住了趙禎的胳膊，說道：「官家等等，妾身有話要說。」

趙禎寒聲道：「事到如今，還有什麼好說？狄青欺君犯上，罪不可赦。」

曹皇后急道：「官家，狄青沒有說謊。」

趙禎一怔，狐疑地望向曹皇后，又瞥見包拯臉有異樣，突然心頭一沉，隱約感覺有什麼不妥。

包拯突然跪下施禮道：「聖上，請恕臣欺君之罪。其實那玉佛並非臣說的那樣，可知別人是否說過謊話。」

趙禎愣住，張美人臉色微變，常寧和邱明毫都是眉頭蹙起，一時間無法明白到底是怎麼回事。趙禎臉沉如水，緩緩道：「可事實證明，這玉佛的確有時會發光。」心中在想，難道說包拯為了維護狄青，竟要推翻拏摩佛的說法？

包拯道：「那佛的確叫拏摩佛，但並沒有知曉世人對錯的神通。它能發光，不過是因為製佛之玉是西北昆侖之巔的一種溫良玉，這種玉有個特徵，若遇人手觸碰，受人手熱度影響，就會發光。」緩緩扭頭望向了張美人，包拯道：「狄青因為心中無愧，敢撫摸那玉，因此玉會發光。我只想問問張美人，為何你進去後，那玉卻沒有發光。是不是因為你自問說的是謊話，因此並沒有觸碰那拏摩佛？」

眾人盡數怔住，狄青在暗室中聽到，明白原委，卻不由為包拯擔心起來。包拯這法子說穿了無非是利用做賊心虛的心理，可包拯為他狄青，對趙禎說了謊，頂撞質疑張美人，後果堪憂。

包拯從來沒有和狄青談過什麼交情，可包拯對他，比他的生死弟兄還要拚命。

這就是包拯，明知要得罪天子，也要揭開真相的人……

張美人聽包拯質疑，臉色青一陣白一陣，突然叫道：「你撒謊，剛才皇后進去的時候，摸那玉佛，不也是沒有發光嗎？」

趙禎想到這點，立即道：「不錯，為何皇后摸那玉佛，也沒有發光呢？」

曹皇后掃了張美人一眼，輕聲道：「因為我進暗室的時候，也和張美人一樣，只是做個樣子，沒有摸那玉佛。」

張美人牙關緊咬，臉色變得如雪一般白，她不經意間，已掉入了包拯的佈局。或者應該說，這個局是曹皇后和包拯聯合布下的，就是要考驗誰在說假話。

誰都明白了，說假話的人是不敢去摸那玉佛的。而現在不敢摸玉佛的不是狄青，而是張美人。

張美人在說謊！

閻士良一旁本沉默無言，見狀突然道：「包拯，你也忒是膽大，你可知道這樣一來，犯了欺君之罪？」

包拯沉默不語，臉上絕無悔意。曹皇后溫柔而又堅定道：「方才聖上也說了，為求真相，說些大話也無妨了。既然聖上都這麼說，包拯為求真相用些手段，也是無可厚非。」扭頭望向張美人，曹皇后才待開口，突然臉色巨變，退後了兩步。

眾人都有些不想、也不敢去望張美人，均知這次揭開真相後，趙禎肯定不開心，可發現曹皇后的異樣後，都忍不住向張美人望去。就算是趙禎，也不由想聽聽張美人有何解釋，可見到張美人時，趙禎陡然間神色大變，驚叫：「美人，你怎麼了？」

張美人臉色發灰，嘴角有絲黑血溢出，竟然是中毒的樣子。張美人望著趙禎，只來得及說出幾個字，「聖上，我……沒有說謊。」她話才說完，整個人就軟軟地倒了下去。

趙禎心中大懼，沒有想到事情會是這種結果，再也顧不得斷案一事，大喊道：「快……快去傳御醫來。」

在場眾人均是大驚，不解張美人為何會中毒，難道說在深宮暗處，還藏著個看不見的兇手？

御醫趕來後，忙忙亂亂，趙禎一顆心全繫在張美人身上，再不理旁人。曹皇后雖也詫異，但還能保持鎮靜，她示意包拯、狄青退下，又讓葛懷敏帶兵退出。眾人沒想到是這種結果，紛紛退出大內。

包拯出了宮中，眉頭緊鎖，似乎考慮著什麼，狄青歉然道：「包兄，在下只怕要牽累了包兄。」包拯還是公事公辦的表情，道：「我職責所在罷了，無論換做是誰，我均要這般處理，狄將軍何必說牽連呢？方才……」他本想說什麼，眼中閃過分古怪，搖搖頭道，「狄將軍，我還有事，暫且告辭了。」

狄青心事重重，雖已脫難，可滿腹的疑惑。張美人為何要害他？什麼人害了張美人？都說人之將死，其言也善，張美人就算中毒後，都說沒有撒謊，可他狄青也沒有撒謊，難道說事情真的另有隱情？所有的一切本來看似明朗，但狄青越是琢磨，越覺得古怪。

等回到了郭府，韓笑匆匆前來，低聲在狄青耳邊說道：「狄將軍，不好了。根據我們的消息，這些日子，元昊趁與大宋議和之際，堅壁清野以待契丹，不久前大敗契丹軍。而契丹因對西夏用兵失敗，竟遷怒於我們，轉而屯兵幽燕，有南下入侵大宋的跡象。」

狄青臉色微變，眉頭皺了起來，半晌才道：「這件事很是嚴重，但我們做不了太多，只能等朝廷的決定了。」

數日內，狄青一直閉門不出，琢磨著回京城後發生的一切，總覺得其中玄祕多多。而最讓狄青百思不得其解的無疑還是兩件事：張美人為何要陷害他？揭發八王爺隱事的那封信究竟是誰寫的？

雖一直深居郭府，可狄青的消息一直沒有斷絕。

新法推行，萬民雀躍。不過其中有個不和諧的音符，王拱辰雖不再追責狄青和种世衡，但還是在公使錢一事上參倒了張亢、滕子京二人。張亢另調他處，滕子京謫守巴陵郡。

新法舉措迅疾推往全國實施之際，契丹遽然興兵。

一時間，兵戈冷鋒的氣息已凝聚在京城的上空，甚至凍凝了變法的熱情。

西北這些年雖戰亂頻頻，畢竟離汴京還遠，讓人如霧裡看花。當年契丹興兵南下，勢如破竹般兵鋒直指汴京，始定澶淵之盟，那可是切膚之痛。所有人都是心中惴惴，只怕大宋、契丹再起兵戈，那百姓又要受苦了。

大宋廟堂之上，暫且放下一切內鬥，先考慮對付契丹人一事。

又過了多日，范仲淹突然到了郭府。

狄青見范仲淹前來，微有錯愕，可又十分歡喜。京城不比西北，在西北，他有兄弟，但在京城，他的真心朋友實在寥寥無幾。他當范仲淹是朋友。

范仲淹落座後，也不客套，開門見山道：「狄青，我這次來，是有事相求。」

狄青一時間不知范仲淹所求何事，但仍立即道：「范公若有吩咐，儘管說來。」他知道范仲淹這人所求之事，絕非是私事。

果不其然，范仲淹道：「契丹屯兵燕雲之地，有意南下。眼下北疆吃緊，天子憂心忡忡。文武百官商議良久，覺得事不宜遲，當派人出使契丹，向蕭太后分析利害，若能勸蕭太后放棄出兵的打算，方為上策。」

狄青知道眼下契丹是一蕭姓女子當權，有如大宋的劉太后當年。契丹立國多年，若論繁華，當然遠不及大宋；可若論疆域廣博、兵力雄厚，那是遠超大宋。

大宋立國後，傾太祖、太宗、真宗三朝之兵，和契丹對抗，均是處於劣勢。太祖之時，尚能反攻取地，奪回晉陽、瓦橋關等失地。可惜太祖驀地離奇駕崩，太宗出兵想重演太祖強勢，不想在高梁河被契丹人殺得大敗，坐驢車逃回，可說是狼狽不堪。至真宗之時，更是被契丹人長驅南下，定城下之盟。

大宋和契丹人交戰，那是一代不如一代。宋人只覺得契丹是大宋的天敵，自然對契丹有種莫名的驚恐。

不過和真宗定城下之盟的遼聖宗已然過世，臨死前立齊天皇后為太后，耶律宗真為天子，耶律宗真年紀和趙禎當年登基時彷彿，因此契丹國也是母后當權。

往事總有著驚人的相似，如今契丹國主耶律宗真也是個宮女所生，被齊天皇后所收養。可歷史還是有細微的差別。大宋是劉太后大權獨攬，不容旁人染指，把那個宮女李順容支去守墓，而契丹的那個宮女——蕭耨斤，竟能聯合兄弟，悄掌大權，燒毀遼聖宗的遺詔，居然誣告齊天太后謀反，反倒將齊天太后幽禁起來。

蕭耨斤幽禁了齊天太后，趁親生兒子耶律宗真年幼，獨攬大權，目前在契丹呼風喚雨。和劉太后不同的是，這個蕭太后更是高調，不但大肆剷除異己，提拔兄弟家奴，還四處興兵，前些日子擊西夏不勝，不知為何，竟遷怒大宋，欲對宋出兵。

狄青早從韓笑口中知道了這些往事，見范仲淹提及出使一事，也覺得有理。

在狄青看來，大宋畢竟軍事積弱，飯要一口一口地吃，眼下當以對抗野心勃勃的元昊為主。若真與契丹開戰，元昊從西北捅刀子過來，只怕大宋立崩。想到這裡，狄青道：「既然朝廷已決定派人出使契丹，不知范公找我何事呢？」

范仲淹道：「出使契丹事關重大，但也兇險非常。說實話，朝中百官少有願意前往的。我因要主持變法一事，不能親身前往，朝廷商議許久，決定讓富弼富大人出使契丹。」

狄青道：「富大人為人穩重務實，若去出使，倒是上好的人選。」

范仲淹道：「不過富弼在朝堂上說，要出使契丹不是問題，但他想請你和他一起。不知道你是否肯去呢？」說罷，若有期冀地望著狄青。

狄青錯愕半晌，略帶譏誚道：「我去？富大人對我信任，但他們會放心我去嗎？」狄青口中的他們就是朝堂的一幫文臣，心中暗想前段日子王拱辰等人還說我不識大體，恨不得把我貶到海外去，出使契丹這麼個要識大體的活兒，他們怎麼會放心讓我去呢？

范仲淹微微一笑，「他們均說，契丹虎狼之心，唯有狄將軍前往，才能不弱了我大宋國威。上次你和富大人出使吐蕃，雖說事有不成，但你的能力是不容置疑的。這次出使，你實在是最佳人選。」

原來契丹有意興兵南下，趙禎一聽，不由慌了神。張美人中了毒卻沒死，一直臥病在床。趙禎又驚又怒，責令邱明毫立即調查此事，卻不再讓包拯參與進來。

趙禎當初聽從曹皇后所言，讓包拯查明此事，就是想做到公正公平，不想很多時候，事實殘酷萬分。張美人中毒後，趙禎心中悔恨不迭，整日陪在張美人的床前。可契丹有意興兵，趙禎見江山有難，暫時只能放下張美人一事，召集群臣商議對策。

朝中文武百官一致認為暫不開戰，要先派使臣說服蕭太后不要出兵最好。沒了狄青，群臣這次倒是口徑一致，可談及誰去出使一事，又都犯了難。

兩國交兵之際，形勢莫測，出使鬧不好，就是送命的買賣。多年前契丹也曾鬧事，朝廷曾派夏竦出使，結果夏竦百般推託，甚至稱病不去，被人引為笑談。但在別人身上是笑話，若落在自己身上，可就是悲劇了。

群臣束手為難之際，范仲淹主動請纓，但趙禎不讓。眼下變法之際，正需要范仲淹擔綱，怎能遠走北疆？富弼見狀挺身而出，願意出使契丹。群臣鬆了口氣，不想富弼提出個條件，要和狄青一同出使。

趙禎現在不知該埋怨狄青，還是要因為冤枉狄青一事道歉，聞富弼提議，不置可否。

不過正如狄青所料，朝中那些文臣雖不想前往契丹，但也不覺得狄青是個合適人選。王拱辰當下搬出舊事，提出狄青性格魯莽，頂撞上司，擅闖西夏使館，毆打文臣文彥博，恐怕不是出使契丹的好人選。可范仲淹一句話就讓王拱辰無言以對，范仲淹道：「王中丞不想狄青出使，莫非想要和富大人一同去嗎？」

王拱辰內鬥內行，外鬥外行，對契丹那苦寒之地心存敬畏，更認為和野蠻的契丹人沒什麼話題，遂沉默無聲。

波折多有，但范仲淹不想多提，只是若有期冀地望著狄青。狄青見狀不再推搪，當下道：「既然范公認為在下可去，在下當竭盡所能。」

范仲淹欣慰地笑笑，暗想狄青磨練多年，若論眼光、氣度和魄力，可比朝廷很多人要強太多了。他知道狄青的心事，也知道很多事情對狄青不公，可見狄青每次國難當頭，均是銳意擔當，心中感動。

狄青送范仲淹出府時，見范仲淹眉間隱有憂愁，忍不住問道：「范公，出使一事，你莫要憂心。我想契丹人也是安逸多年，無復當年銳利的爪牙，他們真要開戰，我們也不見得怕了。」

范仲淹道：「據我猜度，蕭太后這次意欲興兵，不過是因為被元昊所敗，急於在大宋身上找回面子和彌補損失。真的要出兵，只怕也不太可能。可我眼下憂心的不是這件事。」

狄青問道：「范公何事憂心？可需要我幫手嗎？」

范仲淹望著狄青，眼角的皺紋都滿是笑意。狄青驀地發現，范仲淹又蒼老了許多。那西北如刀似箭的風雨，打磨著范仲淹的風骨，可也在消磨著他的年華。一念及此，心中惆悵。

范仲淹道：「這件事看起來雖小，但很麻煩。夏竦被貶後，石介就寫了一篇《慶曆聖德詩》……」

狄青倒知道此事。石介是國子監直講，也是范仲淹堅定的追隨者。國子監是宋九寺五監之一，主要負責傳道授業、經術教授，在天下寒士中威望很高。

夏竦被貶出京城，石介做《慶曆聖德頌》，在文中直說趙禎起用范仲淹等人是「眾賢之進」，而把夏竦被踢出樞密院說成「大奸之去」。

這篇文可說是轟動京師，百姓爭相傳誦，是以就連狄青都知道。見范仲淹如斯憂心，狄青道：「石大人說出了實情，似乎也沒什麼不妥吧？」

范仲淹歎口氣道：「小人如那未燃完的炭，你若是不動不翻他，他燃了會兒也就自己熄了。但你一鼓動，只怕他就燃得更凶，甚至一發不可收拾。我早知新法初立，必定險阻重重，和一些人暫時和睦相處，雖心中不願，但能利國利民，也是無妨。眼下歐陽修、蔡襄、石介他們用意雖好，但不知世情險惡，自樹強敵，只怕沒多久，就會遭到對手的反擊了。這本是意料之事，但若因此耽誤變革，我所不願。」

說到這裡，范仲淹哂然一笑，道：「不過這些事，我去處理就好。狄青，出使路途遙遙，風霜險惡，你多保重。」說罷轉身離去，暗想呂夷簡雖大權獨攬多年，但應付小人素有一套，眼下若能說服呂夷簡重新入朝為官，支持新法，變革可望事成。想到這裡，當下向呂府行去。

幾日後，朝廷下旨，令富弼、狄青出使契丹！

富弼和狄青早有合作，話不多說，當下輕裝簡行，擇日出汴京、過黃河，直奔契丹。

這次出使倒和上次去藏邊有所差異，上次出使藏邊，是祕密行事，不欲人知。這次出使契丹，卻是兩國公議，沒必要隱瞞。因此除狄青、富弼等人，尚有數十禁軍跟隨。沿途有人傳送公文，自有地方官府接待。

那幫禁軍知道追隨狄青出使，均是興高采烈，不以出使為苦，反倒覺得很是榮耀。狄青從一尋常行伍中人能到今日的地位，在眾禁軍眼中無疑極富傳奇色彩。能陪著狄青出使一次，這輩子就算老了，也有值得炫耀的回憶。

眾人聽從狄青吩咐，快馬奔行，在途並非一日。這一日過了安肅，前方遠見山巒疊嶂，近看綠草無垠。有風吹拂送爽，草氣清新劈面而來。眾人一路上風塵僕僕，見途中這般美景，忍不住精神一振。

狄青卻知道，過了那連綿的群山，就要到了契丹的境內。前途吉凶未卜，遠沒有沿途風景那麼美妙動人。

這時韓笑趕來，低聲在狄青耳邊說了幾句。狄青點點頭，對富弼道：「富大人，已有消息傳來，因近秋日，契丹國主要例行秋捺鉢，因此應該會去上京道的伏虎林左近。按照慣例，蕭太后也應跟隨，我們若循常理，去中京的話，只怕要等他們秋捺鉢後才能在中京見面，不如我們直接到伏虎林左近請見，不知你意下如何？」雖有禁軍跟隨，狄青還是私自讓韓笑等人暗中跟隨，負責打探消息。而韓笑所得的消息，往往比官府傳來的消息更加快捷準確。

狄青只怕走冤枉路耽誤時間，因此早派韓笑提前打探。

富弼沉吟不語，一時間有些為難。

如今契丹國土劃為五道，分別為上京臨潢府、東京遼陽府、西京大同府、南京幽州府和中京大定府。契丹的南京就是前朝的幽州，而契丹的西京就是如今的山西大同左近。

無論南京、西京，均是在宋立國時，契丹人所搶佔的中原地域，亦是一直沒有被宋朝奪回。西京和南京，亦是契丹人的軍事要道，當年澶淵之盟前，契丹人就經常從這兩道長驅直下，進攻中原，直逼開封。

而中京在契丹南京、西京之北，因與南京接壤，如今發展得也是頗為繁榮，歷來大宋、西夏和高麗等地到契丹的使臣，均是在中京等候契丹國主召見。狄青建議富弼前往上京道直接請見契丹國主，於例不合。不過富弼也知道，狄青是一片好心。

因為雖說上京臨潢府算是契丹眼下的權力中心，但實際上，契丹人一直以來還保留著遊牧時四時轉徙、車馬為家的生活方式。因此契丹的皇帝不像大宋天子般，終日留在汴京，而依舊循契丹人舊習，採用四季巡狩制，也就是春夏秋冬會在不同的地點狩獵巡視和居住，這種方式稱作捺鉢。

春季時，契丹國主多居東京左近，而在秋天時，多會前往上京道。這個規矩，一直沒有改變過，而契丹國主因轉徙不定，居無定所，就讓各國想見他的使臣可能苦苦等候數月，甚至更久。

狄青想要速戰速決，因此建議富弼直接前往上京道求見。富弼知道這種方法直接，但怕破壞了契丹人的規矩，反倒不利和談。

猶豫良久，富弼開口道：「反正要去上京，始終要經中京。不如到中京後，再做打算如何？」狄青也知道富弼的擔心所在，當下贊同。

眾人過群山峻嶺，直入契丹南京後，轉而踏入了中京的地界。

契丹的南京、中京因與大宋接近，風土人情多近中原，居住地百姓很多也是中原人。街市繁華興榮，雖不比汴京，但眾人在此，如在中原般。

富弼、狄青等人到了大定府後，入官衙遞交文書，循使者禮節求見契丹國主和太后，商議邊境屯兵一事。眼下雖是蕭太后掌權，但耶律宗真畢竟已登基，大小政務，也會參與。

那文書遞交了半個月後，終於有了契丹南院的樞密院使的回覆，說蕭太后有旨，命人請宋使前往上京，會獵伏虎林！

富弼得知消息後，唯有苦笑，暗想若早聽狄青之言，也不用在此等候許久了。狄青反倒安慰富弼說，既然蕭太后要和我們會獵，說明一時半會兒不會南下。富弼一想也是道理，雖說在中京耽誤些時日，但只要契丹不發兵，他的出使就還算有些成果。不過蕭太后說什麼會獵，這個詞滿是兵戈氣息，難道說蕭太后要借此在宋使面前立威？富弼本有些擔憂，但見狄青若無其事的樣子，也跟著放鬆下來。

狄青等人第二日啟程出中京，轉道西北，直奔上京道的伏虎林。路途顛簸，眾人很快入了茫茫草原。

天蒼蒼、野茫茫，風吹草低見牛羊！

蒼莽草原，似遼闊大海，人行其中，如海浪上的一葉孤舟，自覺渺小卑微，迷惘感慨。眾人均是不熟悉草原地形，幸好還有韓笑，幸好一路上尚有契丹南院的樞密院派來的契丹人領路，才不至於迷失其中。

一路行來，只見帳篷點點如草原中盛開的花朵，牛羊跳躍宛若草浪中活躍的精靈，那牧女健兒奔馳其中，柔情中又滿是豪放。狄青見了，心中突然想到，自己這一生，若不是個將軍、若沒有入京，只和心愛的人兒在此牧馬放羊，快意一生，那真的是萬金不換。可他還有這個機會嗎？一念及此，心中微酸。

這一日，黃昏落日，那金燦燦的光芒灑在無窮無盡的綠草上，滿是波瀾壯闊。有風吹低了綠草，前方現出了不少帳篷，原來他們不知不覺間，又到了契丹的一處族落。

那族落是契丹下屬族落的伯德族。樞密院派來的官員對伯德族落的族長說了下原委，那族長倒是熱情好客地招待宋朝使者。到了夜晚，篝火熊熊，那族人烤了全羊，準備了歌舞讓狄青等人欣賞。雖說蕭太后有意出兵，但契丹、大宋畢竟和平了數十年之久，在百姓的心目中，雙方更多像是朋友，而不是敵人。

狄青無意歌舞，趁富弼應酬之際，悄然出了狂歡的行列，到了族落之外的一座山坡上坐下，仰望滿天星斗。

這時月如鉤，星似眸，撩人的月色如水銀般鋪在那無邊無際的草浪上，有如情人的眼波。狄青呆呆地望著那如鉤如眉的月兒，許久許久……

有腳步聲傳來，狄青扭頭望過去，見韓笑走過來，展露笑容道：「你怎麼不和他們一起歌舞喝酒？我們這裡面的人，也就是你最熟悉草原的風情了。」

韓笑不會武，可除了武技外，好像沒什麼不會的。他熟悉各方語言，瞭解各地風俗，知曉太多太多的事情，狄青一直都有些好奇，种世衡如何能找到韓笑這種人。韓笑本身，好像就有太多祕密。可他當韓笑是朋友，從來不問。有時候朋友間，固然需要傾聽，但有時候，也要給對方留必要的空間。

韓笑走過來，坐在狄青的身旁，雙手抱膝望著天際，說道：「狄將軍，這次蕭太后讓我們去秋捺鉢之地，不知為何，我總感覺事情不是那麼簡單。從這次接待來看，他們的敵意也不算明顯，因此我一直想不明白這老太婆想幹什麼。」

狄青微微一笑，「想不明白就先不要想了，去了自然就知道。反正我們也有人手留意契丹人的動向，眼下尚沒有發現他們增兵燕雲的舉動。對了，有張美人的線索了嗎？」

韓笑搖搖頭，「張美人是張堯佐之女，而張堯佐是進士出身，多年來一直身分清白無甚可疑之處。這些事情，出汴京前，已經對你說了。如果說唯一有些讓人非議的是，自從天子喜歡上張美人後，張堯佐升官就有些快。不過聽說包拯曾就此事參過張堯佐幾本。」

狄青暗想，我想來想去只想到，這張美人要陷害我，可能是因為元昊的緣故。但眼下看來，這個可能微乎其微了。不過若不是元昊的話，張美人刻意對付我又是為了什麼？

韓笑扭頭望向了狄青，突然道：「狄將軍，汴京雖繁華，但不適合你。其實你這次避禍草原，也是好事。」

狄青淡然一笑，「我一直請命去西北，可祖宗家法規定，邊無常將，我恐怕一時半會兒去不了西北了。我來出使，並非因為避禍，而是覺得，既然我有能力做些事情，就應該去做。」

韓笑眼中露出尊敬之情，他知道狄青這番話，是發自內心。

狄青心中卻想，更何況，我知道羽裳肯定希望我這麼去做！仰望星辰，狄青喃喃道：「不知道何時才能進入沙州？不知道什麼時候天下能夠太平？」

韓笑壓低了聲音道：「狄將軍……我們的鳳鳴……」話未說完，狄青雙眉一揚，低聲道：「咦，不對。」

韓笑微驚，扭頭向富弼等人所在的族落望過去，見到那裡還是篝火熊熊，歌聲隱約隨風飄來，不知道有什麼不對。狄青卻已快奔幾步，又上了個高坡，伏低身子向遠處望去。韓笑見狀，急步跟過來，不等上了高坡，就聽到馬蹄聲響起，急如密鼓。

暗夜中，有兩隊人馬一前一後地向這個方向衝來。前面那隊人馬較少，均著青衣，不過十數個人；而後面那隊人馬卻有五六十人之多，個個是黑色勁裝。

韓笑見到來騎的第一眼，心中懍然，只以為這些人是來洗劫族落，或者是為宋使而來。可隨即就知道不對，因為後面那隊人馬漸漸追近，一聲呼哨後，羽箭如雨般飛過來。

有戰馬悲嘶，前面那十數青衣人有一個被射落馬下。餘眾均是身手敏捷，或鞭馬躲開了箭雨，或揮鞭抽落長箭。這些人無一例外地馬術精湛，狄青暗夜中見前面那些青衣人神色彪悍，隱帶焦急，可都不約而同地護著最前面的一人。最前面那人面色黝黑，緊抿雙唇，年紀不大，在箭雨下非但沒有畏懼，眼中反倒滿是憤怒之意。

那年輕人身後有一虬髯漢子突然喝了聲，十數青衣人陡然勒韁，挽弓挽強，回射了十數箭。羽箭雖不多，但快若流星，追來的那隊黑衣人猝不及防，已被射翻了五六人。餘眾一聲呼喝，竟不退縮，只是分開兩隊，分路包抄過來。

狄青人在山坡，見那些人均是馬術精湛，身手矯捷，暗想怪不得契丹兵縱橫疆場這些年來，大宋對其都無可奈何，這些人的確有其獨到的本事。可這兩隊人馬都是契丹人，不知為何事廝殺？

黑衣人兵分兩路，已兜住青衣人的去路。呼喝聲中，只聽羽箭咻咻作響，縱橫半空，暗夜中，有著說不出的驚心動魄。

轉瞬之間，黑衣人就被射死了十數人，而青衣人那方已剩下不足十人，為首那年輕人陡然低呼一聲，從馬背上摔了下來。原來一箭射來，正中他坐騎的馬頭。那箭勢極勁，長箭沒入馬頭，只餘箭鏃。

黑衣人大聲歡呼，策馬踏來，有長矛舞動，向地上那年輕人刺來。

剩下的青衣人大驚，紛紛來護，但均被箭矢所擋。眼看那長矛就要刺在那年輕人的身上，一人縱來，抱住那年輕人，就地一滾，已避開了長矛。

救出那年輕人的正是方才命令青衣人放箭的虯髯漢子。

響聲不絕，長矛刺地，寒氣懍然。那虯髯漢子倏然而起，抱著那年輕人就向山坡奔去。他本身手敏捷，可畢竟抱著一人，沒跑兩步，就被三騎追上。

長矛交錯，勁刺而來。

那漢子躲避不及，大喝聲中，已把那年輕人拋了出去，可三矛刺來，已將那漢子釘在當場。那漢子怒喝聲中，臨死前扯住長矛，將一人扯下馬來，揮刀斬去，砍死了那人。可馬蹄踏過，已將那漢子踩死當場。年輕人眼中有淚，可奔勢不停，這時只聽到咻的一響，一箭劃破長空，堪堪射到了那年輕人的背心……

眾青衣人大呼，臉色駭然。半空中陡然光華一現，那支長箭本要沒入年輕人的身體，遽然叮的一聲，折衝向了半空，射得不知去向。

眾人怔住，有兩騎飛奔衝來，長矛閃動，就要刺入那年輕人的背心。暗夜中，只見到又是一道光華閃現，有如那天上的月色倏然被接引到了人間。

明月在天，刀在眼前。

那使動長矛的兩人眼中遽然閃過分驚駭，哧哧兩響，長矛折斷。

眾人只見到此生難忘的情景，那兩個黑衣人長矛刺出，遽然頓了下，那道光華陡照在兩人身上，緊接著那兩人矛斷臂斷頭也斷。

有鮮血噴出，染紅了夜空。馬兒無主，茫然悲嘶。

可沒人再去看那驚馬死人，所有人都在看著那年輕人身邊站著的一個人。那人暗夜中驀地閃出，如煞神惡魔，倏然出刀。單刀橫行，只是一刀，就斬了兩個黑衣人！

這是什麼刀法，如此霸道兇狠？這是什麼人，如斯詭異難測？

眾人的一顆心都是怦怦大跳，望著那持刀睥睨而立的人……

出刀之人，就是狄青！

第二十二章 行刺

狄青暗夜殺出，一刀兩斬，砍殺了對手。

狄青驀地殺出，黑衣人均是震驚。但震驚不過剎那，那些黑衣人雖驚懍狄青的刀法，可顯然對那年輕人勢在必得，呼嘯一聲，有數人向年輕人衝了過來。

有持長矛，有人揮刀，還有人長鞭揮舞，紛紛向那年輕人擊去。不但如此，尚有三支羽箭激飛，射的還是那年輕人。

這些人用意明顯，雖有狄青出手阻攔，可他們必殺那年輕人。他們和那年輕人究竟有著什麼不解的仇恨，必須殺之而後快？

可長矛剛剛刺出，矛頭就飛向了半空。長刀未落，馬上那人咽喉中已飆出一股血箭，馬鞭尚在舞動中，舞鞭之人早已頹然摔落到了地上。

那三支羽箭倒是無甚異樣，可要射的人倏然不見。只是片刻的工夫，狄青又是連斬三人，帶著那年輕人退後了數步。

在場眾人有驚有喜，有怒有恐，有一青衣人縱馬衝來，那人神情彪悍中帶分訝然，顯然對狄青橫空殺出很是意外。

狄青認得此人是和年輕人一夥，將那年輕人拋給了青衣人，低喝道：「你們先走！」

這時青衣人只剩下七人，可黑衣人還剩下三十多人。那青衣人接過年輕人，呼哨聲中，縱馬上了高坡，其餘青衣人顯然心意相通，均是衝上了高坡。

狄青橫刀在胸，放身讓青衣之人過去。有兩黑衣人不理狄青，繞路上前，可才到狄青身邊，就見到光華一現，繞著那兩人只是一轉，有人頭飛起，兩具無首的屍體從馬上栽入了塵埃。

眾黑衣人饒是不怕死，可見到狄青那把刀有如神魔附體，竟無人能擋住他片刻，不由駭得退後幾步，那如潮的攻勢，終於停了下來。

風兒輕吹，眾人只是望著橫刀的狄青，猜測此人究竟是誰，恁地有這般身手？

馬蹄聲遠去，山坡上的青衣人均已不見。那些黑衣人又驚又怒，不想煮熟的鴨子還能飛走。他們雖對狄青恨極，但知道眼下若不殺了那年輕人，後患無窮。

為首之人突然喊了兩聲，黑衣人的馬隊倏然散開，呈扇形般衝上了高坡。

這一次，狄青武功雖高，卻也無能攔住全部人手，他只來得及揮刀連斬三人，餘眾都已衝上了高坡。狄青那一刻，臉上突然現出古怪之意。

黑衣人馬隊擺脫了狄青的糾纏，心中大喜，正要馳馬去追的時候，不想只聽到一聲哨響，高坡上立起數人，挽弓射來！那數人均是人著青衣，雙眸噴火。

哧哧哧響聲不絕，那幫黑衣人本以為年輕人和那幫護衛已經逃遠，哪裡想到這些人竟還沒走。變生肘腋，眾黑衣人轉瞬被射翻了七八人。那幾個青衣人搭箭極快，轉眼射了第二輪出去。

眾黑衣人大亂，片刻之間，只剩下十來人還在馬上。黑衣人攻勢遇阻，不由從坡上倒退下來。這時狄青一聲大喝，飛身而起，踢飛一人，搶到了馬上。順勢摘下長矛，用力擲出。

長矛如電，從一黑衣人背心穿出，釘在了第二人的身上。

只是這一矛，徹底擊潰了眾黑衣人的信心。這時雙方人手相若，青衣人又佔地利的優勢，眾黑衣人知道此行再難成功，呼哨聲中，縱馬下了高坡，轉瞬間不知去向。

廝殺不過是盞茶的工夫，可眾人悶聲狠殺，驚心動魄之處，不亞於兩軍對壘。

山坡被鮮血染紅，到處都是無主的馬兒低聲的嘶叫，有著說不出的慘切。狄青方回刀入鞘，高坡上就有人喊道：「兄臺請上來一敘。」

狄青眼中閃過分古怪，隨即掩去，緩步上了高坡。那年輕人見了狄青，一瘸一拐地迎過來。那些青衣人顯然對狄青還不放心，跟在那年輕人的身邊。那年輕人反倒對狄青很是信任，近前抱拳道：「不知兄臺貴姓……」話未說完，臉上突然現出分怪異。

那年輕人雙眉斜飛，顴骨稍高，唇厚耳大。強悍的面容中帶分肅然，有著和他的年紀不相稱的老練。年輕人看清狄青的面貌，嘴唇喏喏動了下，突然問：「兄臺可是叫做狄青嗎？」

狄青這次真的吃了一驚，不想那年輕人居然認識他。略作沉吟，狄青回道：「不知閣下如何識得在下呢？」他這麼一說，無疑承認了自己的身分。

那年輕人眼中閃過分振奮之意，道：「久聞狄將軍大名，可聞名不如見面，若不經今日之事，實在不知道狄將軍竟有如此神勇。」

那些青衣人雖還戒備，可臉上均露出佩服的表情。暗想夏國、大宋交戰許久，都說狄青勇冠三軍，威不可當，今日一見，果然名不虛傳。

狄青緩緩道：「閣下還沒有回答在下的問題呢？」

那年輕人道：「早有一人對我形容過你的面貌，因此我知道你。」並不提那人是誰，年輕人又道：「狄將軍，我眼下有求於你。」這人說話倒是乾脆利索，毫不拐彎抹角。

狄青心中奇怪，不知道誰會向這年輕人提及他呢！淡然道：「你雖有求於我，但怎知我定會幫你？」

那年輕人反問道：「那你方才為何幫我呢？」

狄青神色有些感慨，說道：「適才我見到那虯髯之人捨命救你，想起個舊人。我想有這樣的漢子捨命救你，你終究有可取之處，是以忍不住出手。」

那年輕人道：「兄臺想起的難道是大宋的郭遵？我倒略知兄臺和郭遵英雄的往事。」他向那死去的虯髯漢子望了一眼，神色中滿是傷感。

狄青表情更是訝然，半晌才道：「看來你對我真的很瞭解。」

那年輕人微笑道：「像狄將軍和郭遵這種英雄豪傑，我是頗有興趣瞭解的。你若幫我，只有你的好處。」他言語間，雖帶有懇切，但也有自傲之意。

狄青不鹹不淡道：「你被人追殺，我若要幫你，可能連身家性命都要賠進去。方才幫你出手，不過是一時興起，但我身有要事，怎能再在你身上耽擱呢？」

年輕人問道：「你所謂的要事，是不是要找蕭太后和契丹國主商議契丹人要對宋國用兵一事？」

狄青雙眉微挑，略有驚奇道：「你怎知此事？還不知閣下是誰？」

那年輕人挺起了胸膛，神色傲然道：「我對你知之甚詳，知道你們有使臣前來，知道你狄青到了草原，因為我不是旁人。」頓了下，那年輕人一字字道，「我就是契丹國主耶律宗真！」

這年輕人就是契丹國主耶律宗真？這怎麼可能？

狄青神色中滿是不信，凝望著年輕人許久，這才笑道：「你這個謊話，說得實在不算高明。據我所知，契丹國主眼下應該在伏虎林秋捺鉢才對。」

眾青衣人臉現怒色，才待喝斥，那年輕人擺手止住了眾人，盯著狄青道：「狄將軍，我知道你眼下不會信，不過我很快就會證明給你看我絕非虛言。我本要前往伏虎林，和臣子巡視烏拉族落時，遭叛逆伏擊，這才逃到了這裡。狄將軍，我眼下需要調動人手平定叛逆，只要你來幫我，燕雲出兵一事，大可商量。如果不然……」笑容有些苦澀，像又有些威脅之意，「一切就都不好說了。」

狄青目光閃動，神色很是猶豫，像還是不敢相信年輕人所言。正在這時，遠方有馬蹄聲響起，有一隊人馬舉著火把衝來，到坡下而止。有人高喊道：「陛下可在？」

緊接著有腳步聲繁遝，一青衣人帶著兩人前來。

那兩人一是樞密院的官員，另外一人卻是伯德族的族長。二人見到那年輕人，臉現畏懼之意，屈膝跪倒道：「參見陛下。」

那年輕人傲然地擺擺手道：「都起來吧！」轉望狄青道：「你現在該相信我的身分了吧？」

這年輕人果然就是耶律宗真，亦是眼下雄踞北疆的契丹國主！

原來耶律宗真雖年少，行事可比當年的趙禎要硬朗。他和其餘契丹人一樣，自幼在馬背上成長，見慣了風霜。見狄青為其擋敵，並不急於逃命，反倒吩咐手下下馬埋伏在山坡高處。又命一個手下帶著所有的坐騎奔下山坡，一方面誘使叛逆前來，另一方面卻是因為知道伯德族就在附近，所以讓手下去伯德族求援。

狄青見狀，這才信了耶律宗真的身分，亦施禮道：「大宋使者狄青，參見大王！」

耶律宗真暫時脫難，眉頭仍緊鎖，顯然想著一件為難的事情。沉默片刻後，耶律宗真對那伯德族長道：「你現在能調動多少族中兵馬？」

伯德族長戰戰兢兢道：「回陛下，秋捺鉢在即，我族勇士大半前往伏虎林候駕，目前族中能調動的勇士也就百十來人。」膽怯地望了一眼四周的屍體，伯德族長問道：「不知是哪裡的強盜吃了豹子膽，竟然敢襲擊陛下？」

耶律宗真冷哼道：「不是強盜，是烏拉部的賊子。」

伯德族長吃了一驚，「烏拉部素來臣服陛下，無端端怎麼會襲擊陛下呢？」

耶律宗真斜睨了狄青一眼，沉吟片刻，對伯德族長道：「你立即召集族內全部勇士前來護駕，半個時辰後準備出發。這件事了，你族人全部有重賞，終生不必再交賦稅了。」

伯德族長又驚又喜，喜的是只憑耶律宗真一句話，伯德族就憑空撿個天大的好處。驚的是，天下沒有免費的飯菜，耶律宗真如此厚賜絕非無因，難道說耶律宗真此行蘊藏著極大的兇險？

伯德族長退下準備，耶律宗真望向狄青，拱拱手道：「狄將軍請借一步說話。」說罷示意青衣人退下。那些青衣人均是耶律宗真的近身侍衛，見耶律宗真對才見一面的狄青如此親近，心中不解，可還遵令退到四周。

狄青遲疑道：「不知大王有何吩咐呢？」他和韓笑一起來到這裡，可到現在為止，韓笑一直沒有出現，狄青也沒有擔心的意思。

耶律宗真凝視狄青，輕歎一聲道：「適才若非你出手，我說不定已經死去。狄青，我欠你一條命！」見狄青不語，耶律宗真轉頭望向墨染般的蒼穹，沉吟道：「可我既然還活著，就說明老天還不想我死。我既然活著，就要為死去的人擔當起活著的重任。」他握緊拳頭，咬著牙，一字字道：「今日的事，一定要用血來還。」

狄青望見耶律宗真滿是怨毒的眼，心中微懍，問道：「大王，烏拉部的人，為何要追殺你呢？」

耶律宗真略有猶豫，四下看了一眼，緩緩道：「只是烏拉一部的人，只怕沒有這麼大的膽子。實不相瞞，我懷疑他們是奉了太后之命來殺我。」

狄青懍然，心中暗想難道說蕭太后和當年的劉太后一樣，都要殺了天子自立為帝？可劉太后不是趙禎的生母，眼下的蕭太后可確實是耶律宗真的親娘。

這權位之爭真的可以讓人泯滅一切親情？狄青很難想像，同時也奇怪耶律宗真為何對他說起這般隱祕的事情。

狄青皺眉不語，耶律宗真似乎看穿了狄青的心思，說道：「太后的確是我親娘，可一直對我不喜。我聽說……」猶豫了一下，耶律宗真道，「太后想要立我弟弟宗元為帝，這才有意殺我，可我沒想到，她會這麼快下手！我本帶著北院大王和宣徽使前往烏拉族巡視，不想他們突然發難，北院大王為了救我，被他們的高手所殺。而剛才為救我而死的那個漢子，本是朝中宣徽使。他們一路追殺到這裡，我的貼身侍衛也所剩無幾，若非遇到你，這次……我說不定就死在這裡了。」說罷向山坡下宣徽使的屍身望去，神色慘痛。

狄青知道耶律宗真說得簡單，但其中不知含有多少勾心鬥角、殘酷廝殺，心中略有厭倦。

耶律宗真收斂了慘容，遠望天際，喃喃道：「眼下我臣子遠離，只怕太后的手下這次追殺不成，還會攔截於我。我現在離伏虎林還遠，若不能及時趕到，只怕軍心有亂。」轉望狄青，耶律宗真道：「狄將軍，眼下我有大難，如果你能護我前往伏虎林，餘事皆好商量。可我若不能前往伏虎林，讓太后另立新君，只怕你我都有麻煩。不知你意下如何？」

狄青不想耶律宗真竟對他如此信任，略作沉吟，只說一個字，「好！」

這本是一個交易，他狄青當初出手時，就已經考慮過的交易。

耶律宗真也有些意外，精神一振，說道：「好，狄將軍果然急人所難。怪不得他提及你的時候，對你很是推崇。」

狄青忍不住道：「不知誰向大王提起了狄某呢？」這是他第三次詢問，實在是因為不知道到底有誰對他如此關注，竟向耶律宗真提及他狄青。

耶律宗真一笑，避而不答道：「只要你護送我平安到了伏虎林，自然就會見到他了。」手一揮，有一青衣人上前，那人身材修長，雙眼細長。耶律宗真介紹道：「狄將軍，這是宣徽副使蕭破甲。」轉問蕭破甲，

「眼下我們應該怎麼做？」

蕭破甲皺眉道：「陛下，烏拉族心懷不軌，只怕會在前往伏虎林的路上設有伏兵。眼下我們只有伯德族百十來人護送，若碰到大軍，恐怕會全軍覆沒。」猶豫了一下，才道：「可我們若是喬裝行事，悄然前往伏虎林，應該可避開他們的耳目。」

耶律宗真臉現怒容，喝道：「烏拉族人敢對朕無禮，朕已很失顏面。若再喬裝前去，朕以後在臣子面前，顏面何在？不行，朕這次就要光明正大地去伏虎林，看哪個敢攔！」

狄青皺了下眉頭，感覺很是不妥，但終究沒有多言。

蕭破甲見耶律宗真心意已決，只好道：「既然陛下不想悄然前往，據臣所知，伯德族東北二百里處，有國舅蕭匹敵帶族人駐紮。若得國舅幫手，可保陛下無恙。」

耶律宗真眼前一亮，喜道：「不錯，朕怎麼忘記此事了？」心中暗想，國舅蕭匹敵為人驍勇善戰，素來又和法天太后不和。當初法天太后幽禁我養母齊天太后時，就曾誣告國舅造反，結果還是畏懼國舅的勢力，並沒有將國舅下獄。如今國舅就帶族人避禍於此，我若去求救，他必定幫手。有國舅派兵護送，朕可平安前往伏虎林。

想到這裡，耶律宗真立即下令道：「好，立即出發去找國舅！」

這時伯德族長早就糾集了族中的全部勇士，而大宋數十禁軍在富弼的帶領下，也悉數趕到。狄青只說了烏拉族反叛一事，說決定護送耶律宗真，不過他並沒有提及蕭太后一事。

富弼聽狄青低聲說明經過，又驚又喜，沉默半晌才道：「狄將軍，這件事絕非那麼簡單。烏拉族在契丹，只算是個小族，他們竟敢襲擊契丹國主，這裡面肯定有不為人知曉的原因。我們牽扯進去，吉凶未卜。」

狄青有些佩服富弼的判斷，可還是道：「不入虎穴、焉得虎子？我們既然撞上這事，若不幫手，只怕耶律宗真平叛後，會對我等懷恨在心，進而遷怒我朝。我們是在幫他，可也是在幫自己！」

富弼知道狄青說得很有道理，終於點頭，說道：「那我們就跟他走好了。」

狄青搖頭道：「富大人，此行極為兇險，我帶些禁軍跟耶律宗真走，你就暫時留在這裡等消息好了。事後我會讓韓笑通知你。」

富弼猶豫片刻，明白狄青是為他好，也知道兵凶戰危，自己幫不上什麼，關切道：「那你保重！」

狄青趁無人的時候，拉韓笑到了一旁，低聲道：「這次我們幫助耶律宗真，可說是巨賭。若是贏了，不但契丹人不會再對我朝出兵，若耶律宗真掌權，我們說不定還能說服他共同出兵進攻元昊。」

韓笑四下望了一眼，微笑道：「耶律宗真知道你早認出他了嗎？」原來出使之前，韓笑早就收集契丹的各方消息，設法搞到了耶律宗真的畫像。耶律宗真被追殺之際，狄青認出他的身分，這才當機立斷地衝出來救了耶律宗真。至於見面後故作不識耶律宗真，不過是狄青在做戲。

狄青搖搖頭道：「他不知道，以後也不會知道。非常時期，當用非常手段。只是我很奇怪，他為何執意要大張旗鼓地去伏虎林，如此一來，只怕危險大增。」

韓笑沉吟道：「契丹人兇悍好勝，其實不差党項人。我想耶律宗真是害怕遇襲後銷聲匿跡，若被人傳出去死訊，那蕭太后借機立耶律宗元為帝，那可就糟糕透頂了。」

狄青深以為然，不由感慨這權位之爭的險惡。這時眾人早就準備妥當，耶律宗真憂心忡忡，當下命眾人趁夜出發，急向東北。耶律宗真不將統領眾人的任務交給宣徽副使，反倒請狄青擔當。

狄青有些意外，卻不推卻，完全如行軍般，命人先偵後進，有條不紊地前行。他既統帥過萬馬千軍，也領過幾百人的隊伍，任何時候領軍均是沉穩幹練、不急不躁。領軍途中，心中有幾分好笑，他是大宋的將領，鬼使神差，居然統領起契丹的勇士來。

耶律宗真見狄青指揮若定，暗自讚賞，心道我契丹雖說馬上立國，戰將無數。但自契丹第一將耶律休哥過世後，少有能與之比肩的傑出人物，均說這個狄青是繼大宋曹瑋以來的宋朝第一名將，此話看來並非虛言。

草色共秋，山青如晨。

眾人策馬行了二百里後，在清晨時分，有驚無險地趕到了蕭匹敵所在的族落。蕭匹敵所在的族落依山而立，面對草原。族落帳篷林立，外設鹿角勾欄，成環拱之勢，隱見凌厲。

狄青見了，心想一路上已聽耶律宗真說個七七八八，蕭匹敵素來和法天太后不和，想必也一直怕法天太后對其不利，是以遊牧草原，也是這般戒備。

耶律宗真吃了一次虧，不敢大意，先派蕭破甲進族落打探。不多時，族內有號角吹起，蕭破甲和一個大漢並轡馳來。二人之後，又有數十騎人馬。等離耶律宗真還有頗遠的距離，那大漢翻身下馬，快步走過來。那些手下亦是早早地下馬肅立，神色恭敬。

那大漢肩寬背厚，頭髮半黑半白，但雄姿勃發，不減剽悍。大漢快步到了耶律宗真的身前，單膝跪倒，以手加額道：「臣蕭匹敵，拜見陛下。」

蕭匹敵是齊天太后的哥哥，耶律宗真是齊天太后的養子，但耶律宗真對這個舅舅，反倒比對親娘法天太后要親近許多。

翻身下馬，耶律宗真扶起了蕭匹敵，說道：「國舅，這次就全靠你了。」當下又向蕭匹敵引見了狄青。

從蕭破甲口中，蕭匹敵略知發生的一切，也知道狄青救了耶律宗真。可見到狄青的那一刻，蕭匹敵還是有些異樣。他不想大宋威震西北的戰神竟是這般的俊朗滄桑，心中難免會想，「盛名之下，其實不副。大宋真的沒人了，這樣的人，還能有通天的本事嗎？唉……陛下急病亂求醫，竟請狄青幫手，這件事若傳了出去，面子上可不好看。」

嘀咕間，蕭匹敵對耶律宗真道：「陛下不用擔心，臣已從宣徽副使口中得知一切。哼，烏拉族簡直不知死活，早晚給他們好看。臣已命人準備，眼下最少可以調出千餘人手，到時候就可護送陛下前往伏虎林。至於剿滅烏拉族一事，陛下暫時不必理會，自有人讓他們知道後果！」

蕭匹敵看似魯莽，其實一點兒都不糊塗，也知道這件事多半和太后有些關係，明白眼下人手不足，當務之急不是消滅叛逆，而是前往伏虎林召集群臣和各部效忠的人馬。蕭匹敵這麼說，無非是給耶律宗真留些面子。

耶律宗真心照不宣，說道：「如此也好。」

眾人邊說邊行，已入了族中大砦。蕭匹敵早傳令下去，命族中勇士聚集，然後擺下酒宴，為耶律宗真壓驚，一等準備妥當，就要再次出發。

耶律宗真逃命許久，的確也是腹中饑餓，疲憊不堪。當下請狄青入帳共飲，由蕭匹敵、蕭破甲作陪，只等候召集人馬。

眾人均是無心飲酒，耶律宗真端起酒杯，見到席間寥寥數人，想起以往的群臣環拱，放下酒杯，輕歎一聲。

蕭匹敵知道耶律宗真心情不好，開導道：「陛下，一時之挫算不了什麼。想太祖之時，也不過靠幾個兄弟打下偌大的基業。如今只是一些叛逆不知輕重，忠於陛下的畢竟還在多數，還請陛下寬心。」

耶律宗真喃喃道：「若真如你言，那是最好了。」

就在這時，簾帳一挑，有奴僕端上了大大的托盤，上有烤好的羊羔，香氣撲鼻。蕭匹敵道：「陛下先請用膳，一切吃飽了再說。」

說話間，那奴僕已快到了耶律宗真的身前……

狄青正低頭想著心事，聽那奴僕進來時並不在意。他聞到誘人的香氣，抬頭望了那奴僕一眼，感覺不對，臉色陡變，突然喝道：「什麼人？」他霍然站起，手按刀柄。

原來狄青觀察力極為敏銳，注意到來人腳步凝重。端盤子的僕人，都會小心翼翼的怕盤子跌落，用勁於臂。那人托著盤子很是輕鬆的樣子，又運勁於腿，難道說是想要衝上去？

蕭匹敵一直都對狄青有些不放心，見狀道：「你做什麼？」

呼喝間，帳中驚變陡現！

那奴僕聽到狄青呼喝，遽然間手臂一振，將烤熟的羊羔向耶律宗真打去。蕭匹敵瞥見，臉色巨變，顧不得狄青，高聲叫道：「陛下小心！」

那羊羔還在半空，奴僕已騰身而起，咯的一聲，袖口探出鷹嘴般的利刃，勁刺耶律宗真。耶律宗真大驚失色，不想在這裡還有刺客對他下手。這刺客是混進來的，還是蕭匹敵安排的？念頭一閃而過，耶律宗真畢竟也是身手敏捷，手一用力，桌案飛起向刺客打去，人卻倒退到了帳邊。

鏗的一聲響，桌案四分五裂，那奴僕一擊正中桌案。身形不停，衝過碎裂的桌案，手中的鷹喙已堪堪啄到耶律宗真的喉間。刺客心中方喜，遽然間警覺陡升。剎那之間，他只覺一物已急旋到了他的後頸，這時後方哧的一聲，才傳來金刃破空之聲！

剎那彈指，電閃一念。

不殺耶律宗真，以後再沒有這麼好的機會。若殺了耶律宗真，就要賠進自己的一條命去！轉念之間，那人大喝一聲，彎腰斜滾，手中鷹喙般的兵刃倒擋在頸後。

當的一響，火光四濺。單刀擊在那鷹喙般的兵刃上，倏然倒旋，落回狄青的手上。原來狄青見事起倉促，縱躍不急，拔刀擲出斬向那刺客的後頸，用的卻是圍魏救趙之法。刺客身形斜滾，離耶律宗真距離不變，才待起身再次向耶律宗真刺去，陡然間心頭一寒，因為他眼角的餘光已瞥見狄青單刀在手，冷冷一望。

只是那一望，如千年冰寒，冷了人的一腔熱血。

可比冰更寒的是刀光。

狄青出刀！帳內陡亮！

刺客再也顧不上刺殺耶律宗真，大喝一聲，也不躲避，竟飛身衝向了狄青。哧的一聲響，鷹喙直刺狄青。

帳內一時間刀光如潮，鷹喙似電。

刺客早就對狄青不忿，見狄青氣勢逼人，反倒激起一腔傲氣，竟要和狄青對衝對攻！刺客是誰，恁地有這般狂傲？

電閃雷擊，沒入潮水般的刀光中，眾人只見帳內一明再暗，然後就是轟的一聲大響，牛皮大帳驀地撕裂個口子，帳中大亮，清冷的晨風灌入，吹得狄青衣袂飄飄。

狄青肋下的衣襟破裂，現出緊身勁裝。而刺客卻已衝出了營帳，轉瞬不見。

帳外呼喝連連，蕭匹敵雖惶恐難安，還是在第一時間發出號令，命人追拿刺客，追查此事。

狄青沒有衝出去，只是望著弧形刀鋒上的一溜血滴，心中在想，他怎麼會來？他為何要殺耶律宗真？

蕭匹敵早到了耶律宗真的面前屈膝跪倒，惶惑道：「陛下，臣不知為何會有刺客混入，但此事臣難辭其咎，請陛下責罰。」

耶律宗真看了眼狄青，搖搖頭道：「國舅，你不用自責，朕不會懷疑你的。這刺客神出鬼沒，當初北院大王就是被他擊殺的，我識得他的兵刃！」心中暗想，今日幸虧有狄青，不然朕性命難保！

想到這裡，耶律宗真怒道：「這賊子兩次行刺於朕，朕若抓住他，定當將他碎屍萬段！可是就不知道這人是誰！」

狄青一旁道：「大王，我倒知道這人是誰！」

耶律宗真急問，「刺客是誰？」

狄青沉吟道：「此人綽號飛鷹，據我所知，他本是我朝陝西境內盜匪郭邈山。前段日子，他甚至前往吐蕃一行，不知為何又到了契丹境內。」

耶律宗真咬牙道：「郭邈山？哼，朕記住了他。朕若不殺了他，誓不為人。」他一字字吐出「郭邈山」三字，顯然是恨極。見狄青困惑不解，耶律宗真哂然道：「他的目的也不難猜，這幫叛逆要殺朕，就是想奪朕之帝位。郭邈山來刺殺於朕，無非想要邀功得賞罷了。」

耶律宗真對自己的判斷深信不疑，狄青沉思不語，倒是不敢確信。

狄青知道郭邈山這人行事詭祕奇特，也很離奇。從當初的禁軍，到陝西的賊盜，從武功尋常，到如今可以和他狄青對攻對擊，這人的變化，也是讓人滿是驚詫。

狄青因為有五龍之故，才有今日的體質，可五龍一直在狄青身上，郭邈山為何也能有突飛猛進的變化？

適才一戰，雙方只是交手一招，但生死一線。若論快慢、反應、拚殺之決心，飛鷹並不比狄青要差多少。可結果是飛鷹落敗中招負傷，狄青只是衣襟被劃破，更多是因為狄青習練橫行刀法的緣故。

想當年，十三太保李存孝以橫行刀立世，打遍天下未逢敵手，刀法中每招每式都可以說是千錘百煉，精練簡潔卻又有著極大的殺傷力。

狄青勝在刀法的犀利。

飛鷹當初被狄青揭穿了底細，又被迫離開了飛雪，顯然早對狄青懷恨在心。這次前來，應該不知道狄青會在，可發現了狄青阻撓他行刺，難免化怨恨為鬥志和狄青一戰，結果落敗而歸。但飛鷹這次刺殺耶律宗真，難道真的是為權勢嗎？

狄青想到飛鷹，就不由想到了飛雪。飛雪無疑是比飛鷹還要讓人難以捉摸的人物，但這兩人毫無例外，都和香巴拉有著千絲萬縷的關係。可這二人究竟和香巴拉有什麼關係，狄青一直捉摸不透。

正在這時，有人匆匆趕來道：「陛下，國舅，已然查明，廚房外送菜的奴僕被刺客勒斃，那刺客這才喬裝混進來。那人武技高明，不走草原，反倒翻山離去。想必他混進來的時候，就是從山那面過來的。」

蕭匹敵怒喝道：「那還不趕快去追！」

耶律宗真和狄青齊聲道：「不要追了。」二人異口同聲，互望一眼，都看出彼此眼中的擔憂之意。

飛鷹怎麼會知道耶律宗真在此？難道說蕭太后早就算準了耶律宗真會來向國舅求救？如果是這樣，那襲駕的烏拉族深謀遠慮，應該不會把所有的希望都寄託在飛鷹身上，他們會不會還有後招？耶律宗真和狄青不約而同地想到這點，都是內心驚凜。

就在這時，帳外號角長鳴，冷漠嘹亮，蕭匹敵也是一驚，不待多說，有族中之人衝入了營帳道：「陛下，國舅，有大軍來襲！」

第二十三章　暗　渡

有大軍來襲！

眾人聽到這個消息，只能把捉拿刺客的念頭放在一旁。不等蕭匹敵吩咐，族中勇士早就衝到營帳前，嚴陣以待。耶律宗真在眾人簇擁下，快步出了營帳，但見遠方塵煙高起，陡沖霄漢，燃黃了半邊雲天。

那黃雲洶湧，飛快地向這個方向漫過來。

不多時，就見到草原盡頭湧出一道黑線。那黑線漸廣漸闊，如海潮般襲來，吹得青草盡偃。緊接著馬蹄聲隆隆，緊如戰鼓。一隊人馬足有千餘人，向這個方向殺來。

蕭匹敵認得來敵舉的是烏拉族的旗幟，冷笑道：「他們真是不自量力……」他驍勇善戰，根本不將烏拉小族放在眼中。才待請戰出兵，不想見烏拉族尚未衝到近前，左右兩處又飆出了兩隊兵馬，那兵馬來得極快，轉瞬間和烏拉族兵合一處，磅礴奔來。

三路兵馬匯聚在一起，粗略一看，最少已有七八千人之多。

蕭匹敵臉色微變，暗想聖上逃命至此，身邊不過剩下數個近身侍衛。伯德族不過百十來人，狄青的手下不過數十人，加上族內的全部勇士，還不到兩千的兵力。這般人手，護駕都是不足，更不要說擊敗來敵。

蕭破甲見狀不妙，低聲道：「陛下，國舅，眼下應先防禦為主。」其實不用他說，族中的勇士早就呼喝連連，推車運木，攔在大營之前，準備抵禦對手的衝擊。

狄青見對手氣勢洶湧，皺眉道：「不行，飛鷹才走，敵軍立即趕來，顯然知道飛鷹刺殺計畫未成，這才趕來以氣勢逼迫我等莫要突圍。若依我之見，當找一勇士率精兵殺出，給敵軍以迎頭痛擊，折其銳氣，趁機護送大王突圍最好。」

狄青一遇強敵，立即如兩軍對壘般，心思飛轉，找尋對手的破綻。

蕭匹敵雖勇，可見到叛軍人多，暗想要衝出去倒也不是不可能，但聖上千金之體，怎能如此犯險？他見狄青長得俊朗，本對狄青有些瞧不起，雖說適才狄青單刀拒敵，展現出高絕的武功，讓蕭匹敵另眼相看，但眼下這種情況，蕭匹敵不能不慎重道：「如今敵勢洶湧，陛下不宜如此犯險，只要我等堅守，擊退叛軍的來犯。這附近的臣子知道陛下遇險，肯定會來支援。到時候叛軍自然退卻。」

耶律宗真望望狄青，又看看蕭匹敵，神情很是猶豫，半晌才道：「狄將軍勇猛無敵，想到的計策是不錯。不過蕭國舅說的也有道理，不如看看情形再做決定？」

狄青輕輕歎了一口氣，皺眉不語。若這裡都是他的手下，不用問，他當一馬當先，帶人去殺。敵勢未穩，以狄青之勇殺出，就算殺不退對手，也能扼住他們的氣勢。但這裡大多都是契丹人，他亦是無能為力。

他將大宋、契丹止戰的願望都放在了耶律宗真身上，甚至考慮借用契丹之兵夾擊元昊，自然不想耶律宗真就這麼死掉。轉念間，狄青又道：「既然大王心意已決，依我之見，趁對手合圍之勢未成，應立即派出勇士突圍去附近的族落求援才對。幸好我們這裡依山而立，可命人翻山而過，繞路而行。」

狄青心道這些叛軍人雖多，但總不能把這山嶺全部圍起來，四下總有缺口所在，就算真的堅持不住，也不見得是陷入絕境。

這次蕭匹敵迅疾反應，召集了族中的勇士，吩咐幾句，那些勇士領命，依狄青之計繞後山而走。

就在這會兒的工夫，叛軍已殺到了營前，氣勢洶洶。

蕭匹敵看清楚這些人的旗幟，微皺眉頭，低聲道：「陛下，不只是烏拉族叛亂，乙室部也有人對陛下不敬。」

契丹人本是遊牧民族，只有在得了燕雲十六州後，這才向農耕方向發展，自此後擴建城池，繁榮商業，其中以南京、上京變化最大。不過契丹內部還是以部族制為主，眼下契丹人有四大部族和十數個小族落組成。

契丹目前的四大部族分別是五院、奚六、六院、乙室部，分別統領著契丹人的不少族落。而伯德、烏拉等族，並未劃分到這四大部族中，算是北方草原的獨立的小遊牧族落。

這次烏拉族遽然襲駕，蕭匹敵已猜到多半和蕭太后有關。他早知道蕭太后對耶律宗真有些不滿，想要立耶律宗元為帝，蕭太后暗中指使烏拉族襲駕，就是想事成後把過錯全推到烏拉族的身上。但這次來犯之叛逆，不但有烏拉族的旗幟，就算乙室部落的旗幟也有，這說明叛逆對此行已勢在必得，不再遮掩！

耶律宗真何嘗沒有想到這點？見叛軍聚在營前，叫囂呼喝，他心中氣惱，卻也無可奈何。不多時，遠處塵煙再起，竟又有叛軍趕來。

不到一個時辰的工夫，叛軍又多了三倍人手，已有兩萬餘人。從半山腰望過去，只見到前方叛軍黑壓壓的有如蟻眾，更讓人驚懍的是，對方人手還在不斷地增加。

蕭匹敵越看越是心驚，一時間束手無策。

狄青見了，唯有苦笑，心道眼下敵勢太厚，想要衝出去，已是很難的事情。如果對手再這麼增援下去，不用打，只怕就能逼垮了這裡的守軍。就算附近有族落來救駕，看到這般聲勢，又如何敢來？

向耶律宗真望去，狄青突然有些不解。他見到耶律宗真眼中只有憤怒冷靜，卻沒有絲毫慌亂畏懼之意。狄青實在想不明白，這個契丹國主為何到現在還能如此鎮靜呢？

忽然間，叛軍陣營中有號角聲響起，有數騎馳出，在離耶律宗真一箭之地勒馬。為首兩人，一人著青衣鐵甲，手持馬鞭向這個方向指指點點。另外一人身穿錦袍，錦袍下是黃銅盔甲，神色囂張地向這面張望。

蕭匹敵恨恨道：「涅忽耳和蕭韓奴這兩個狗賊來了，果真是太后在暗中主使。」

原來那身著青衣鐵甲的人叫做涅忽耳，本是蕭太后的表親，而那個蕭韓奴是蕭太后的家奴。蕭太后自囚禁了齊天太后，自立法天太后以來，將親戚甚至家奴都是破格提拔。

涅忽耳和蕭韓奴都是蕭太后十分器重之人，這二人一露面，就正式宣告蕭太后和耶律宗真攤牌。

蕭匹敵見耶律宗真緊握雙拳，神色憤怒，終於按捺不住，翻身上馬出了營砦，遠遠喝道：「涅忽耳，蕭韓奴，聖上在此，你們竟敢大軍來犯，真的要造反不成？」

蕭韓奴哈哈大笑道：「蕭匹敵，造反的是你吧？我們是聽說聖上被你扣押在營中，這才帶兵來救。你趕快把聖上交出來，我對太后美言幾句，饒你不死。你若執迷不悟，只怕我也保你不住。」

蕭匹敵見蕭韓奴反咬一口，氣得臉色鐵青，罵道：「你這個奴才，竟敢在老夫面前這麼囂張，混淆是非？」不待再說，耶律宗真已策馬出營，高聲道：「蕭韓奴，國舅一直對朕忠心耿耿。朕就在此，你若真的救駕，還不先行退下？」

叛軍見耶律宗真出營，微有騷動。這些人或有知道太后的心思，或有盲從，見國主出現，難免不安。

蕭韓奴見了，突然伸手一指道：「你是何人，竟然冒充國主？蕭匹敵，你囚禁了國主，還找個貌似的人要攪亂軍心嗎？這人若真的是國主，就讓他過來一見。」

耶律宗真一怔，心中暗恨。蕭匹敵急道：「陛下，不能過去。」二人都知道，蕭韓奴這招毒辣非常，耶律宗真若真過去，被他們一圍，哪裡還有活路？

蕭韓奴見得計，放聲笑道：「怎麼不能過來？難道說假冒聖上心虛嗎？」回頭望向涅忽耳，使個眼色，涅忽耳喊道：「蕭匹敵以下犯上，囚禁國主。我等當勤王救駕，奮勇當先，擒住蕭匹敵，救出國主，人人有功。」一說罷一擺手，軍陣中鼓聲如雷。

叛軍中早衝出數千人馬，殺了過來。

蕭匹敵連忙讓耶律宗真回營，令族內勇士拚死抵抗。

羽箭如蝗，殺聲震天。

叛軍從清晨攻到午時，發動了七、八次衝殺，營前已血流成河，屍骨高堆。守衛的契丹人雖少，但知道國主在此，個個奮勇抵抗，竟將叛軍的攻勢悉數化解。

等到午後時，雙方均有疲憊，不由暫歇。

蕭匹敵清點了一下人數，發現族中勇士死了數十人，傷有百十來人，不懼反笑道：「蕭韓奴這個奴才，阿諛奉承的本領還算不差，若想行軍打仗，還差得遠了。」對耶律宗真道：「陛下不要擔心，只要我們堅持幾日，想必援軍很快就到。」

狄青一旁道：「敵軍進攻的次數雖多，但用力不足，有大半數兵馬根本沒有使用。我只怕他們剛才不過是試探，他們當然也怕日久生變，當全力進攻。恐怕午後，才是他們大舉進攻的時候。」

話才說完，叛軍營中鼓聲大作，響徹雲霄。蕭匹敵只見到敵營中有兵士蜂擁，挺矛前衝而來。

蕭匹敵暗自後悔，心道都說狄青是為大宋的西北戰神，果然判斷神準，當初若聽他的話帶兵衝殺破圍，也不見得落得現在的窘境。但如今對手合圍之勢已成，除了死抗外再無他法。

蕭匹敵挽袖操弓，親自壓陣。見叛軍漸近，一聲令下，羽箭如雨般落到叛軍的隊伍中。

但這時營前屍骨高堆，那些叛軍或持盾，或依仗死人死馬的掩護，避過三輪羽箭的攻擊時，已衝到了營前。

不待蕭匹敵吩咐，營中勇士早就從駝車、長木、勾欄等掩體處跳出，挺槍持刀，和叛軍展開肉搏戰。

耶律宗真見狀，臉色微變，抬頭看了眼天色，眼中第一次露出焦急之意，心中暗想，這次我拚死一搏，若這時被對手攻陷了陣營，可真的是功虧一簣了。

狄青見這麼快就陷入肉搏戰中，暗叫糟糕，心道敵眾我寡，若是被敵人衝垮了防禦衝進來，就再沒有了還擊的能力。蕭匹敵一味地防守挨打，實在是自陷死路。

這時叛軍營中見到破了對手箭陣，齊聲鼓噪，一時間紛紛奮力上前。

守營的契丹兵本就不多，被對方一衝，忍不住地後退，眼看防禦陣線搖搖欲墜，危在旦夕……

就聽一聲虎吼，蕭匹敵不知何時，坦露了胸膛，露出遒勁的肌肉，舞動砍刀殺了出去。

蕭匹敵雖已老邁，但雄風不減，長刀舞動有如車輪，頃刻間連殺數人。叛軍見蕭匹敵威猛，心有懼意，不由後退。

耶律宗真早就衝到高臺之上，喝道：「國難當頭，是我契丹男兒建功的時候了。」說罷親自擂鼓。皮鼓咚咚大響，營中勇士見皇帝親自擂鼓，不由勇氣大壯。

來攻的叛軍本就有部分不明所以，只因族長被蕭韓奴鼓動，這才跟隨過來，如今見國主耶律宗真在高臺上肅然無限，不像是假冒，忍不住心生畏懼之意。蕭匹敵見狀，長刀一揮，喝道：「殺！」

眾人一鼓作氣地殺出營砦，叛軍竟抵抗不住，紛紛敗逃。蕭匹敵帶人趁勢掩殺，一時間氣勢如虹。

就在這時，只聽到叛軍營中又是一通鼓響，有一人手持馬槊帶隊衝出，喝道：「蕭匹敵，前來送死！」

那人臂長肩寬，眉毛鬍鬚頭髮都糾結在一起，看起來就像肩頭上長了個圓球。耶律宗真見到那人，不由臉色微變。他見過那人，那人本叫野述猿，聽說是從獸群中撿回來的，自幼就是長相如猿，全身毛髮。當初耶律宗真巡視乙室部落時，乙室部落的酋長就曾讓此人為皇帝獻藝，耶律宗真親眼見過此人徒手斃牛撕狼，威不可當。不想今日此人也跟隨叛軍，只怕蕭匹敵很是難敵。

蕭匹敵部倒有大半認識野述猿，也知道此人的兇悍殘忍，見那人率兵殺出，銳氣已減。蕭匹敵見眾人氣餒，心中暗想，若不擊敗野述猿，被他趁勢殺過來，才辛苦打下的優勢只怕就要付諸流水。

他剛才一番廝殺，只是仗著雄心不老，但他體力終究有限，這刻其實已難以為繼。不過箭在弦上，不得不發，他足尖一踢馬腹，就要衝上去迎戰。

突然一陣微風掠過，身邊似有支羽箭射了過去。

蕭匹敵定睛一看，才發現並非羽箭，而是狄青！不過他一時間也是不敢肯定，因為擦肩而過時，他只見到那人身形和狄青彷彿，可那人臉上卻戴有青銅面具。

面具猙獰威武，秋陽冷光下，有著說不出的淒厲兇悍。

衝出之人正是狄青，狄青見野述猿殺出，早戴了青銅面具。長刀一揮，殺到營外。眾禁軍一直躍躍欲試，見狄青發令，雖覺人少，還是緊緊跟隨狄青而去。

他們聽得太多狄青一身是膽、匹馬單刀千軍斬將的事蹟。他們知道狄青這次不會讓他們失望，他們亦不會讓狄青失望！

狄青縱馬橫刀衝出了營砦，箭一般射向了野述猿。而眾禁軍雖是奮力追趕，還是落後了狄青數丈的距離。

禁軍如彎弓，狄青如箭矢，雖不過數十人的馬隊，霍然衝出，有如挽弓欲射的怒箭。

這時雙方營中金鼓大作，耶律宗真見狄青終於出馬，精神一振，擂鼓不停。營中眾人見到，紛紛擂鼓不休，有如山崩。

叛軍營中見對手營中衝出一青面獠牙的怪物，不由駭了一跳。心道己方出個野人，就已讓人驚詫，怎的對方營中竟殺出個鬼怪？

野述猿卻是全然不管對方是人是鬼，見到狄青殺氣懍然，反倒激起一腔野性。狂嚎聲中，他已催馬到了狄青的面前。馬槊急揮，蕩起天地間的殺氣，掩了秋日的光輝。

天地間似乎一暗，轉瞬大亮！

暗因風捲怒草，亮因長刀映天。狄青再次出刀，刀意橫行！橫行天下，無可匹敵！

雙馬交錯，狄青和野逑猿擦肩而過，去勢不停，竟向敵方的陣營奔去。

眾人一驚，一時間竟不知道方才發生了什麼事情。野逑猿的馬兒奔了數丈，終於遲疑地停了下來，因為它得不到主人的命令。

眾目睽睽下，野逑猿在馬上的身軀晃了下，脖頸間裂出道血痕。那血痕現得極快，轉瞬鮮血噴出，染紅了半邊的身子。然後眾人就見到一幕極為詭異、忍不住狂呼的景象……

野逑猿憑空變成了兩半，一截有腳的身子還在馬上，可另外一截帶著手臂的身子，已摔在塵埃之上。

原來狄青適才一刀，有如電閃雷轟般劃過了野逑猿的身軀，雙馬交錯時，已將野逑猿劈為兩半。只是刀勢太快，野逑猿雖已死，但還奔出數丈這才裂開。

這是什麼樣的刀法？

這難道是人能使出的刀法？

戰鼓之聲早停，耶律宗真見到這慘烈血腥的一幕，早已驚得呆住，忘記了擂鼓。所有的鼓手亦是被這一幕震駭，雙手雖僵得不再擂鼓，一顆心卻怦怦大跳，如戰鼓般擂個不休。

狄青堪堪殺到了叛軍面前。

青銅面具在秋陽下泛著比血氣更森冷的光芒。青銅面具後，一雙眸子戰意熊熊，有如烈火，燒在了蕭韓奴的身上。

蕭韓奴已膽戰。他雖飛揚跋扈，他雖不可一世，但這種疆場的血氣殺氣，他是做夢也沒有想到的。生死關頭，他只做了一件事，撥轉馬頭就跑。

雖在千軍之中，可面對狄青，他有如赤身裸體地站在荒涼無邊、渺無人蹤的草原上，周身戰慄。

涅忽耳猝不及防，見狄青竟殺到了面前，暗想狄青不過只有一人，任憑本事通天還能有什麼作為，厲聲喝道：「攔住他！」

兵士來不及挽弓，早有涅忽耳身邊的兩個軍將斜斜上前，一用長矛，一使鐵杵，就要夾擊狄青。

三馬一錯，空中有電光閃爍，兩軍將翻身落馬，已然斃命。

還有軍將要上前攔阻，可見到如此詭異、駭人的面具，如斯犀利、難以匹敵的長刀，一顆心幾乎停止了跳動，哪裡還敢上前送命？

狄青電閃般衝到涅忽耳的身前。

涅忽耳大驚，可畢竟不甘束手待斃，才待揮刀力斬，就被狄青一把抓住了腰帶。

狄青手臂一震，涅忽耳就飛到了半空，哇哇大叫，只以為這次不被跌死，也會落入馬蹄下被踩死。不想倏然落在一人的馬上，那人橫刀在涅忽耳的脖頸，喝道：「奴才，你也有今天？」

呼喝那人正是蕭匹敵。

蕭匹敵在狄青衝出那一刻，雄心大漲，也跟隨狄青衝了過去。他雖已知道了狄青武功蓋世，明白了狄青判斷神準，但還想不到狄青神勇如斯。

狄青一刀斬了野逑猿，兩刀斬了契丹兩將，一揮手就擒住了涅忽耳。

狄青縱橫捭闔，在千軍之中，直如入無人之境。

西北戰神，原來並非狂言。

蕭匹敵雖恨涅忽耳，但也知道這時殺他不得。狄青留下涅忽耳給他，當然有狄青的用意。蕭匹敵單刀揮起，喝令全族人全力衝殺。因為他看出來，狄青並不想止步，狄青的下一個目標，就是蕭韓奴。

如今叛軍的頭領，就是蕭韓奴和涅忽耳，只要擒住這兩人，叛軍群龍無首，自然崩潰。

蕭韓奴逃，拚命逃竄！他已瞥見涅忽耳被擒，更是心驚膽戰。他揮動馬鞭，只是喝道：「閃開，滾開！」他身邊雖還有將領，可他根本不認為能夠擋得住狄青。

必須逃，不逃就死。

蕭韓奴腦海中只餘這個念頭，有將領上前，還想攔截狄青，可狄青揮刀，就有人頭飛起。軍中形成了一個怪異的場面，蕭韓奴雖有千軍萬馬護衛，卻被狄青獨自追殺。

蕭韓奴逃得歡，狄青追得緊，但凡有攔阻，先被蕭韓奴破壞，而狄青只需長刀揮舞，緊隨蕭韓奴。眾叛軍大呼小叫，對狄青竟無可奈何。

叛軍內部紛紛擾擾，難再出擊。就在這時，眾禁軍、蕭匹敵帶著一幫族中勇士，已殺到了叛軍之前。

叛軍群龍無首，前軍已亂。

叛軍有數萬的人馬，分前軍、中軍，左右兩軍。狄青如利刃般扎入，蕭匹敵等人如潮水般拍來後，前軍一亂，中軍已慌。

中軍根本不知道前方發生了什麼事情，只知道適才還在攻打蕭匹敵的營砦，怎麼這麼一會兒，就被人反殺了過來？

軍心一亂全軍皆亂，軍心一倒兵敗如山。

狄青不像一把刀，更像是一柄大錘，敲在了青瓷花瓶上。那花瓶看似堅固，但裂紋一現，再被撞擊，嘩啦聲中，已然散了。

叛軍竟潰。

狄青也是意料不到如斯的情況，伊始時，他知道叛軍意在速戰速決，而他也是一樣的想法。他冷眼旁觀，知道叛軍之首就是蕭韓奴和涅忽耳二人，而要保營砦不失，必須擊退野迭猿的進攻。

他一刀斬了野迭猿，立即有了擒賊擒王的念頭。對方人雖眾多，馬術不差，可蕭韓奴畢竟是家奴出身，並不知兵。叛軍依仗人多，陣型不整。多年的和平，讓契丹人也漸漸失去了銳利的爪牙。眼下的契丹叛軍，並沒有看起來的那麼強大。

狄青看出對方的懈怠疏忽，立即衝過去擒住涅忽耳。蕭韓奴退，狄青追，追殺過程中，見對方自亂，當下改變了念頭，不緊不慢地跟在蕭韓奴的身後。

蕭韓奴一路狂奔，卻不知道自己摧毀了軍心，叛軍大亂，已分不清有多少敵人來攻，紛紛只顧著逃命，一時間自相踐踏，傷亡無數。耶律宗真在營中見了，幾乎難以相信眼前的事實。狄青竟以一己之力衝垮了叛軍的陣營？這人恁地神武？

可事實就在眼前，由不得他不信，耶律宗真大喜之下，奮力擂鼓。族內眾勇士群情沸騰，轟然地衝殺了過去。

一時間人喊馬嘶，鼓角聲聲。雙方大軍撞擊波蕩，叛軍不敵，向西北退去。

狄青帶兵一路追殺不休，但並不是一味衝殺。為了配合手下的攻勢，已離蕭韓奴漸遠。他雖沒有抓住蕭韓奴，但擊敗了叛軍，目的已到。

就在這時，狄青不喜反驚，只覺得一陣心悸，抬頭向遠處望去，見遠方再起煙塵，竟是有大軍行進的跡象。

若是勤王救駕的契丹軍，不太可能這麼快趕到。狄青想到這點的時候，意識到對方可能是叛軍的援軍。

長刀一揮，狄青喝令手下禁軍止步。

眾禁軍一直跟著狄青衝殺，唯狄青馬首是瞻，見狀急急勒馬。心中對狄青的崇敬之情，早就滔滔不絕。

這一次，狄青竟在契丹草原殺得契丹人潰不成軍，這種事情回去說了，那可是一輩子的榮光。

狄青心中卻沒有絲毫喜悅之意，他身經百戰，見遠方高揚的煙塵凝而不亂，早知道對方軍容肅然，絕非方才的叛軍可以比擬。

這時蕭匹敵策馬到了狄青的身邊，見狄青勒馬不前，慌忙勒馬問道：「狄將軍，要不要殺下去？」若說伊始他還對狄青有些不屑的話，到如今，他對狄青可是佩服得五體投地。見狄青搖頭，蕭匹敵慌忙命手下鳴鑼止住攻勢。只望見遠方的天際，有騎兵急馳而至，均是挺矛持盾，列隊前來。遠遠看對方軍容鼎盛，陣列齊整，再看對方的旗幟竟是黃色，蕭匹敵失聲道：「是上京的斡魯朵。」

斡魯朵本是契丹語，意為契丹的帳幕軍，亦是歷代皇帝親軍的統稱。契丹之帝，均建有自己的斡魯朵，世代傳下。眼下的這隊斡魯朵，本是耶律宗真之父，也就是契丹聖宗耶律隆緒所建，精壯驍勇。而目前能調動斡魯朵的就是蕭太后，難道說蕭太后為除去耶律宗真，竟親自領軍前來？

蕭匹敵見到斡魯朵前來，心驚不已。叛軍見上京有兵前來，均認為是蕭太后命人前來支援，大喜過望。蕭韓奴一抹額頭的冷汗，見狄青已不敢追來，大為得意，縱馬上前呼喝道：「來的是哪個？」

斡魯朵勒馬，齊整得讓人心寒。有兵士列開兩側，一人策馬而出。

蕭韓奴見了，認得那人是上京馬軍總管耶律仁先，久在上京，甚得蕭太后的器重。迎上前去道：「耶律總管，可是太后讓你前來助我的？」

蕭韓奴奉蕭太后密旨擁護耶律宗元登基，就想趁這次秋捺鉢之際誘殺耶律宗真。他好不容易將耶律宗真騙到烏拉族，又聯繫到高手飛鷹埋伏，不想飛鷹刺殺時，北院大王拚死護駕，讓耶律宗真突出了重圍，而他派人追殺耶律宗真，偏偏又鎩羽而歸。蕭韓奴算定了耶律宗真若逃走，必向蕭匹敵求救，因此又指使飛鷹潛入蕭匹敵的族落，不想又是功敗垂成，被狄青破壞。飛鷹逃走後，立即放信號說行刺不成，蕭韓奴圖窮匕見，早早地用太后密旨召附近的乙室、烏拉等部落前來，不想憑空冒出個狄青，竟殺得他們數萬兵馬崩潰逃竄。

蕭韓奴絕望之際，見耶律仁先前來，不由大喜。見耶律仁先策馬行來，蕭韓奴叫道：「耶律總管，有個青面獠牙的人破壞了我們的行動，你快去命人殺了他。」

耶律仁先手持馬槊，聞言道：「好！」說罷手臂一揮，馬槊顫動，竟將蕭韓奴打落馬下。

眾人均怔，蕭韓奴跌落馬下，不由驚恐萬分，叫道：「耶律總管，你做什麼？」不待多說，早有契丹兵上前將蕭韓奴按住。叛軍大驚，茫然失措，一時間不知如何是好。

耶律仁先冷望叛軍，喝道：「法天太后倒行逆施，燒毀遺詔，把持朝政多年，致刑法廢弛，朝政紊亂，聖宗法度，變更殆盡。法天太后致契丹窘困，理應受懲。如今更是指使蕭韓奴、涅忽耳等人陰謀襲駕，罪大惡極。朝中于越大人、殿前都點檢耶律喜孫、馬軍總管耶律仁先奉旨平亂，已擒法天太后蕭耨斤於獄中，爾等還不束手就擒嗎？」

蕭韓奴越聽臉色越是發青，聽到最後幾句，如五雷轟頂般，失聲叫道：「你們竟然囚禁太后？」

耶律仁先冷冷道：「倒行逆施之人，自有天譴。天若不譴，我等拿之。將蕭韓奴押下去，等聖上回京後再做定奪。」見眾叛軍惶恐難安，耶律仁先知道遲則生變，怕逼急了這些人，又是一番廝殺，喝道：「今日聖上只誅首惡，知爾等受蕭韓奴愚弄，只要爾等不再反抗，可赦無罪。」

叛軍惶惑，面面相覷。

耶律仁先臉色變冷，陡然喝道：「還不棄了兵刃，更待何時？」

有叛軍畏懼，噹啷一聲，已拋了兵器。一人放棄，餘眾亦受感染，紛紛拋了兵刃。耶律仁先喝令手下押解看管叛逆，自己策馬到了蕭匹敵面前，斜睨了狄青一眼，說道：「國舅，聖上何在？」

蕭匹敵還是懵懵懂懂，不解這變化之快，半晌才道：「你們真的囚禁了法天太后嗎？」

耶律仁先點點頭，不再多說，帶兵到了蕭匹敵的族落前。耶律宗真望見耶律仁先領軍前來，竟沒有絲毫遲疑，策馬出了營帳。二人只是交換了一下眼神，一切盡在不言中。耶律宗真見蕭匹敵還在迷糊中，哈哈笑道：「國舅，朕這次可算是使了中原一計，叫做明修棧道，暗渡陳倉！」

他那一刻，心中不禁有些得意。原來他知道法天太后要廢他帝位後，終於忍無可忍，聯繫了一幫效忠先帝的臣子，趁他出京後，命耶律喜孫突然發動殿前侍衛進攻皇宮，囚禁了法天太后和一幫黨羽。

這場秋捺鉢可說是兇險重重，他耶律宗真為求成功，孤注一擲，以身做餌，就想麻痹法天太后，讓太后全然不備，他雖幾乎為之喪命，但正如中原人所說：「不入虎穴、焉得虎子？」奪回帝位，所有的一切終究還是值得的。

法天太后被囚，他耶律宗真才算真正成為了契丹之主！想到這裡，耶律宗真長出了一口氣，神采飛揚。

狄青遠遠見到，多少清楚了一些原委，不由感慨耶律宗真的心機深沉。

不知為何，看著耶律宗真，狄青眼前突然浮現出那個雷雨交加的夜晚。那個少年天子，手持無字天書的時候，好像也是如耶律宗真眼下這般深沉……

很多事情，狄青並不去想。但一回憶起來，往事紛遝而來有如秋風——蕭瑟中帶著冷冷冰冰的味道……

（未完，請繼續閱讀《歃血完結篇【卷五】射天狼》）

國家圖書館出版品預行編目資料

歃血【卷四】香巴拉／墨武著；── 初版．──臺中市：好讀，2012.08
面：　公分，──（墨武作品集；04）（眞小說；13）

ISBN 978-986-178-245-4（平裝）

857.7　　101012612

好讀出版

真小說 13

歃血【卷四】香巴拉

作　　者／墨　武
總 編 輯／鄧茵茵
文字編輯／莊銘桓
內頁編排／王廷芬
行銷企畫／陳昶文、陳盈瑜
發 行 所／好讀出版有限公司
台中市 407 西屯區何厝里 19 鄰大有街 13 號
TEL:04-23157795　FAX:04-23144188
http://howdo.morningstar.com.tw
（如對本書編輯或內容有意見，請來電或上網告訴我們）
法律顧問／甘龍強律師
承製／知己圖書股份有限公司　TEL:04-23581803

總經銷／知己圖書股份有限公司
http://www.morningstar.com.tw
e-mail:service@morningstar.com.tw
郵政劃撥：15060393 知己圖書股份有限公司
台北公司：台北市 106 羅斯福路二段 95 號 4 樓之 3
TEL:02-23672044　FAX:02-23635741
台中公司：台中市 407 工業區 30 路 1 號
TEL:04-23595820　FAX:04-23597123

初版／西元 2012 年 8 月 1 日
定價／280 元
如有破損或裝訂錯誤，請寄回知己圖書台中公司更換

Published by How-Do Publishing Co., Ltd.
2012 Printed in Taiwan

ISBN 978-986-178-245-4

讀者回函

只要寄回本回函，就能不定時收到晨星出版集團最新電子報及相關優惠活動訊息，並有機會參加抽獎，獲得贈書。因此有電子信箱的讀者，千萬別吝於寫上你的信箱地址

書名：歃血【卷四】香巴拉

姓名：＿＿＿＿＿＿ 性別：□男 □女 生日：＿＿年＿＿月＿＿日

教育程度：＿＿＿＿＿＿＿＿＿＿

職業：□學生 □教師 □一般職員 □企業主管

□家庭主婦 □自由業 □醫護 □軍警 □其他＿＿＿＿＿＿＿＿

電子郵件信箱（e-mail）：＿＿＿＿＿＿＿＿＿＿ 電話：＿＿＿＿＿＿＿

聯絡地址：□□□ ＿＿＿＿＿＿＿＿＿＿＿＿＿＿＿＿＿＿

你怎麼發現這本書的？

□書店 □網路書店（哪一個？）＿＿＿＿＿＿＿＿ □朋友推薦 □學校選書

□報章雜誌報導 □其他＿＿＿＿＿＿＿＿＿＿＿＿＿＿＿＿＿＿

買這本書的原因是：＿＿＿＿＿＿＿＿＿＿＿＿＿＿＿＿＿＿

□內容題材深得我心 □價格便宜 □封面與內頁設計很優 □其他＿＿＿＿＿

你對這本書還有其他意見麼？請通通告訴我們：

＿＿＿＿＿＿＿＿＿＿＿＿＿＿＿＿＿＿＿＿＿＿＿＿＿＿＿＿＿＿

你買過幾本好讀的書？（不包括現在這一本）

□沒買過 □ 1 ～ 5 本 □ 6 ～ 10 本 □ 11 ～ 20 本 □太多了

你希望能如何得到更多好讀的出版訊息？

□常寄電子報 □網站常常更新 □常在報章雜誌上看到好讀新書消息

□我有更棒的想法＿＿＿＿＿＿＿＿＿＿＿＿＿＿＿＿＿＿＿＿＿

最後請推薦五個閱讀同好的姓名與 E-mail，讓他們也能收到好讀的近期書訊：

1.＿＿＿＿＿＿＿＿＿＿＿＿＿＿＿＿＿＿＿＿＿＿＿＿＿＿＿＿

2.＿＿＿＿＿＿＿＿＿＿＿＿＿＿＿＿＿＿＿＿＿＿＿＿＿＿＿＿

3.＿＿＿＿＿＿＿＿＿＿＿＿＿＿＿＿＿＿＿＿＿＿＿＿＿＿＿＿

4.＿＿＿＿＿＿＿＿＿＿＿＿＿＿＿＿＿＿＿＿＿＿＿＿＿＿＿＿

5.＿＿＿＿＿＿＿＿＿＿＿＿＿＿＿＿＿＿＿＿＿＿＿＿＿＿＿＿

我們確實接收到你對好讀的心意了，再次感謝你抽空填寫這份回函

請有空時上網或來信與我們交換意見，好讀出版有限公司編輯部同仁感謝你！

好讀的部落格：http://howdo.morningstar.com.tw/

請填妥後對折黏貼，直接投郵即可，無須貼郵票。

廣告回函
台灣中區郵政管理局
登記證第 3877 號
免貼郵票

好讀出版有限公司　編輯部收

407 台中市西屯區何厝里大有街 13 號

電話：04-23157795-6　傳眞：04-23144188

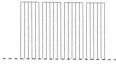

沿虛線對折

購買好讀出版書籍的方法：

一、先請你上晨星網路書店 http://www.morningstar.com.tw 檢索書目或直接在網上購買

二、以郵政劃撥購書：帳號 15060393 戶名：知己圖書股份有限公司並在通信欄中註明你想買的書名與數量

三、大量訂購者可直接以客服專線洽詢，有專人爲您服務：客服專線：04-23595819 轉 230 傳眞：04-23597123

四、客服信箱：service@morningstar.com.tw